JN186693

最新ガイドライン DESIGN-R® 2020に基づく

田中マキ子
Makiko Tanaka

照林社

はじめに

『ガイドラインに基づく まるわかり褥瘡ケア』を2016年に刊行してから6年が経過しました。この間、本書を多くの方々に手にとっていただき感謝に堪えません。この度、日本褥瘡学会の『褥瘡予防・管理ガイドライン』が第5版に改訂されたことを機に、褥瘡ケアに関する新たなフォーカスを加えて『新 まるわかり褥瘡ケア』として改訂いたしました。

初版を発刊する際に、「皮膚・排泄ケア認定看護師でも特定看護師でもない私が……」と躊躇したことを覚えています。けれど、創傷の専門家ではないからこそ、褥瘡予防・治療・ケアの全体像を俯瞰できるのではないかという思いで本書の執筆を引き受けました。褥瘡ケアにかかわるナースのほとんどは、私と似たような背景の方々だと思います。だから、このような「誰にでも理解できて」「最新の情報にあふれた」褥瘡本が参考になるかもしれないと思っています。多くの褥瘡・創傷の専門家にご指導いただいて本書を書き進めながら、私自身が褥瘡ケアの奥深さと可能性を実感しています。

褥瘡にかかわるすべての職種にとって必要な全体像を俯瞰した内容をお届けするためには、科学的なガイドラインに沿うことが最も重要です。ガイドラインは、問い（CQ）に対して、エビデンスを収集し、分析・評価・統合し、一定の見解として示しています。2017年12月に「Minds診療ガイドライン作成マニュアル2017」が改訂され、これまでのエビデンスに関する検討の仕方が変更になりました。システマティックレビューの方法、そして推奨決定の方法等は、とても丁寧な工程を経て吟味されています。そのため、最新のガイドライン第5版（2022年）で取り上げられたCQは第4版（2015年）のものから精選されたものになっています。最新ガイドライン第5版を概観して、これまでの褥瘡ケアと比較してみると、具体的な内容が徐々に解明されているように思います。それは、あたかも一つひとつの点がつながって線となり、線と線が合わさって面となるように、褥瘡ケア全体が深化していっているように思われます。本書のエビデンスは、ガイドライン第4版と第5版の内容が混在するスタイルとなっており、深化した褥瘡ケアの全体像をお見せできるようになっていると自負しています。

褥瘡ケアの深化に貢献できることは、人の生活に寄り添い、苦痛を取り除くこと＝安寧へのかかわりに寄与できることでもあります。それは、医療人としての誇りにもつながることと考えられます。褥瘡ケアはそれを実施する人にとっても受ける人にとってもシビアな側面をもっています。褥瘡で苦しむ人たちを苦痛から解放できる方法を知って実践できることは、私たち医療者の大きな喜びでもあります。本書が、皆様の傍らにあり、少しでもお役に立てれば、筆者として望外の喜びです。皆様とともに、褥瘡ケアのさまざまな新しい方法を共有し、その深化を求めて、さらに先に進んでいければと思っております。

2022年10月

田中マキ子

CONTENTS

●編集協力　柳井幸恵（綜合病院山口赤十字病院、皮膚・排泄ケア認定看護師）

コラム

装丁：大下賢一郎
本文・カバーイラスト：坂木浩子
本文イラスト：山口絵美（asterisk-agency）、今﨑和広
本文DTP：明昌堂

本書における「エビデンス」の考え方

本書は、一般社団法人日本褥瘡学会が策定している『褥瘡予防・管理ガイドライン』「第4版」および「第5版」に基づいて、エビデンスを記載しています。2022年に出された最新の『褥瘡予防・管理ガイドライン（第5版）』では、これまでのガイドラインや海外のガイドラインを参考にして褥瘡に関する重要臨床課題を決定し、14個のCQ（Clinical Question）を設定しています。それ以外のエビデンスは、「第4版」が最新のものとなっています。

そこで、本書では、最新の「第5版」に収載された14CQに関する項目については「第5版」のエビデンスに基づき、それ以外の項目は「第4版」のエビデンスに基づいて構成しています。本文中に、「第4版」「第5版」と明記していますので参照ください。なお、『褥瘡予防・管理ガイドライン（第4版）』『褥瘡予防・管理ガイドライン（第5版）』とで、「推奨度の分類」「推奨の強さの記載」が異なっていますので下記を参照ください。

●『褥瘡予防・管理ガイドライン（第４版）』における「推奨度の分類」

A	十分な根拠※があり、行うよう強く勧められる
B	根拠があり、行うよう勧められる
C1	根拠は限られているが、行ってもよい
C2	根拠がないので、勧められない
D	無効ないし有害である根拠があるので、行わないよう勧められる

※根拠とは臨床試験や疫学研究による知見を指す

●『褥瘡予防・管理ガイドライン（第５版）』における「推奨の強さの記載」

「推奨の強さ」と「エビデンス総体のエビデンスの確実性（強さ）」からなり、
１または２の数字とA～Dのアルファベットの組み合わせで表示。

推奨の強さ	
行うことを推奨する（強い推奨）	1
行うことを提案する（弱い推奨）	2
行わないことを提案する（弱い推奨）	2
行わないことを推奨する（強い推奨）	1
推奨なし	

エビデンス総体のエビデンスの確実性（強さ）	
A（強）	効果の推定値が推奨を支持する適切さに強く確信がある
B（中）	効果の推定値が推奨を支持する適切さに中程度の確信がある
C（弱）	効果の推定値が推奨を支持する適切さに対する確信は限定的である
D（とても弱い）	効果の推定値が推奨を支持する適切さにほとんど確信できない

Part 1

褥瘡はどうしてできる？
どう治す？

褥瘡って何？
発生のメカニズムは？

褥瘡は一般的には「床ずれ」と言われます。寝たきり状態などになると、体重によって圧迫されている部位の血流が滞り、皮膚の一部が赤い色味を帯びたり、ただれたり、傷ができてしまいます。これが褥瘡です。重篤なものでは筋肉や骨まで及ぶものもあり、ときには生命に影響することもあります。

高齢者施設などでは「デクビ」と呼ばれているところもあるようです。これは「Decubitus ulcer」の略ですが、やはり正式名称である「褥瘡」という言葉を使ったほうがよいでしょう。

褥瘡は、以前は「褥創」と表記されていましたが、現在は「褥瘡」の表記が一般的です。「創」は「切りキズ」などの「キズ」を、「瘡」は内部からの要因による壊死や痂皮などの「できもの」を意味します。褥瘡を単なる「創（キズ）」としないで、「瘡」と表記することになったのは、褥瘡の成り立ちに意味があるからです。皆さんが目にしている褥瘡を見るとわかるように、褥瘡はさまざまな形態と状態で成り立

図1　さまざまな形態・状態（色・性状）の褥瘡

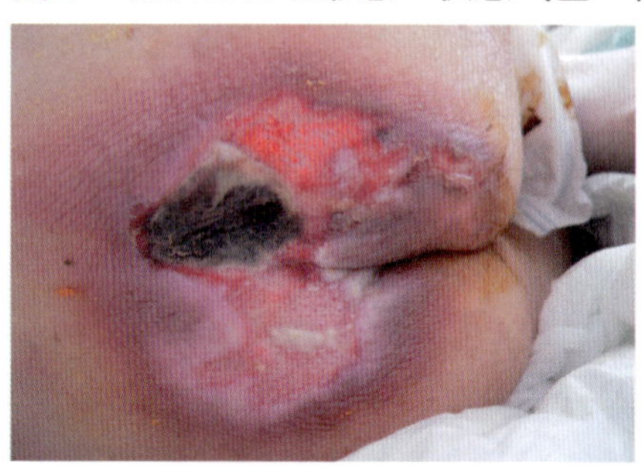

壊死組織を伴う仙骨部褥瘡。滲出液が多く、創縁の浸軟と創周囲の発赤を伴う感染の状態

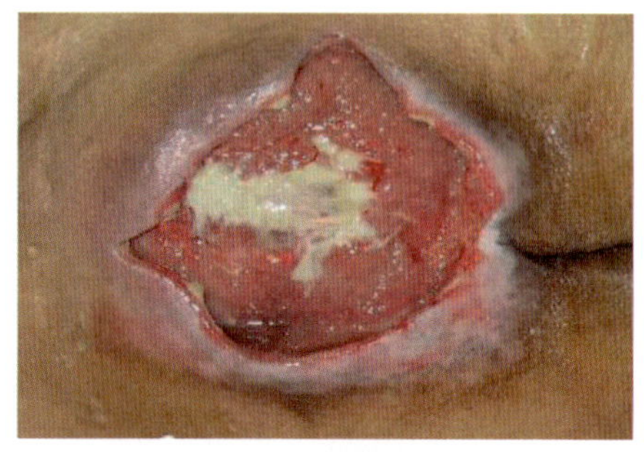

中央に黄色壊死を伴う仙骨部褥瘡。ぬめりを帯びた滲出液と浮腫状の肉芽組織を伴うクリティカルコロナイゼーションを示唆する状態

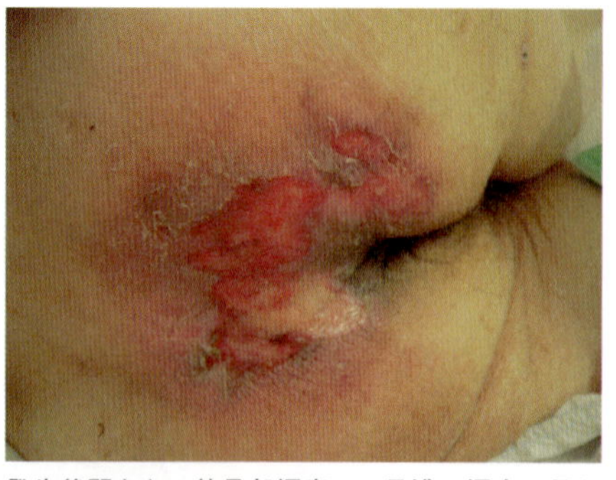

発生後間もない仙骨部褥瘡。一見浅い褥瘡に見えるが、創周囲の発赤や熱感を伴い、障害の深さが特定できない急性期褥瘡

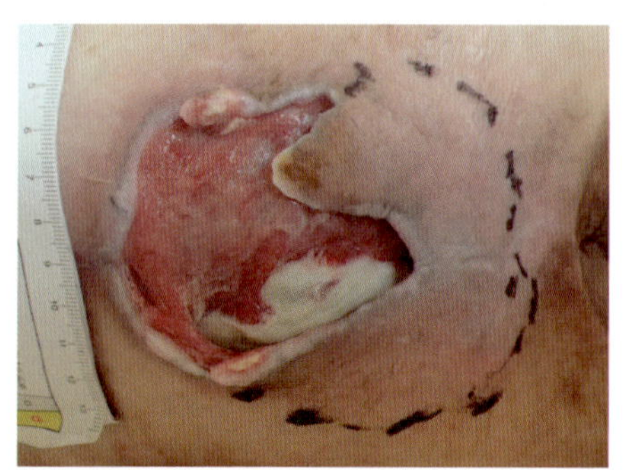

尾側にポケットを伴う仙骨部褥瘡

っており、その病態は非常に複雑です（図1）。的確なアセスメントをして、科学的根拠に沿ったアプローチをしていかないと難治化してしまいます。

日本褥瘡学会では、褥瘡を次のように定義しています。

「身体に加わった外力は骨と皮膚表層の間の軟部組織の血流を低下、あるいは停止させる。この状況が一定時間持続されると組織は不可逆的な阻血性障害に陥り褥瘡となる。」（日本褥瘡学会、2005）

つまり、**外力がかかることで骨によって圧迫された組織が障害された状態が褥瘡**です（図2）。さらに、圧迫には垂直方向に圧縮する力だけでなく、「引っ張り応力」「せん断応力」といわれる圧力がかかっています。それらによって組織に「ずれ力」がはたらき、組織障害が助長されるのです（図3）。

褥瘡は、単なる阻血にとどまらず、4つの機序が複合的に関与するものと考えられています。それは、①阻血性障害、②再灌流障害、③リンパ系機能障害、④細胞・組織の機械的変形、の4つです（図4）。

阻血性障害では、外力によって微小血管が閉塞して組織が阻血壊死に陥ります。そして、一度途絶した血流が再開通したときに、生体炎症反応が起こり、組織が障害される再灌流障害が起こります（図5）。

図2　局所における褥瘡発生の機序

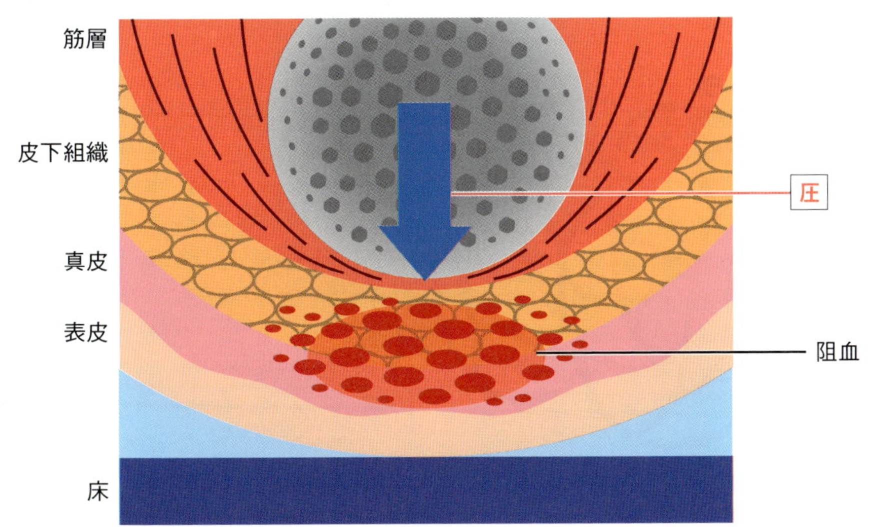

図3　圧迫によるいろいろな力

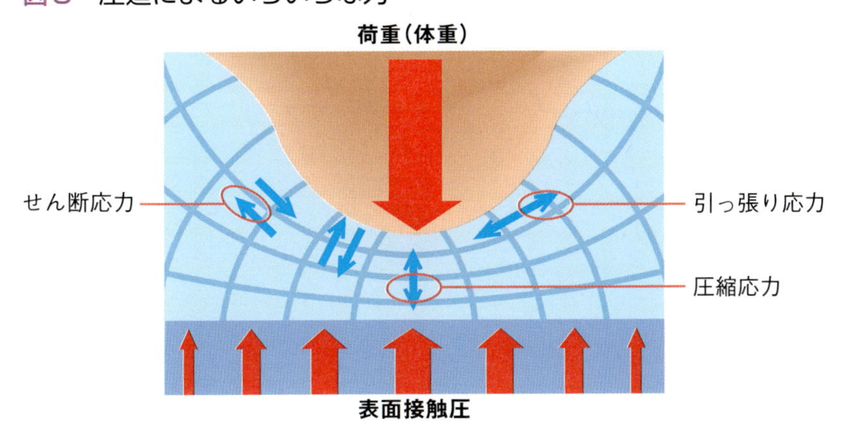

図4　褥瘡発生のメカニズム

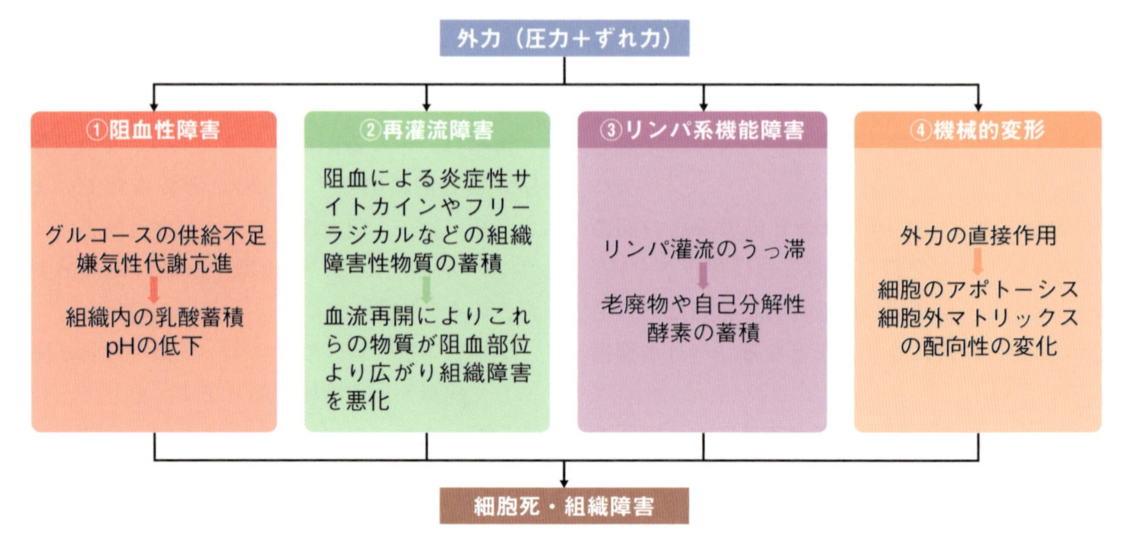

日本褥瘡学会編：褥瘡ガイドブック-第2版．照林社，東京，2015：18．より引用

図5　阻血性障害のメカニズム

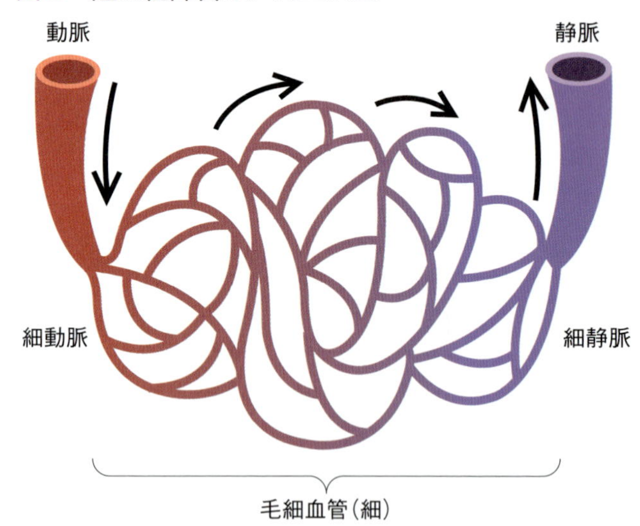

皮膚の微小血管の血流低下が組織障害を起こす

切手俊彦：はじめての褥瘡ケア．照林社，東京，2013：7．より引用

褥瘡はどうしてできる？

褥瘡は耐久性が低下している組織に限局的な圧迫が加わって起こります。ただ、褥瘡発生は局所だけの問題ではありません。局所がこのような状態になるには、さまざまな要因が影響するからです。このことはとても重要です。そのため、**褥瘡を治すためには、さまざまな要因を総合的に考慮してトータルにかかわる必要**があります。

褥瘡を発生させる要因には、大きく分けて、「個体要因」と「環境・ケア要因」があります（図1）。

●**個体要因**：基本的日常生活自立度、病的骨突出、関節拘縮、栄養状態、浮腫、多汗、尿・便失禁。

●**環境・ケア要因**：体位変換、体圧分散用具、頭側挙上、下肢挙上、座位保持、スキンケア、栄養補給、リハビリテーション、介護力。

両方の要因に共通するものが外力、湿潤、栄養、自立です。

さらに、褥瘡が発生しやすい状況をまとめると、表1のような要素が挙げられます。

特に、日本人の高齢者はやせ型の人が多いので、骨突出部に褥瘡ができやすいといえます。これが、欧米人の褥瘡との大きな違いです。そのため、アプローチ法も変わってきます。

図1　褥瘡発生のさまざまな要因

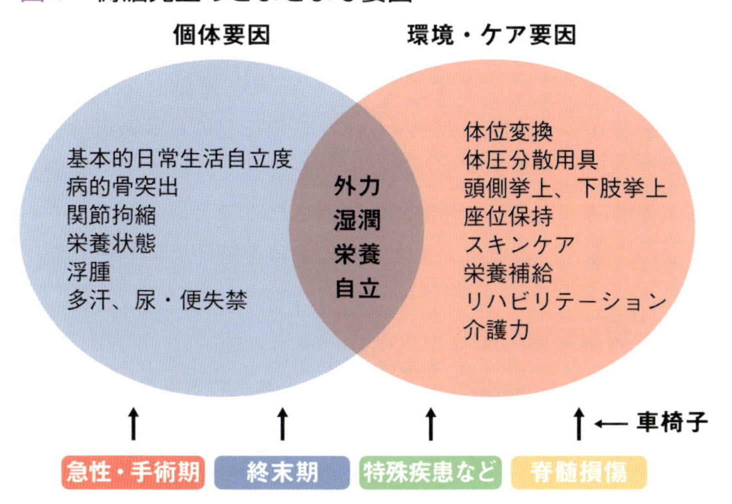

日本褥瘡学会学術教育委員会：褥瘡発生要因の抽出とその評価．褥瘡会誌 2003；5（1-2）：136-149．より引用

表1　褥瘡発生のさまざまな要因

状況	要因
寝たきりの高齢者	自力体位変換困難、低栄養、廃用性萎縮、スキンケア困難、拘束、ネグレクトなど
急性期	発熱、疼痛、知覚低下、意識障害など
周術期	術前安静、術中体位、手術時血圧低下、カテコールアミン、術後疼痛除去
特殊疾患・状態	脊髄損傷、神経変性疾患、精神疾患、鎮静薬使用、身体抑制、急性薬物中毒、糖尿病、血液透析など
終末期	疼痛、呼吸困難、低栄養

上出良一：褥瘡発生の要因．褥瘡治療・ケアトータルガイド．照林社，東京，2009：24．より引用

わが国の褥瘡は減っているの？

2016年に日本褥瘡学会が調査した結果をみると、いわゆる一般病院での褥瘡患者は2.46％です。療養型病床のある一般病院では2.81％です（表1）。おおまかにいうと、**病院に入院している患者の100人あたり2.5人に褥瘡がある**ということになります。

わが国で褥瘡対策が本格的に取り組まれ始めたのは、2002年の褥瘡対策未実施減算からと言えます。このとき、日本中の病院で多職種専門職による褥瘡対策チームが組まれて、褥瘡対策に関する診療計画書に基づいて適切な褥瘡対策が行われ、体圧分散寝具が購入されました。こうした動きの中心となって活動したのが日本褥瘡学会でした。その後、診療報酬上では褥瘡患者管理加算、褥瘡ハイリスク患者ケア加算が認められ、褥瘡対策は入院基本料の算定要件になりました。在宅褥瘡に対しては、在宅患者訪問褥瘡管理指導料が算定されるようになってきています。こうした動きと連動してDESIGN作成、ガイドライン策定などの日本褥瘡学会のさまざまな活動が功を奏して、わが国の褥瘡発生は世界的にも評価されるほど減少してきていると言えます。その推移を図1に示しました。

表1　褥瘡の有病率（日本褥瘡学会、2016）

施設区分	有病率（%）
一般病院	2.46
一般病院（療養型病床を含む）	2.81
大学病院	1.58
精神病院	0.80
小児専門病院	1.50
介護老人福祉施設	0.77
介護老人保健施設	1.16
訪問看護ステーション	1.93

日本褥瘡学会実態調査委員会：療養場所別自重関連褥瘡と医療関連機器圧迫創傷を併せた「褥瘡」有病率，有病者の特徴，部位・重症度．褥瘡会誌 2018；20（4）：423-445．より引用

図1　わが国の褥瘡有病率の推移と褥瘡対策の動き

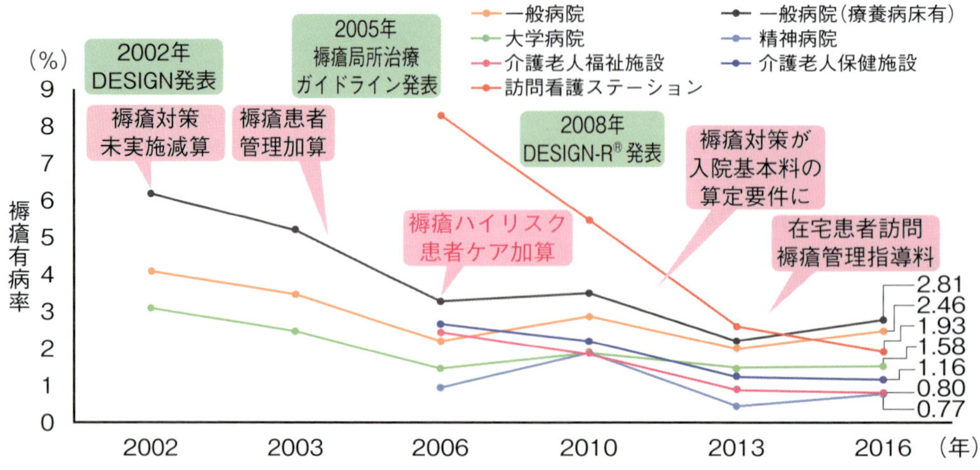

真田弘美：日本発の「DESIGN-R®」は世界標準の褥瘡状態評価ツールになった そして今，DESIGN-R®2020に．エキスパートナース；37（3）：16．より引用

褥瘡は、どこにできやすい？

褥瘡は体のどこの部位にできやすいのでしょうか。褥瘡の好発部位を示したのが図１です。患者の体位で違ってきますが、発生のメカニズムからわかるように、**圧力がかかり骨によって筋肉が圧迫される部位に褥瘡は発生します**。

前述したように日本人は骨突出部位に褥瘡ができることが多く、「病的骨突出」の状態が最も問題になります。老衰や栄養不良の要素に加え、長期間の臥床で筋肉が減少すると解剖学的に骨突出部位の軟部組織が減少します。それが病的骨突出です。そのため、仙骨部、踵部、尾骨部などの骨突出が目立つ部位が、褥瘡ができやすい部位になります。

これを調査結果で見てみましょう（表１）。日本褥瘡学会が行った2016年の実態調査では、一般病院における褥瘡発生部位の順番は、①仙骨部、②踵部、③尾骨部、④大転子部、⑤脊椎部となっています。また、療養型病床を有する一般病院では、①仙骨部、②踵部、③大転子部、④尾骨部、⑤脊椎部の順となっており、ともに仙骨部と踵部の褥瘡が多くなっています。これが介護老人保健施設では、①仙骨部、②尾骨部、③腸骨稜部、④踵部、⑤大転子部となり、腸骨稜部の褥瘡が増えています。また、訪問看護ステーションでは、①仙骨部の次が②坐骨結節部となっており特徴的です。

図１　褥瘡の好発部位

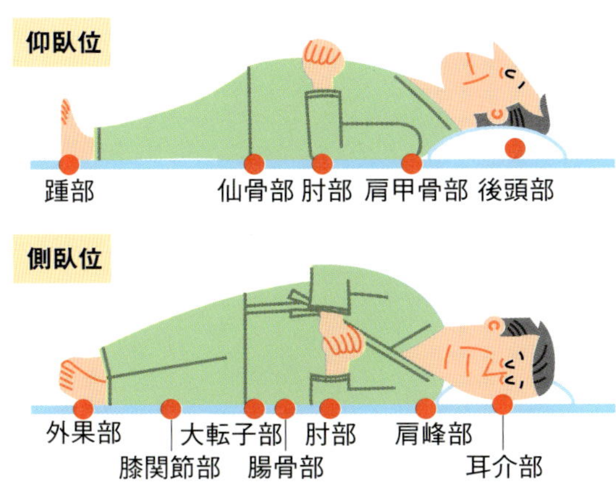

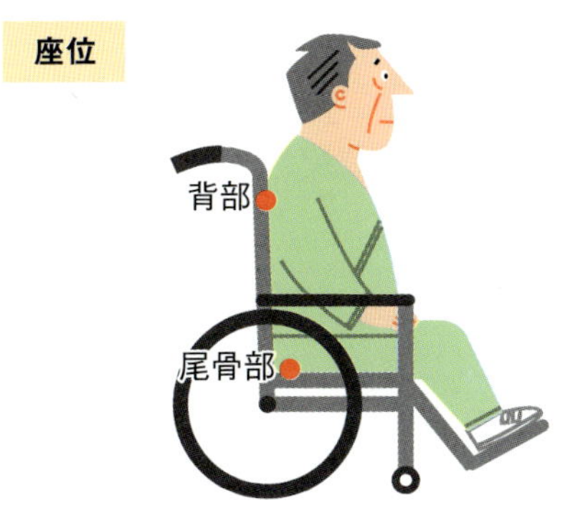

表１　褥瘡の発生部位（療養場所別）

	一般病院	療養型病床を有する一般病院
1	仙骨部（28.0%）	仙骨部（38.6%）
2	踵部（10.8%）	踵部（14.1%）
3	尾骨部（9.9%）	大転子部（8.0%）
4	大転子部（7.4%）	尾骨部（4.7%）
5	脊椎部（5.1%）	脊椎部（2.3%）

	介護老人保健施設	訪問看護ステーション
1	仙骨部（35.4%）	仙骨部（30.0%）
2	尾骨部（16.8%）	坐骨結節部（10.2%）
3	腸骨稜部（9.7%）	踵部（9.2%）
4	踵部（7.1%）	大転子部（8.1%）
5	大転子部（6.2%）	尾骨部（7.6%）

日本褥瘡学会実態調査委員会：療養場所別自重関連褥瘡と医療関連機器圧迫創傷を併せた「褥瘡」有病率，有病者の特徴，部位・重症度．褥瘡会誌 2018；20（4）：423-445．より引用

治りやすいキズ、治りにくいキズ

褥瘡はその発生機序や要因から「創」ではなく「瘡」と表記されることになったことは前述しました。しかし、「創＝キズ」であることも事実で、褥瘡は「慢性創傷」の1つと考えられています。そのため、褥瘡を治すためには、「創傷」であることをふまえて、治療のアプローチを考えていく必要があります。

創傷は「急性創傷」と「慢性創傷」とに分けられます。急性創傷というのは、外傷や手術創など、短期間で治癒する創傷です。5〜7日ほどで抜糸が行われ、5〜14日で治癒に至ります。このように、正常な創傷治癒機転がはたらき、治癒が期待できる創傷を「急性創傷」といいます。

一方、褥瘡や糖尿病足病変など、治癒するまでに時間がかかる創傷を「慢性創傷」といいます。「何らかの原因によって正常な創傷治癒機転がはたらかない創傷」のことです。

簡単に言うと、「正常な治癒機転がはたらいて」「5〜14日で治る」**「治りやすいキズ」が「急性創傷」**、「正常な治癒機転がはたらかないで」「数週間〜数か月で治癒するか・それとも治癒しない」**「治りにくいキズ」が「慢性創傷」**です（図1）。

図1　急性創傷と慢性創傷

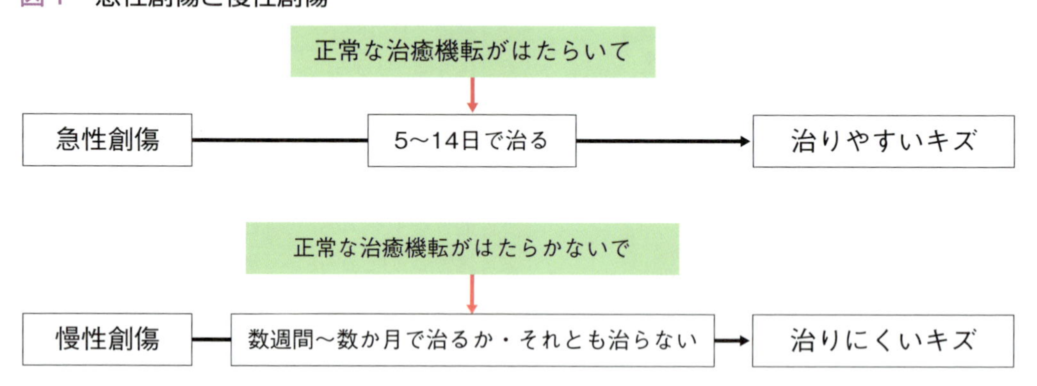

創傷の治し方の基本

1. キズはどうやって治る？

正常なキズ（創傷）はどのような経過を経て治るのでしょうか。一般的に、受傷から治癒までは、以下のステージで経過するといわれています（図1）。

①**出血凝固期（止血期）**：出血による凝固塊が欠損をふさいで止血する時期。

②**炎症期**：炎症性細胞（好中球、単球、マクロファージなど）が傷に遊走して、壊死組織や挫滅組織などを攻める時期。

③**増殖期**：線維芽細胞が周辺から遊走して、細胞外マトリックスを再構築し、血管新生が起こり、肉芽組織が形成される時期。

④**再構築期（リモデリング期）**：コラーゲン産生が十分になって線維芽細胞が減少して瘢痕が軽微になる時期。表皮細胞が遊走して創が収縮・閉鎖される。

これらの経過を順調に進めば、創傷は治るといわれています。褥瘡も「創傷」ですから、これらのステップを確実に踏んで治癒を促進することが必要です。治りにくい褥瘡は、こうした治癒過程のどこかに障害が出てきます。その原因は循環動態であったり感染や栄養などの全身状態であったりと、非常に複雑です。さまざまな因子を的確に判断して、トータルなアプローチを行っていかなければなりません。

図1　創傷の治癒過程

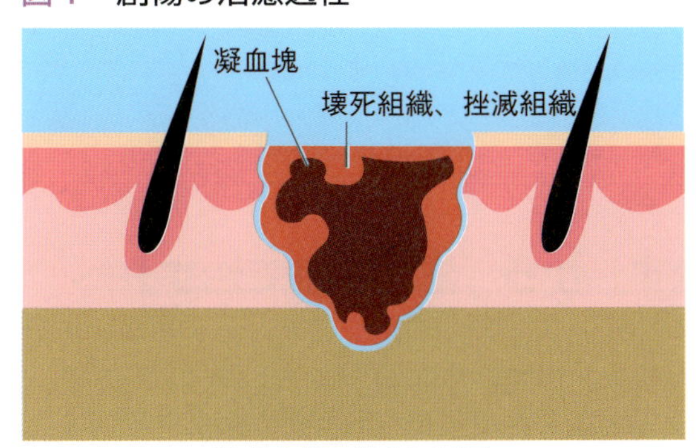

①出血凝固期（止血期）

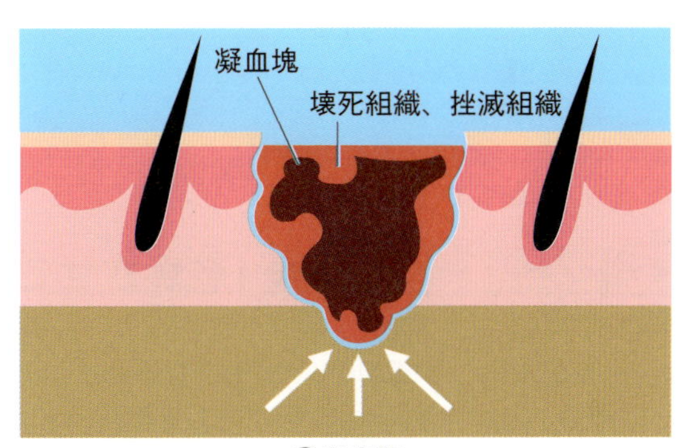

②炎症期

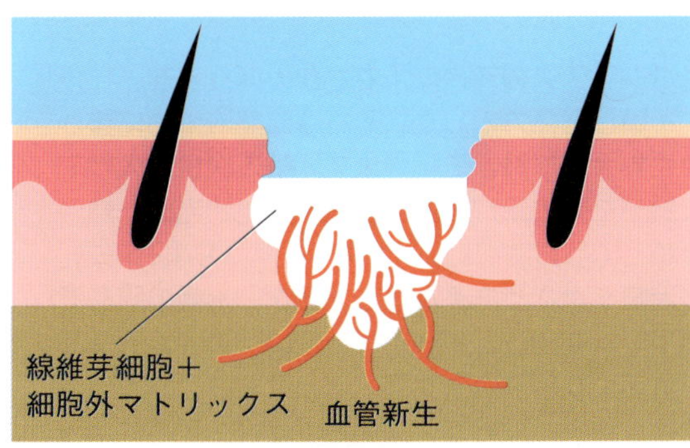

③増殖期

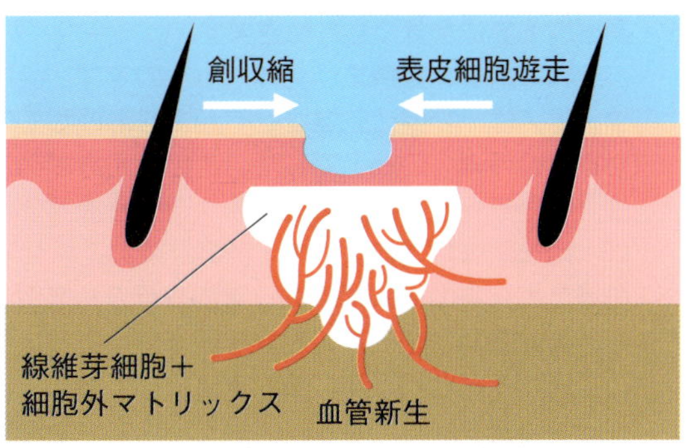

④再構築期（リモデリング期）

市岡滋：創傷治癒の臨床．金芳堂，京都，2009：5．より引用

2. 慢性創傷はどうやって治す？

慢性創傷は、図1の①～④の治癒過程のどこかが障害されて治癒が遅れたものです。特に褥瘡では、②炎症期が遷延化・慢性化している場合が多いといえます。②炎症期から③増殖期になかなか移行しないのです。つまり、「線維芽細胞が周辺から遊走して、細胞外マトリックスを再構築し、血管新生が起こり、肉芽組織が形成される」過程に障害が起こるわけです。増殖因子・サイトカイン組成の変化による創傷治癒障害が起こっていたり、細胞外マトリックスの異常が起こっている場合です。本来、サイトカインが活性化していれば傷は治るのですが、サイトカイン活性が低下するということは、栄養状態が悪かったり何らかの原因で全身状態が落ちていたりすることが考えられます。

慢性創傷が②から③の状態に移行して治癒段階に移るためには、**「創面環境調整（wound bed preparation（WBP）：ウンド・ベッド・プリパレーション）」が必要**ですが、詳しくは後の章で述べます（p.80参照）。

キズは「乾燥させて治す」から「湿潤環境で治す」へ

創傷治癒が湿潤環境下で促進されるという、いわゆる「moist wound healing」の考え方が普及したのは、1962年のWinterの動物実験からだったようです。Winterは湿潤環境のほうが乾燥環境よりも創傷治癒が早いことを動物実験で実証しました。ヒトの皮膚においても同様であるということを立証したのは1963年、HinmanとMainbachであったと言われています。ここから湿潤環境下療法が普及していきます。

それ以前は乾燥療法が主体だったのです。話はヒポクラテスの時代にまでさかのぼります。ヒポクラテスは、創傷は乾燥させて痂皮を形成して治すという考え方でした。それは自然治癒力にまかせるという考えのもとでした。この考え方が第二次世界大戦以降まで続きます。第二次世界大戦では、戦争で生まれたたくさんの熱傷患者を効率よく治すための研究が進められました。当時、熱傷は水疱を除去して乾燥させて色素を染みこませて治すという方法をとっていました。1942年に起こった大火事の際、同時に非常に多くの熱傷患者の治療をせざるをえなかったとき、水疱の膜をそのまま保護膜として残し治療を行ったところ、治癒が早く進むことがわかったといいます。現在でも褥瘡の水疱は破らずにそのままにして治すことが主流になっていますが、その原点はこの大火事の経験に基づいているといえます。創傷治癒の歴史は、戦争や災害でキズをもった兵士をどのように早く治すかという歴史と重なっていて、興味深いですね。

Part 2

褥瘡の基本とアセスメント方法

褥瘡の重症度分類を理解しよう

褥瘡の重症度は一般的に「深さ（深達度）」によって分類されます。多くの分類法があり、Shea分類、Daniel分類、Campbell分類、IAET分類などが有名です。Shea分類は褥瘡をⅠ～Ⅳ度の4段階に区分しています（表1）。Daniel分類は、Shea分類のⅣ度に加えⅤ度として粘膜嚢に沿って広がった大きな潰瘍を加えています。Campbell分類は、Shea分類をさらに細分化して1～7度に区分しています。1度は圧迫を解除すれば消退する発赤、2度はそれ以上の表皮の病変、3度は真皮までの欠損、4度は皮下組織までの欠損、5度は筋肉まで、6度は骨まで、7度は骨髄炎など骨自体にまで病変が及んでいるものです。IAET分類は4つのステージに区分され、Shea分類とほぼ同じです。

臨床でよく使われているのが、NPUAP/EPUAP分類です。NPUAP（米国褥瘡諮問委員会：National Pressure Ulcer Advisory Panel）* とEPUAP（欧州褥瘡諮問委員会：European Pressure Ulcer Advisory Panel）が共同で作成したステージ分類です。

NPUAP/EPUAP分類は、褥瘡の深達度に応じてカテゴリ／ステージⅠからカテゴリ／ステージⅣまでに分けています。それに「米国向けの追加のカテゴリ」として、「分類不能」と「深部組織損傷（DTI：deep tissue injury）疑い」の2つが加えられています（図1）。

カテゴリ／ステージⅠは「消退しない発赤を伴う損傷のない皮膚」、カテゴリ／ステージⅡは「浅い開放潰瘍として現れる真皮の部分欠損」で水疱も含まれます。カテゴリ／ステージⅢは「皮下脂肪に至るものの骨、腱、筋肉は露出していない全層皮膚欠損」、カテゴリ／ステージⅣは「骨、腱、筋肉の露出を伴う全層組織欠損」を指します。また、全体にスラフやエスカーが付着している場合は深さの判定ができないため、分類不能となります。さらに、表皮剥離はなく、深さが不明であっても、皮膚の変色や周辺組織と比べて疼痛や硬結、熱感等がある場合はDTIとしています。

表1　Shea分類とIAET分類

Stage	Shea分類	IAET分類
Ⅰ	表皮に限局した部分潰瘍	圧迫を除いて30分経っても消退しない紅斑
Ⅱ	真皮と皮下脂肪の境界までの全層潰瘍	真皮までにとどまる皮膚部分欠損
Ⅲ	筋膜までの潰瘍	真皮を越え、皮下組織まで及ぶ組織欠損
Ⅳ	筋膜を越えた感染性の壊死変化	筋膜、筋、関節、骨に及ぶ組織破壊

＊NPUAPは、現在はNPIAP（National Pressure Injury Advisary Panel）に改称されている

図1　NPUAP/EPUAP分類

カテゴリ/ステージⅠ：消退しない発赤 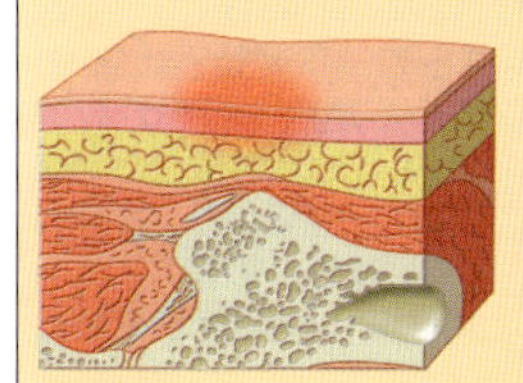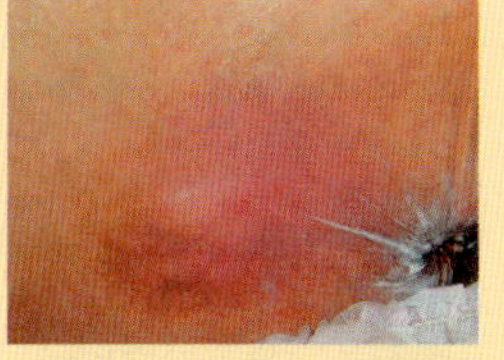 透明なプラスチック板を押し当てて、発赤が消えないことを確認する。消える場合は含めない。しかし消える発赤でも進行する場合があるので観察を続ける	通常骨突出部に限局された領域に消退しない発赤を伴う損傷のない皮膚。色素の濃い皮膚には明白なる消退は起こらないが、周囲の皮膚と色が異なることがある。 周囲の組織と比較して疼痛を伴い、硬い、柔らかい、熱感や冷感があるなどの場合がある。カテゴリⅠは皮膚の色素が濃い患者では発見が困難なことがある。「リスクのある」患者とみなされる可能性がある。
カテゴリ/ステージⅡ：部分欠損または水疱 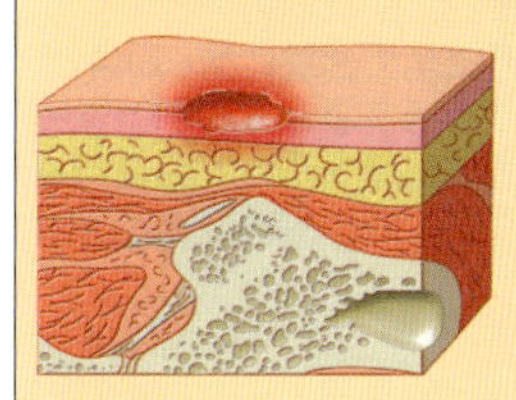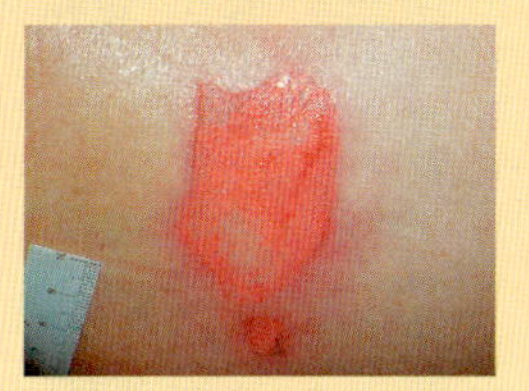 まわりの皮膚とほとんど段差がなく、毛穴が見えることが多い	黄色壊死組織（スラフ）を伴わない、創底が薄赤色の浅い潰瘍として現れる真皮の部分層欠損。皮蓋が破れていないもしくは開放/破裂した、血清または漿液で満たされた水疱を呈することもある。 スラフまたは皮下出血*を伴わず、光沢や乾燥した浅い潰瘍を呈する。このカテゴリを、皮膚裂傷、テープによる皮膚炎、失禁関連皮膚炎、浸軟、表皮剥離の表現に用いるべきではない。 ＊皮下出血は深部組織損傷を示す。
カテゴリ/ステージⅢ：全層皮膚欠損（脂肪層の露出） 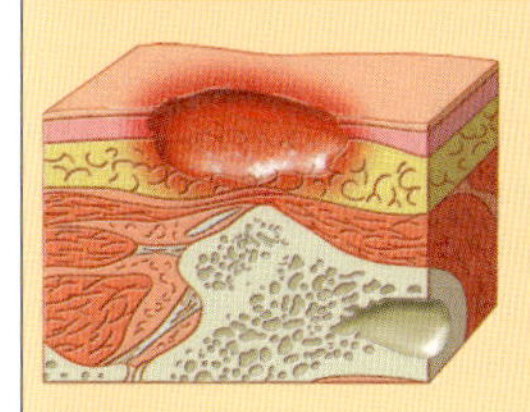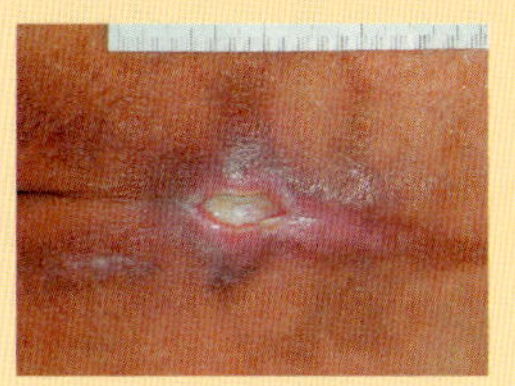 まわりの皮膚との間に段差があり、創底に柔らかい黄色の壊死組織が存在することが多い	全層組織欠損。皮下脂肪は視認できるが、骨、腱、筋肉は露出していない。組織欠損の深度がわからなくなるほどではないがスラフが付着していることがある。ポケットや瘻孔が存在することもある。 カテゴリ/ステージⅢの褥瘡の深さは、解剖学的位置によりさまざまである。鼻梁部、耳介部、後頭部、踝部には皮下（脂肪）組織がなく、カテゴリ/ステージⅢの褥瘡は浅くなる可能性がある。反対に脂肪層が厚い部位では、カテゴリ/ステージⅢの非常に深い褥瘡が生じる可能性がある。骨/腱は視認できず、直接触知できない。
カテゴリ/ステージⅣ：全層組織欠損 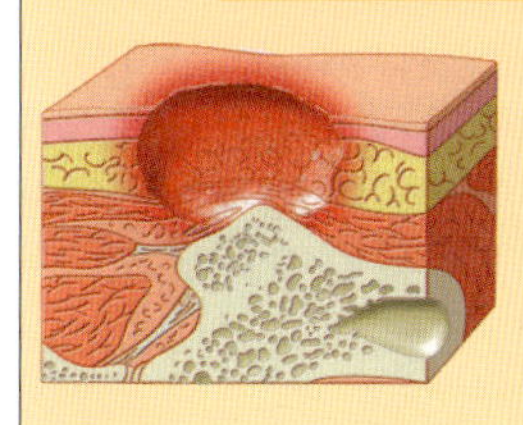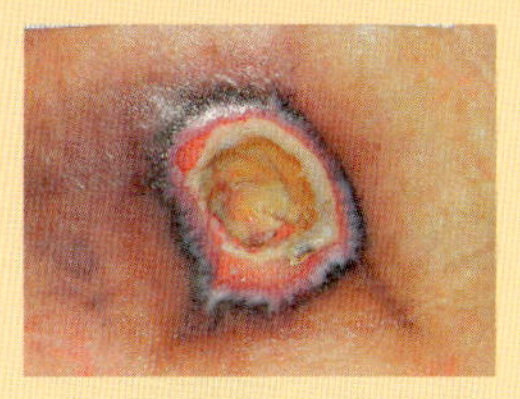 まわりの皮膚との間に段差があり、中には創底に密着した黄色の壊死組織や、糸を引いたように見える壊死組織が見えることがある	骨、腱、筋肉の露出を伴う全層組織欠損。スラフまたはエスカー（黒色壊死組織）が付着していることがある。ポケットや瘻孔を伴うことが多い。 カテゴリ/ステージⅣの褥瘡の深さは解剖学的位置によりさまざまである。鼻梁部、耳介部、後頭部、踝部には皮下（脂肪）組織がなく、カテゴリ/ステージⅣの褥瘡は浅くなる可能性がある。反対に脂肪層が厚い部位では、カテゴリ/ステージⅣの非常に深い褥瘡が生じることがある。カテゴリ/ステージⅣの褥瘡は筋肉や支持組織（筋膜、腱、関節包など）に及び、骨髄炎や骨炎を生じやすくすることもある。骨/筋肉が露出し、視認することや直接触知することができる。

（次頁につづく）

米国向けの追加のカテゴリ	
分類不能：皮膚または組織の全層欠損—深さ不明 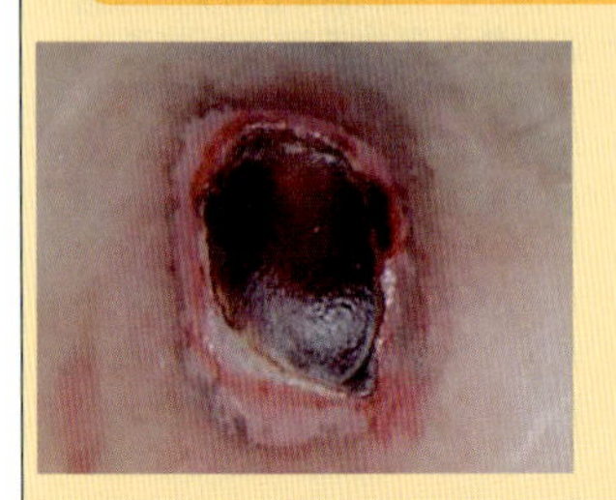	創底にスラフ（黄色、黄褐色、灰色、緑色または茶色）やエスカー（黄褐色、茶色または黒色）が付着し、潰瘍の実際の深さが全く分からなくなっている全層組織欠損。 スラフやエスカーを十分に除去して創底を露出させない限り、正確な深達度は判定できないが、カテゴリ/ステージⅢもしくはⅣの創である。踵に付着した、安定した（発赤や波動がなく、乾燥し、固着し、損傷がない）エスカーは「天然の（生体の）創保護」の役割を果たすので除去すべきではない。
深部組織損傷疑い（suspected DTI）—深さ不明 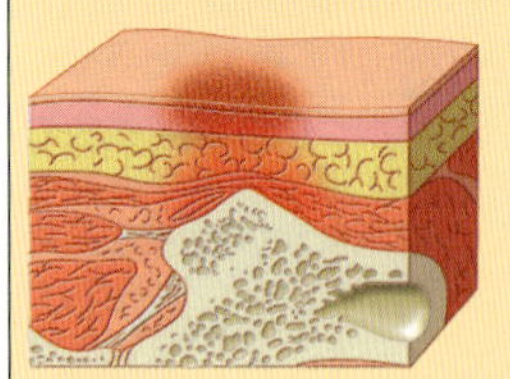 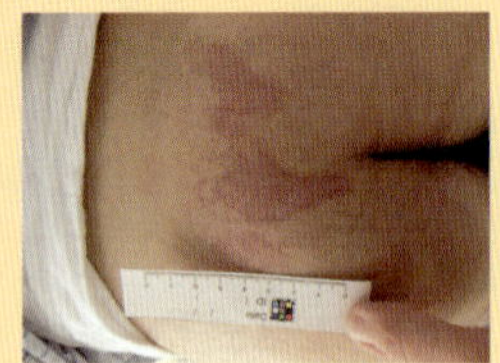 長時間の手術後に発生した。紫色を呈しており、深部に硬結を触れる	圧力やせん断力によって生じた皮下軟部組織が損傷に起因する、限局性の紫色または栗色の皮膚変色または血疱。 隣接する組織と比べ、疼痛、硬結、脆弱、浸潤性で熱感または冷感などの所見が先行して認められる場合がある。深部組織損傷は、皮膚の色素が濃い患者では発見が困難なことがある。進行すると暗色の創底に薄い水疱ができることがある。創がさらに進行すると、薄いエスカーで覆われることもある。適切な治療を行っても進行は速く、適切な治療を行ってもさらに深い組織が露出することもある。

EPUAP（ヨーロッパ褥瘡諮問委員会）/NPUAP（米国褥瘡諮問委員会）著，宮地良樹，真田弘美監訳．褥瘡の予防＆治療　クイックリファレンスガイド（Pressure Ulcer Prevention & Treatment）．より引用したものにイラスト，写真を追加した

イラストレーション：村上寛人

日本褥瘡学会編：在宅褥瘡テキストブック．照林社，東京，2020：20-21．より引用

2016年に米国で、褥瘡が“pressure injury”となって変わったこと

NPUAP（National Pressure Ulcer Advisory Panel）は2016年4月に、褥瘡を“pressure ulcer”から“pressure injury”と用語変更しました。そのため、褥瘡深達度分類についても、その用語を使用して改訂版としました。改訂前の褥瘡カテゴリ分類には、2009年のNPUAP/EPUAPカテゴリ分類があり、p13に示した図1がそれに当たります。

2016年4月にNPUAPは次のようにアナウンスしています。

“pressure ulcer”を“pressure injury”としたことにより、従来のステージ分類での「ステージⅠ」と「deep tissue injury：DTI」は「皮膚損傷（皮膚欠損）はない」とされ、他のステージでは「潰瘍」と表現されました。“pressure injury”とすることで、皮膚欠損の有無と深達度の違和感を解消したものと考えられています。

Part2　褥瘡の基本とアセスメント方法

急性期の褥瘡と慢性期の褥瘡とは

褥瘡は「急性期」か「慢性期」か、慢性期であれば「浅い褥瘡」か「深い褥瘡」かによってそれぞれ進展過程が異なります。それを見きわめて適切な対応をとることが重要です。褥瘡の進展様式を図1に示します。

1．急性期褥瘡

褥瘡発生直後から1～3週間を「急性期」といいます（図2）。この時期は局所の病態が不安定で、急性炎症反応が強く出ます。そのため発赤（紅斑）、紫斑、浮腫、硬結、水疱、びらん・浅い潰瘍などの症状が出てきます。急性期褥瘡の特徴を表1にまとめました。

急性期褥瘡の治療の基本は、適度の湿潤環境を保持しながら褥瘡部を透明ドレッシング材で保護することです。

2．慢性期褥瘡

慢性期褥瘡とは、1～3週間の急性期を過ぎて経過しているもので、基本的に局所の病態変化が少なくなった状態をいいます。ただ、急性期と慢性期の分岐点を判断することは容易ではありません。

慢性期褥瘡では、急性期と同様に局所治療を進めると同時に、褥瘡の発生原因を徹底して除去します。その際に重要なのは「浅い褥瘡」なのか「深い褥瘡」なのかを判断することです（図3）。「浅い褥瘡」というのは深さが真皮ま

図1　褥瘡の進展様式

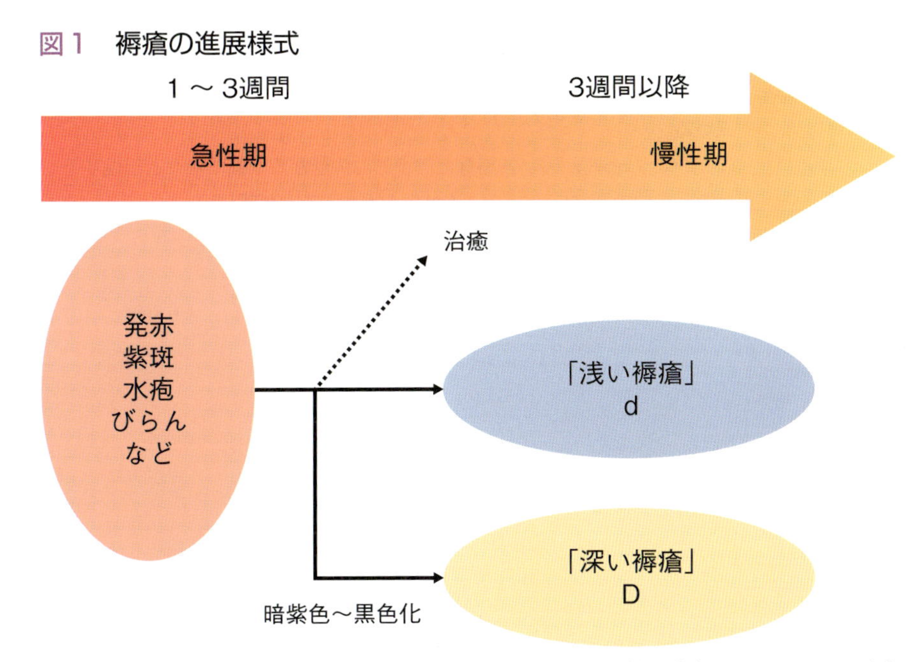

福井基成：決定版褥瘡治療マニュアル-創面の色に着目した治療法，照林社，東京，2000：28．より改変

図2　急性期褥瘡

①浅い褥瘡

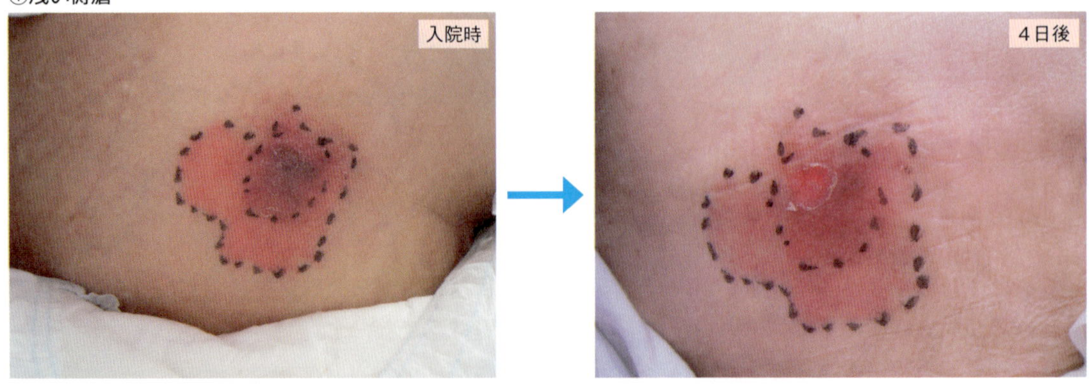

入院時持ち込み褥瘡。二重発赤があり、深部損傷褥瘡（deep tissue injury：DTI）を疑い、マーキングとフィルム材の貼付、毎日の観察を継続して４日後、発赤は軽減し、一部皮膚剥離を認めるが浅い褥瘡であることが判明した

②深い褥瘡

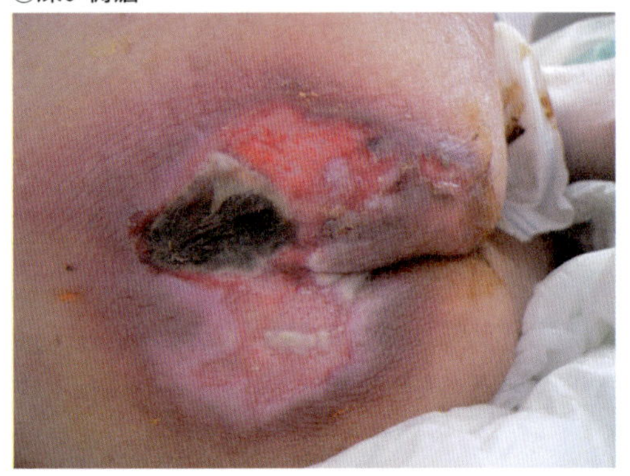

滲出液が多く感染を伴う褥瘡。黒色壊死も伴い、尾骨付近にDTIを思わせる所見が認められた

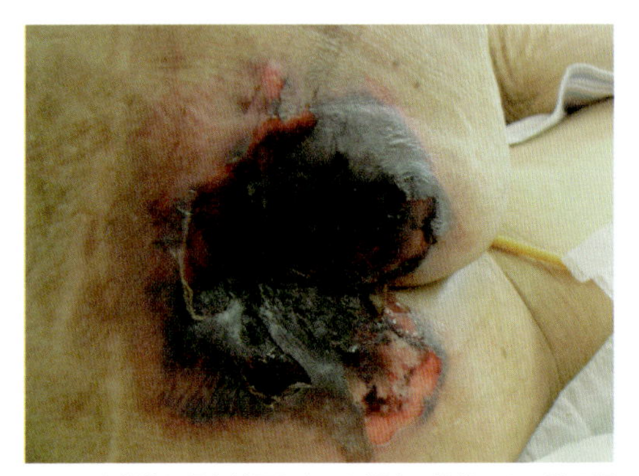

ドライな状態で黒色壊死となった褥瘡。発熱により数日間体動困難な状態が続き、無処置のまま経過していた

表1　急性期褥瘡の特徴

1. 全身状態が不安定であったり、さまざまな褥瘡発生要因が混在している
2. 局所には強い炎症反応を認める
3. 発赤（紅斑）、紫斑、浮腫、水疱、びらん、浅い潰瘍などの多彩な病態が短期間に次々と出現する
4. 不可逆的な阻血性障害がどのくらいの深さに達しているかを判定することが難しい
5. 褥瘡部、褥瘡周辺の皮膚は脆弱で、外力が加わると皮膚剥離や出血などが容易に生じる
6. 痛みを伴いやすい

日本褥瘡学会編：科学的根拠に基づく褥瘡局所治療ガイドライン．照林社，東京，2005：17．より引用

図3　慢性期褥瘡

①浅い褥瘡

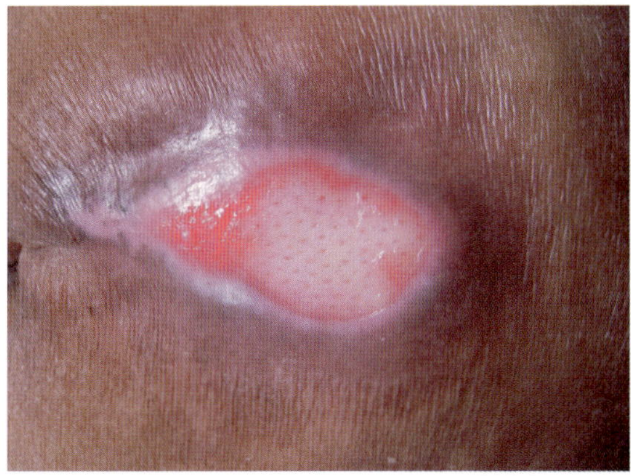

真皮レベルの褥瘡。創周囲および真皮レベルの欠損部からも点状に肉芽形成が認められる

②深い褥瘡

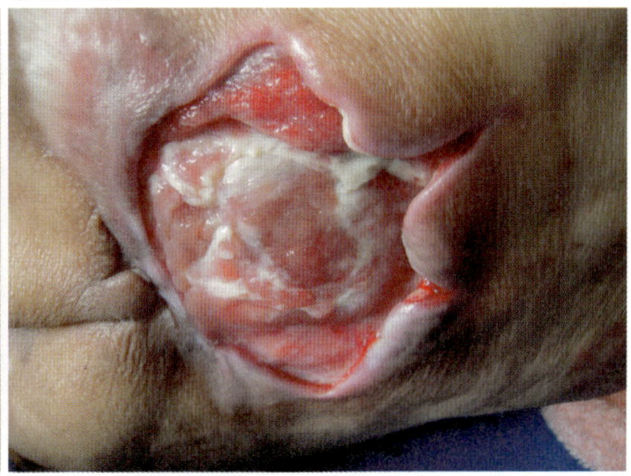

再発を繰り返している褥瘡。中央に壊死組織を伴い、貧血色の肉芽形成が認められる

での褥瘡で、「深い褥瘡」は真皮を越えて深部組織まで及ぶ褥瘡です。

「浅い褥瘡」と「深い褥瘡」では治癒過程が変わってくるため、その見きわめはとても重要です。「浅い褥瘡」では新しい皮膚が再生してもとどおりに治癒することができますが、「深い褥瘡」の場合は、治癒の大前提になるのは壊死組織の除去です。

褥瘡の“色”による分類

褥瘡の経過分類として、とてもわかりやすい指標として「色による分類」があります。これは、福井基成先生（公益財団法人田附興風会医学研究所北野病院）が提唱され、1993年に書籍（決定版褥瘡治療マニュアルー創面の色に着目した治療法、照林社）として発表され広く普及しました。“色”を手がかりにして褥瘡の治癒経過を見ることは非常にわかりやすいものです。海外では、Cuzzellが1988年に「RYB color concept」を提唱しています。

福井先生は、深い褥瘡が保存的治療によって治癒していくまでの経過を見ていく中で、色の変化を示しています。急性期を過ぎた深い褥瘡は黒く乾燥した壊死組織で覆われるようになります。これは“black eschar”と呼ばれるもので、これを除去しないと創傷治癒は進みません。黒色壊死組織を除去してもその深部にはさらに壊死に陥った深部壊死組織があり、これは黄色調を呈しています。これを黄色壊死組織“slough”といい、これも除去する必要があります。これらの壊死組織が除去されると初めて鮮紅色の肉芽組織が盛り上がってきます。組織欠損を埋め尽くすようになった肉芽組織は次に一転して収縮を始めます。それとともに創縁から新たな上皮が形成されるようになります。この新生上皮は白色調であることが多いのです。そこで、「黒→黄→赤→白」というように変化する創面の色を見ることによって、褥瘡の治癒過程を追うという考え方です。深い褥瘡の慢性期を創面の色調によって4つの病期に分類したのが「褥瘡の色分類」です。

褥瘡になる発赤とならない発赤

発赤（紅斑）が見られたら、これが**「持続性の発赤」なのか「一時的な発赤」なのかを見きわめる**必要があります。「持続性の発赤」は、血管の破綻によって赤血球が漏出したもので、これは褥瘡になります。褥瘡は不可逆的に阻血性障害に陥った状態ですから、発生初期には「発赤」となって現れることが多いのです。

一方、「一時的な発赤」は、真皮深層の微小血管の拡張による「反応性充血」で、褥瘡ではありません。

「持続性の発赤」なのか「一時的な発赤」なのかを見分ける方法として、「指押し法」と「ガラス板圧診法」があります（図1）。『褥瘡予防・管理ガイドライン（第4版）』では、「推奨度C１（根拠は限られているが、行ってもよい）」として推奨されています。

指押し法は、発赤部分を指で3秒押して白っぽく変化するかどうかを見ます。白くなる場合は、「可逆性のある」皮膚の状態（反応性充血）であり「褥瘡」ではありません。白く消退しない場合は「持続する発赤」で「褥瘡」と判断できます。

ガラス板圧診法では、透明プラスチック板を発赤部に当て、白く消退する場合は反応性充血、消退しない場合は「褥瘡」と判断します。

ガラス板圧診法のほうが、力の加減がしやすく、また皮膚圧迫時の退色についても観察しやすいことから活用されやすいとされています。

図１　発赤の見きわめ方法（指押し法とガラス板圧診法）

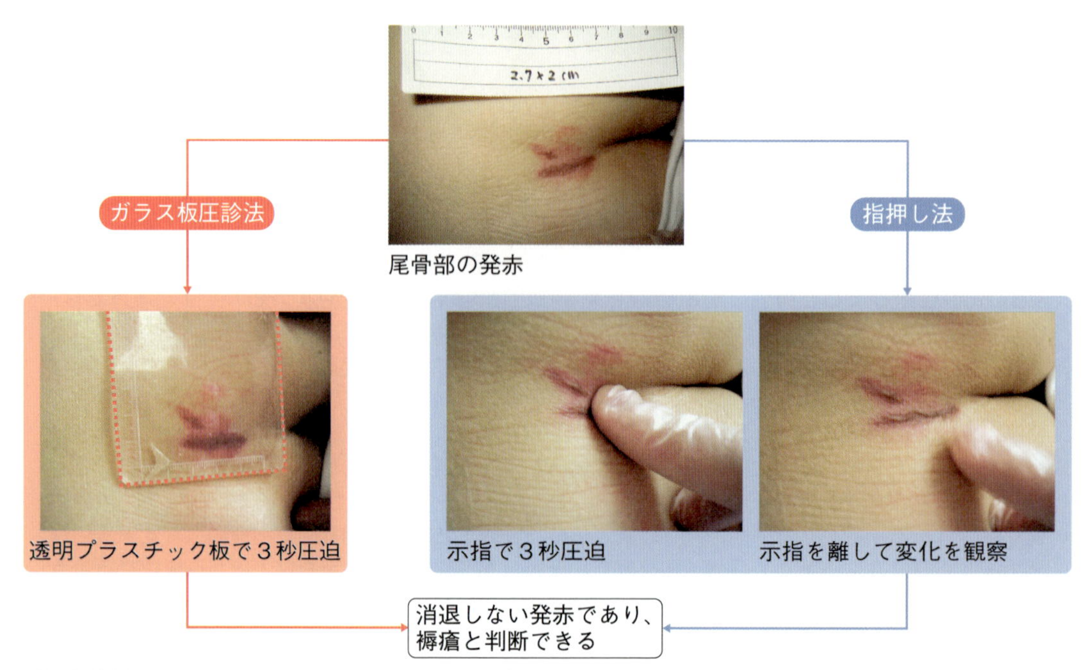

日本褥瘡学会編：褥瘡か否か．在宅褥瘡予防・治療ガイドブック 第3版．照林社，東京：34．より引用
（写真提供：大桑麻由美）

褥瘡のリスクアセスメント・スケールにはどんなものがある？

褥瘡は「つくらない」ことが最も重要です。そのためには、**褥瘡発生のリスクを的確にアセスメントして褥瘡発生を予測**し、予防のためのさまざまなアプローチを行わなければなりません。

『褥瘡予防・管理ガイドライン（第4版）』でも、褥瘡発生予測のための「リスクアセスメント・スケール」の使用は「推奨度B（根拠があり、行うよう勧められる）」とされました。リスクアセスメント・スケールには、「1. 量的に評価するもの」と「2. 質的に評価するもの」があります。1. には、ブレーデンスケール、K式スケール、OHスケールがあり、2. としては厚生労働省褥瘡危険因子評価票があります。それぞれの特徴を表1に示しました。

1. ブレーデンスケール（表2）

ブレーデンスケールは有名なリスクアセスメント・スケールの1つです。

ブレーデンスケールは、「知覚の認知」「湿潤」「活動性」「可動性」「栄養状態」「摩擦とずれ」の6項目で構成されています。それぞれの項目を「1点：最も悪い」から「4点：最も良い」で評価し、合計点を出します（「摩擦とずれ」だけは1～3点）。合計点は6～23点で、合計点が低いほどリスクが高くなります。国内でのカットオフ値は14点、国外では16～18点です。ブレーデンスケールの使用は、『褥瘡予防・管理ガイドライン（第4版）』では「推奨度B」とされています。

表1　リスクアセスメント・スケールの特徴

スケール	特徴	外力							湿潤	栄養
		知覚の認知	活動性	可動性	摩擦とずれ	過度な骨突出	浮腫	関節拘縮		
ブレーデンスケール	・褥瘡発生要因の概念図より構成 ・予防対策としての看護介入が行いやすい	○	○	○	○				○	○
K式スケール	・前段階要因と引き金要因に分けている ・Yes、Noの二択方式 ・高齢者に限定してスケール開発		○	○	○	○			○	○
OHスケール	・他のツールと比べて項目が少なく、評価のばらつきが少ない ・日本人高齢者用 ・急性期患者に使用する場合はリスクの見落としに注意			○		○	○	○		
厚生労働省褥瘡危険因子評価票	・日常生活自立度により褥瘡予防・ケア介入の必要性をスクリーニングする ・危険因子の評価からリスクの程度は測れない		○	○	○	○		○	○	○

表2　ブレーデンスケール

患者氏名：
評価者氏名：
評価年月日：

知覚の認知 圧迫による不快感に対して適切に反応できる能力	**1．全く知覚なし** 痛みに対する反応（うめく、避ける、つかむ等）なし。この反応は、意識レベルの低下や鎮静による。あるいは、体のおおよそ全体にわたり痛覚の障害がある。	**2．重度の障害あり** 痛みにのみ反応する。不快感を伝えるときには、うめくことや身の置き場なく動くことしかできない。あるいは、知覚障害があり、体の1/2以上にわたり痛みや不快感の感じ方が完全ではない。	**3．軽度の障害あり** 呼びかけに反応する。しかし、不快感や体位変換のニードを伝えることが、いつもできるとは限らない。あるいは、いくぶん知覚障害があり、四肢の1、2本において痛みや不快感の感じ方が完全ではない部位がある。	**4．障害なし** 呼びかけに反応する。知覚欠損はなく、痛みや不快感を訴えることができる。	
湿　潤 皮膚が湿潤にさらされる程度	**1．常に湿っている** 皮膚は汗や尿などのために、ほとんどいつも湿っている。患者を移動したり、体位変換するごとに湿気が認められる。	**2．たいてい湿っている** 皮膚はいつもではないが、しばしば湿っている。各勤務時間中に少なくとも1回は寝衣寝具を交換しなければならない。	**3．時々湿っている** 皮膚は時々湿っている。定期的な交換以外に、1日1回程度、寝衣寝具を追加して交換する必要がある。	**4．めったに湿っていない** 皮膚は通常乾燥している。定期的に寝衣寝具を交換すればよい。	
活動性 行動の範囲	**1．臥床** 寝たきりの状態である。	**2．座位可能** ほとんど、または全く歩けない。自力で体重を支えられなかったり、椅子や車椅子に座るときは、介助が必要であったりする。	**3．時々歩行可能** 介助の有無にかかわらず、日中時々歩くが、非常に短い距離に限られる。各勤務時間中にほとんどの時間を床上で過ごす。	**4．歩行可能** 起きている間は少なくとも1日2回は部屋の外を歩く。そして少なくとも2時間に1回は室内を歩く。	
可動性 体位を変えたり整えたりできる能力	**1．全く体動なし** 介助なしでは、体幹または四肢を少しも動かさない。	**2．非常に限られる** 時々体幹または四肢を少し動かす。しかし、しばしば自力で動かしたり、または有効な（圧迫を除去するような）体動はしない。	**3．やや限られる** 少しの動きではあるが、しばしば自力で体幹または四肢を動かす。	**4．自由に体動する** 介助なしで頻回にかつ適切な（体位を変えるような）体動をする。	
栄養状態 普段の食事摂取状況	**1．不良** 決して全量摂取しない。めったに出された食事の1/3以上を食べない。蛋白質・乳製品は1日2皿（カップ）分以下の摂取である。水分摂取が不足している。消化態栄養剤（半消化態、経腸栄養剤）の補充はない。あるいは、絶食であったり、透明な流動食（お茶、ジュース等）なら摂取したりする。または、末梢点滴を5日間以上続けている。	**2．やや不良** めったに全量摂取しない。普段は出された食事の約1/2しか食べない。蛋白質・乳製品は1日3皿（カップ）分の摂取である。時々消化態栄養剤（半消化態、経腸栄養剤）を摂取することもある。あるいは、流動食や経管栄養を受けているが、その量は1日必要摂取量以下である。	**3．良好** たいていは1日3回以上食事をし、1食につき半分以上は食べる。蛋白質・乳製品を1日4皿（カップ）分摂取する。時々食事を拒否することもあるが、勧めれば通常補食する。あるいは、栄養的におおよそ整った経管栄養や高カロリー輸液を受けている。	**4．非常に良好** 毎食おおよそ食べる。通常は蛋白質・乳製品を1日4皿（カップ）分以上摂取する。時々間食（おやつ）を食べる。補食する必要はない。	
摩擦とずれ	**1．問題あり** 移動のためには、中等度から最大限の介助を要する。シーツでこすれず体を動かすことは不可能である。しばしば床上や椅子の上でずり落ち、全面介助で何度も元の位置に戻すことが必要となる。痙攣、拘縮、振戦は持続的に摩擦を引き起こす。	**2．潜在的に問題あり** 弱々しく動く。または最小限の介助が必要である。移動時皮膚は、ある程度シーツや椅子、抑制帯、補助具等にこすれている可能性がある。たいがいの時間は、椅子や床上で比較的よい体位を保つことができる。	**3．問題なし** 自力で椅子や床上を動き、移動中十分に体を支える筋力を備えている。いつでも、椅子や床上でよい体位を保つことができる。		
					Total

訳：真田弘美（東京大学大学院医学系研究科）／大岡みち子（North West Community Hospital.IL.U.S.A.）

2. K式スケール（表3）

K式スケールは「前段階要因」と「引き金要因」で構成されます。前段階要因は、患者がふだんからもっている要因で、「自力体位変換不可」「骨突出あり」「栄養状態悪い」の3項目で、引き金要因は「体圧」「湿潤」「ずれ」の3項目です。要因の各項目をYes（1点）またはNo（0点）で答えます。合計は「前段階要因」「引き金要因」ともに0～3点になりますが、引き金要因が1つでも加わると発生リスクが高くなります。

『褥瘡予防・管理ガイドライン（第4版）』では、高齢者のリスクアセスメント・スケールとして「推奨度C1」となっています。

3. OHスケール（表4）

OHスケールは寝たきり高齢者・虚弱高齢者を対象として得られた褥瘡発生危険要因を点数化したものです。「自力体位変換能力」「病的骨突出」「浮腫」「関節拘縮」の4項目について点数を付け、合計点数でリスク評価をします。合計点数1～3点は軽度レベル、4～6点は中等度レベル、7～10点は高度レベルになります。『褥瘡予防・管理ガイドライン（第4版）』では、

表3　K式スケール

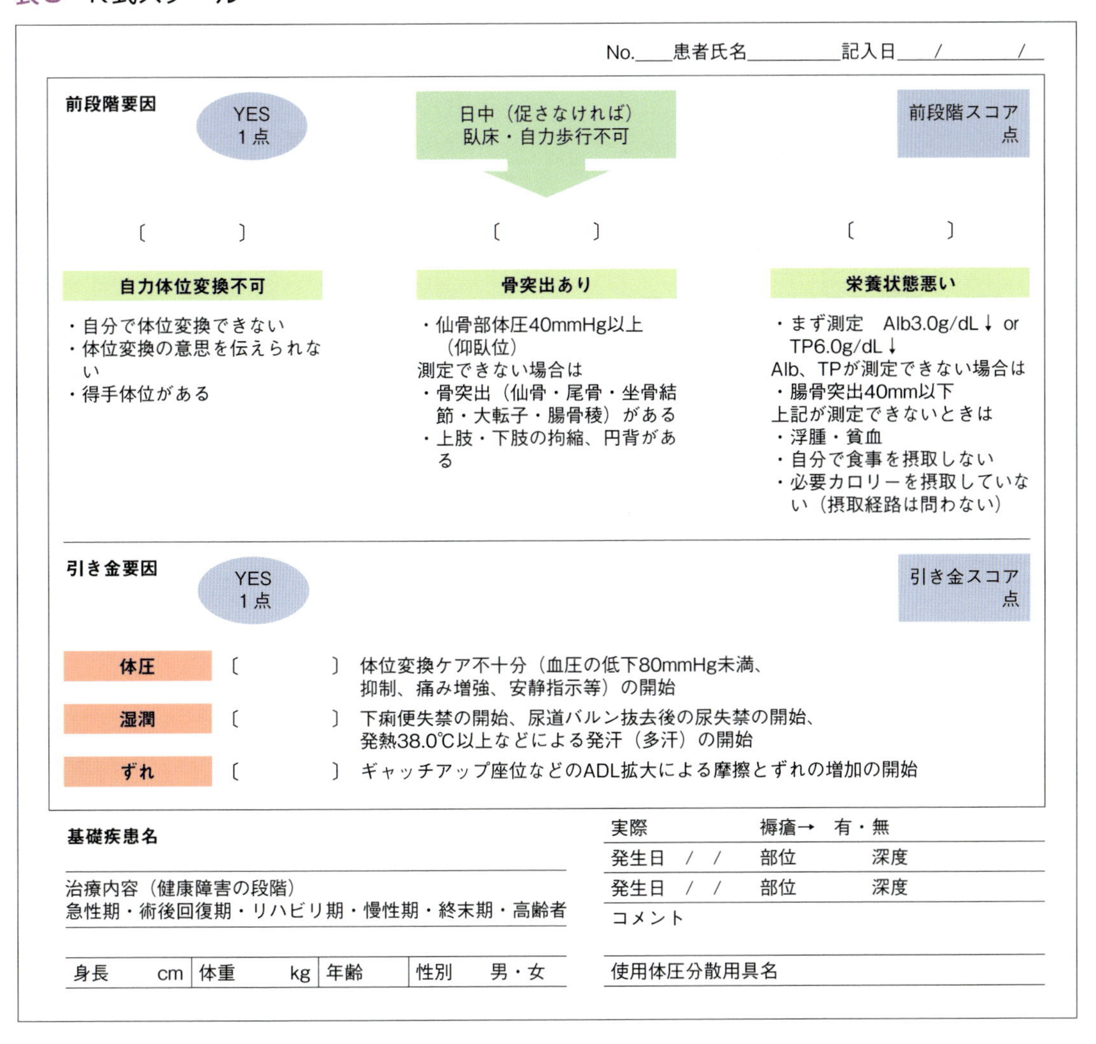

No.____患者氏名________記入日____/____/____

前段階要因　YES 1点　日中（促さなければ）臥床・自力歩行不可　前段階スコア　点

〔　　〕自力体位変換不可
・自分で体位変換できない
・体位変換の意思を伝えられない
・得手体位がある

〔　　〕骨突出あり
・仙骨部体圧40mmHg以上（仰臥位）
測定できない場合は
・骨突出（仙骨・尾骨・坐骨結節・大転子・腸骨稜）がある
・上肢・下肢の拘縮、円背がある

〔　　〕栄養状態悪い
・まず測定　Alb3.0g/dL↓ or TP6.0g/dL↓
Alb、TPが測定できない場合は
・腸骨突出40mm以下
上記が測定できないときは
・浮腫・貧血
・自分で食事を摂取しない
・必要カロリーを摂取していない（摂取経路は問わない）

引き金要因　YES 1点　引き金スコア　点

体圧	〔　　〕	体位変換ケア不十分（血圧の低下80mmHg未満、抑制、痛み増強、安静指示等）の開始
湿潤	〔　　〕	下痢便失禁の開始、尿道バルン抜去後の尿失禁の開始、発熱38.0℃以上などによる発汗（多汗）の開始
ずれ	〔　　〕	ギャッチアップ座位などのADL拡大による摩擦とずれの増加の開始

基礎疾患名

治療内容（健康障害の段階）
急性期・術後回復期・リハビリ期・慢性期・終末期・高齢者

身長　　cm｜体重　　kg｜年齢　　｜性別　男・女

実際　褥瘡→　有・無
発生日　/　/　部位　深度
発生日　/　/　部位　深度
コメント

使用体圧分散用具名

K式スケールと同じように、高齢者のリスクアセスメント・スケールとして「推奨度C1」とされています。

4. 厚生労働省褥瘡危険因子評価票（表5）

日常生活自立度がBまたはCの対象者に、褥瘡危険因子評価票を用いた二者択一の評価を行います。項目は、「基本的動作能力」「病的骨突出」「関節拘縮」「栄養状態低下」「皮膚湿潤（多汗、尿失禁、便失禁）」「皮膚の脆弱性（浮腫）」「皮膚の脆弱性（スキン-テアの保有、既往）」の7項目です。点数化されていないため、1つでも「あり」あるいは「できない」項目があれば看護計画を立案します。

『褥瘡予防・管理ガイドライン（第4版）』では、上記2つのスケールと同様に、高齢者のリスクアセスメント・スケールとして「推奨度C1」となっています。

5. その他のリスクアセスメント・スケール

上記の代表的なリスクアセスメント・スケールの他に、『褥瘡予防・管理ガイドライン（第4版）』で「推奨度C1」とされているスケールには以下のようなものがあります。

①ブレーデンQ スケール：**小児患者**

②SCIPUS（spinal cord injury pressure ulcer scale）：**脊髄損傷者**

③在宅版褥瘡発生リスクアセスメント・スケール（在宅版K式スケール）：**在宅療養者**

表4　OHスケール

危険要因		点数
自力体位変換能力	できる	0
	どちらでもない	1.5
	できない	3
病的骨突出	なし	0
	軽度・中等度	1.5
	高度	3
浮腫	なし	0
	あり	3
関節拘縮	なし	0
	あり	1

表5　厚生労働省褥瘡危険因子評価票

	日常生活自立度　J（1，2）　A（1，2）　B（1，2）　C（1，2）			対処
危険因子の評価	基本的動作能力 1）ベッド上　自力体位変換 2）椅子上　座位姿勢の保持、除圧（車椅子での座位を含む）	できる できる	できない できない	「あり」もしくは「できない」が1つ以上の場合、看護計画を立案し実施する
	病的骨突出	なし	あり	
	関節拘縮	なし	あり	
	栄養状態低下	なし	あり	
	皮膚湿潤（多汗、尿失禁、便失禁）	なし	あり	
	皮膚の脆弱性（浮腫）	なし	あり	
	皮膚の脆弱性（スキン-テアの保有、既往）	なし	あり	

Part 3

知っておきたい！
褥瘡の最新知見

スキン-テアについて知っておこう

スキン-テア（皮膚裂傷、skin tear）は、摩擦・ずれによって、皮膚が裂けて生じる真皮深層までの損傷（部分層損傷）です[1]。私たちはよく、「絆創膏を剥がすときに、慎重に行っても一緒に皮膚が剥がれて裂けてきた」などという状況に遭遇します。特に高齢者では、皮膚がズルッと剥けてしまったなどという経験をお持ちの方は多いでしょう。スキン-テアの具体例としては以下のようなものが挙げられます。

・ベッド柵に四肢が擦れて皮膚が裂けてしまった
・車椅子に移動する際、フレームに擦れて皮膚が裂けた
・医療用リストバンドが擦れて皮膚が裂けた
・リハビリ訓練時に身体を支持していただけで皮膚が裂けた
・体位変換時に身体を支持していたら皮膚が裂けた

日本創傷・オストミー・失禁管理学会学術教育委員会の調査[2]によると、スキン-テアの全体の有病率は0.77%でした。年齢層ごとにみると、65歳未満は0.15%、65歳以上74歳未満は0.55%、75歳以上は1.65%でした。スキン-テアの保有者の平均年齢は79.6（標準偏差：12.5）歳と高齢者に多く、性別では男性62.2%、女性37.8%と男性に多いことがわかっています。また、スキン-テアが最も多く発生する部位は、右上肢（32.6%）、左上肢（32.5%）、右下肢（11.0%）となっています。

1．スキン-テアの分類

スキン-テアの分類は、STARスキンテア分類をもとに翻訳妥当性を検証したうえで、原著者（シルバーチェーン カーティン大学）からの使用許可を得て日本語版を完成させたものが活用できます（図1）。同学会の許可を得て使用されることをお勧めします。

2．スキン-テアへの対応

スキン-テアへの対応については、同じくSTARスキンテア分類で、以下のような項目が挙げられています。

1. 出血のコントロールおよび創洗浄を行う
2. （可能であれば）皮膚または皮弁を元の位置に戻す
3. 組織欠損の程度および皮膚または皮弁の色はSTAR分類システムを用いて評価する
4. 周囲皮膚の脆弱性、腫脹、変色または打撲傷について状況を評価する
5. 個人、創傷、およびその治癒環境について評価する
6. 皮膚または皮弁の色が蒼白、薄黒い、または黒ずんでいる場合は、24～48時間以内または最初のドレッシング交換時に再評価する

上記の**スキン-テアの対応の中で真っ先に必要なのは、「2．皮弁を元の位置に戻す」こと**です。そのためには、まず止血と創洗浄を行い

図1　STAR分類システム

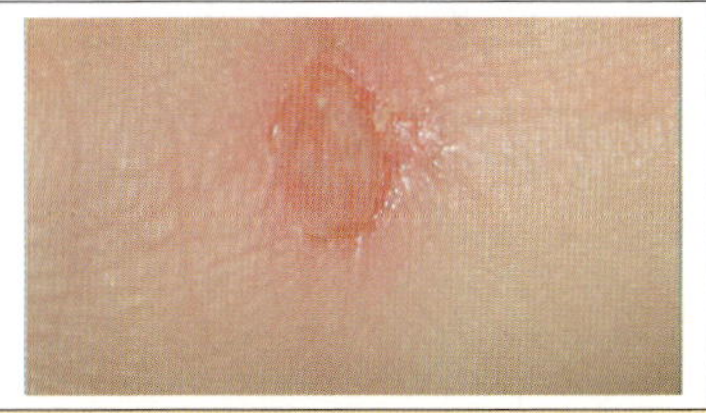	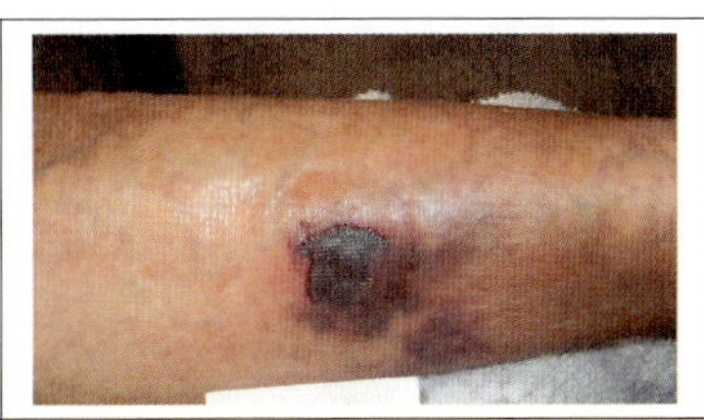	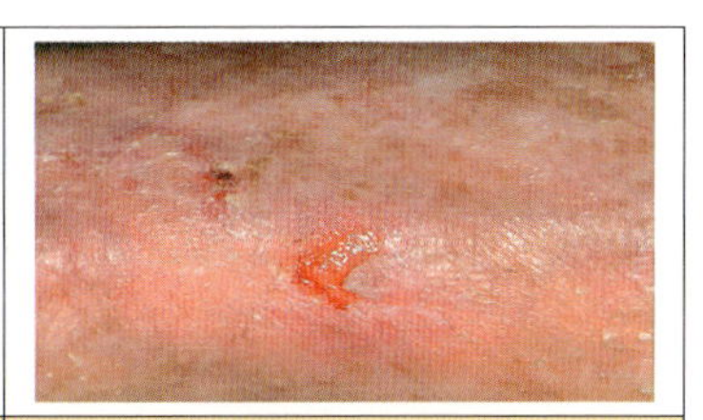
カテゴリー 1a 創縁を（過度に伸展させることなく）正常な解剖学的位置に戻すことができ、皮膚または皮弁の色が蒼白でない、薄黒くない、または黒ずんでいないスキンテア	カテゴリー 1b 創縁を（過度に伸展させることなく）正常な解剖学的位置に戻すことができ、皮膚または皮弁の色が蒼白、薄黒い、または黒ずんでいるスキンテア	カテゴリー 2a 創縁を正常な解剖学的位置に戻すことができず、皮膚または皮弁の色が蒼白でない、薄黒くない、または黒ずんでいないスキンテア
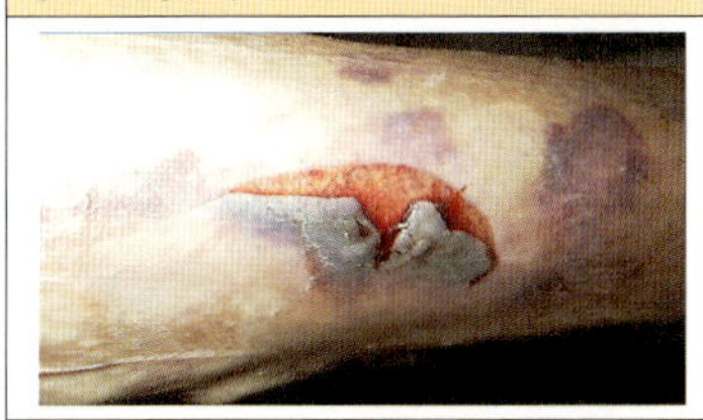	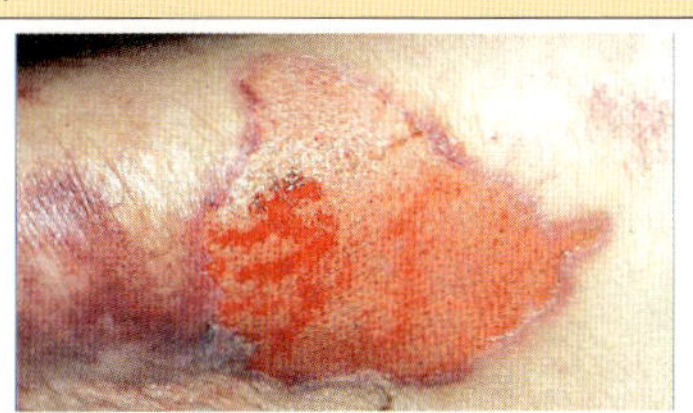	
カテゴリー 2b 創縁を正常な解剖学的位置に戻すことができず、皮膚または皮弁の色が蒼白、薄黒い、または黒ずんでいるスキンテア	カテゴリー 3 皮弁が完全に欠損しているスキンテア	

日本創傷・オストミー・失禁管理学会編：ベストプラクティス スキン-テア（皮膚裂傷）の予防と管理. 照林社, 東京, 2015：7. より引用

図2　皮弁を元の位置に戻す方法

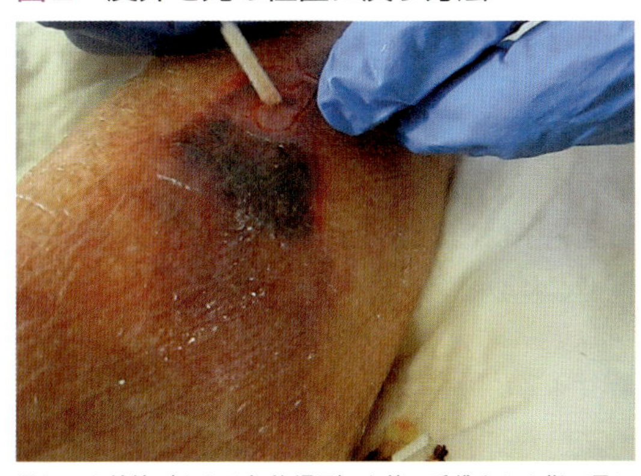

湿らせた綿棒（または無鉤鑷子）を使い手袋をした指で元に戻す

日本創傷・オストミー・失禁管理学会編：ベストプラクティス スキン-テア（皮膚裂傷）の予防と管理. 照林社, 東京, 2015：30. より引用

ます。必要時、圧迫止血をし、できるだけ温かい生理食塩水を使って創を洗浄します。その後、皮弁を元の位置に戻します。湿らせた綿棒、手袋をした指、または無鉤鑷子を使って、皮弁をゆっくりと元の位置に戻すことが必要です（図2）。ただし、この処置では疼痛を伴うことがありますので、事前に説明する必要があります。

皮弁を元の位置に戻すのが難しいときは、生理食塩水で湿らせたガーゼを5～10分貼付して、再度試みます。STAR分類のカテゴリーが1a、1bで、放置すると皮弁の位置がずれて創面が露出する場合には、シリコーンゲルメッシュドレッシング、多孔性シリコーンゲルシート、ポリウレタンフォーム/ソフトシリコーン、皮膚接合用テープによる固定を行います[1]。

引用文献

1. 日本創傷・オストミー・失禁管理学会編：ベストプラクティス スキン-テア（皮膚裂傷）の予防と管理. 照林社, 東京, 2015.
2. 日本創傷・オストミー・失禁管理学会 学術教育委員会（オストミー・スキンケア担当）スキン-テアワーキンググループ：ET/WOCNの所属施設におけるスキン-テアの実態調査. 日WOCN会誌 2015；19（3）：351-363.

MDRPU（医療関連機器圧迫創傷）は褥瘡とは違う？

褥瘡は、摩擦やずれによる圧迫創傷です。外部からの圧力が持続的に続くことで発生するわけですが、その圧力が体重等の“自重”である場合と、病院環境の中にある点滴や酸素マスク、ギプスなどの医療機器によって起こる場合がある、というのが基本的な考え方です。そこで、日本褥瘡学会では、後者の「自重によらない」圧迫創傷を「医療関連機器圧迫創傷（Medical Device Related Pressure Ulcer：MDRPU）と名づけて、以下のように定義しています。

「医療関連機器による圧迫で生じる皮膚ないし下床の組織損傷であり、厳密には従来の褥瘡すなわち自重関連褥瘡（self load related pressure ulcer）と区別されるが、ともに圧迫創傷であり広い意味では褥瘡の範疇に属する。なお、尿道、消化管、気道等の粘膜に発生する創傷は含めない。」

MDRPUは広い意味で褥瘡に含まれることになります。そのため、MDRPUの重症度や経過評価は、DESIGN-R®2020を用いてもよいことになります。

“医療機器”としないで“医療関連機器”としたのには意味があります。いわゆる“医療機器”では医薬品医療機器等法の定義によると、例えば手作りの抑制帯などが含まれません。そのため、それらも含めた広い意味での圧迫を及ぼす機器として“医療関連機器”とされました。具体的には以下のようなものが挙げられます。

- 酸素マスク、NPPVマスク
- DVT防止用弾性ストッキング
- ギプス、シーネ
- 経鼻胃チューブ等
- 手術用体位固定用具
- 血管留置カテーテル
- 尿道留置用カテーテル
- パルスオキシメータ
- 抑制帯
- 車椅子のアームレスト、フットレスト
- 経鼻酸素カニューレ、気管切開カニューレ
- 気管チューブ
- 酸素マスク
- 上肢・下肢装具
- 介達牽引
- ベッド柵

1．MDRPUの発生要因

MDRPUの発生要因は、機器要因、個体要因、ケア要因の3つに分類されます（図1）。危険因子は15個あり、それらの有無によって、リスク保有を判断します。

①機器要因

■サイズ、形状の不一致

年齢または身体に適合したサイズかどうか、機器の形状の適否について見ていきます。

■情報提供不足

MDRPUを予防するために必要な使用禁忌や機器選択・装着方法、管理方法などの情報が明示されているかを見ます。

②個体要因

■皮膚の菲薄化

機器の装着部の皮膚が薄くなり、軽微な外力で表皮または真皮が損傷を受けやすいかどうかを見ます。

図１　医療関連機器圧迫創傷の発生概念図

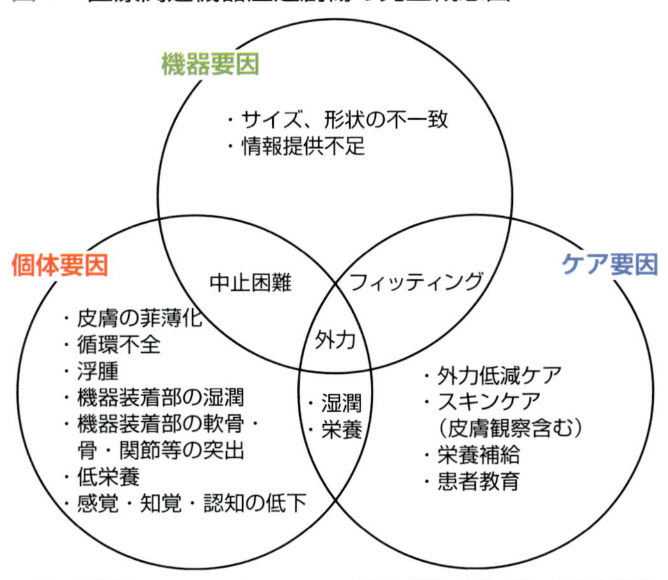

日本褥瘡学会編：ベストプラクティス 医療関連機器圧迫創傷の予防と管理. 照林社，東京，2016：16. より引用

■循環不全

心臓から各臓器への十分な血流が供給されない状態、あるいは各臓器から心臓へ還流されているかどうかを見ます。

■浮腫

浮腫は、皮膚、粘膜、皮下組織、内臓などの間質に組織間液が過剰に貯留した状態を言います。浮腫があるかどうかを見ます。

■機器装着部の湿潤

機器を装着した部位や近傍の皮膚の局所が湿潤しているかを見ます。

■機器装着部の軟骨・骨・関節等の突出

機器装着部に局所圧をもたらす要因となる軟骨・骨・関節等の突出があるかどうかを見ます。

■低栄養

栄養摂取が十分かどうか、特に蛋白質とエネルギーが十分に摂れているかどうかを見ます。

■感覚・知覚・認知の低下

機器装着部位と近傍の皮膚の痛覚・触覚・温冷覚などが低下しているかどうかを見ます。

③ケア要因

■外力低減ケア

皮膚および深部の組織に加わる外力を低減する目的で行われるケアが行われているかどうかを見ます。

■スキンケア

洗浄、被覆、保湿、水分の除去などのスキンケアが行われているかどうかを見ます。

■栄養補給

低栄養状態を改善させるための栄養摂取が適切かどうかを見ます。

■患者教育

医療者によって、機器装着前・中に、教育されているかどうかを見ます。

④機器＆ケア要因

■フィッティング

最適なサイズ、形状、材質のものを選択し、適切に装着・使用しているかを見ます。

⑤機器＆個体要因

■中止困難

皮膚が菲薄した患者で機器のサイズ・形状も合っていないことがわかっていても、やむを得ず治療を優先して使用せざるを得ない状況かどうかを見ます。この項目はMDRPUに特徴的な項目と言えます。

2．MDRPUの予防・管理方法

それでは、MDRPUはどのように予防・管理すればよいのでしょうか。細かくはベストプラクティスを参照していただきたいので、ここでは主なものを表1にまとめます。

参考文献

1. 日本褥瘡学会編：ベストプラクティス 医療関連機器圧迫創傷の予防と管理．照林社，東京：2016.

表1　医療関連機器圧迫創傷（MDRPU）の予防・管理の基本

1．外力低減ケア
①機器選択 ・施設で使用可能な医療関連機器を再検討し、圧迫またはずれ力が最小となる機器を選択する（柔軟性に富む素材等のもの） ・正しいサイズ選択と適切な機器の選択を行う ②フィッティング ・操作手順書（添付文書）に従って使用する ・機器の位置がずれないように機器の固定を確実に行う ・機器を固定する医療用テープに注意する。テープ貼用部位に被膜剤等を使用する ・基本的に粘着力の弱いテープを使用するが、粘着力の強い固定用テープを使用する際は、剥離剤を使用し剥がす ・必要時、機器と皮膚との間にクッション等を使用する ・予防のためドレッシング材を使用する
2．装着中の管理
・可能であれば早期に機器を除去する ・固定されている機器の位置を定期的に確認する ・定期的に機器の固定位置を変える
3．スキンケア
・最低2回／日の頻度で装着部およびその周囲皮膚を観察する ［観察ポイント1］装着部の皮膚を視診・触診する。MDRPUの既往、乾燥、浮腫、湿潤の有無を確認する ［観察ポイント2］機器装着部およびその周囲における痛み、不快の有無を確認する ・洗浄または清拭した後は乾いた状態に保つ。乾燥時は保湿する
4．全身管理
・栄養管理、基礎疾患の管理を行う
5．患者・家族教育
・患者・家族に皮膚の観察法を教える ・装着する患者にMDRPU発生の危険性を説明する。装着部皮膚に痛み、痒み等の自覚症状が起こった場合医療スタッフに伝えることを教育する
6．多職種連携
・予防の重要性についてスタッフ教育をする ・使用マニュアルを作成し、予防・管理対策を標準化する ・すべての医療従事者に、医療関連機器装着時には圧迫創傷発生の危険性があるという認識をもってもらう ・初心者が関連した業務を行うときは他の熟練した医療スタッフがサポートする ・添付文書の「警告」「禁忌・禁止」を確認し、装着すべきでない患者への使用はやめる ・添付文書の「操作方法、使用方法等」「使用上の注意」を確認し、機器使用中の患者の看護計画に追加する ・MDRPU発生の場合の報告や情報共有のあり方について決めておく
7．安全委員会との連携
・医療安全委員会と連携し、MDRPUの発生要因、悪化要因のアセスメントを行う ・企業やスタッフへのフィードバックを行い、施設内における同一機器による再発予防策を講じる

日本褥瘡学会編：ベストプラクティス 医療関連機器圧迫創傷の予防と管理．照林社，東京，2016：19-22．を元に作成

Part3 知っておきたい！ 褥瘡の最新知見

新しい創傷管理「Wound hygiene（創傷衛生）」の考え方

創傷管理の新しい概念「Wound hygiene（創傷衛生）」が注目されています。これは、2020年に英国の創傷管理の専門雑誌『International Wound Journal』に掲載されたコンセンサスドキュメントにより広く知られるようになったものです[1]。

Wound hygieneのコンセプトでは、慢性静脈不全症（chronic venous insufficiency）や末梢動脈疾患（peripheral arterial disease：PAD）などのすべての基礎疾患に対して標準的な治療を行えば、創傷バイオフィルムを管理できるとされています。近年、バイオフィルムは多くの難治性創傷に悪影響を与えていることがわかってきており、バイオフィルムに早期から対処できると、治癒の速度を促進させること、それがひいては創傷ケアにかかわる労力の負担や経済的負担の軽減、創傷をもつ人の回復への満足感の獲得などにつながり、多くのメリットをもたらすとされています。バイオフィルムが主な要因とされるクリティカルコロナイゼーション（臨界的定着）への取り組みはわが国でも重要なものと認識され、DESIGN-R®2020でも「臨界的定着疑い」として取り入れられています。

Wound hygieneを推進するためには、以下の4つのステップを踏むことが推奨されています。**「①cleanse：洗浄」「②debride：デブリードマン」「③refashion：創縁の新鮮化」「④dress：創傷の被覆」**の4つです（図1）。

図1 Wound hygieneの4つのステップ

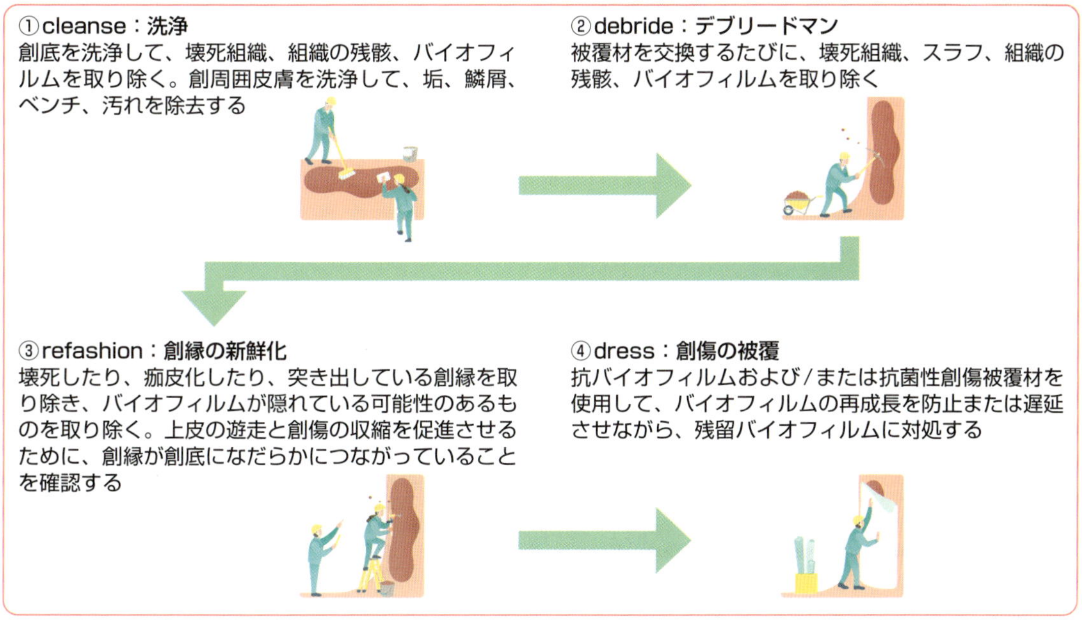

①cleanse：洗浄
創底を洗浄して、壊死組織、組織の残骸、バイオフィルムを取り除く。創周囲皮膚を洗浄して、垢、鱗屑、ベンチ、汚れを除去する

②debride：デブリードマン
被覆材を交換するたびに、壊死組織、スラフ、組織の残骸、バイオフィルムを取り除く

③refashion：創縁の新鮮化
壊死したり、痂皮化したり、突き出している創縁を取り除き、バイオフィルムが隠れている可能性のあるものを取り除く。上皮の遊走と創傷の収縮を促進させるために、創縁が創底になだらかにつながっていることを確認する

④dress：創傷の被覆
抗バイオフィルムおよび/または抗菌性創傷被覆材を使用して、バイオフィルムの再成長を防止または遅延させながら、残留バイオフィルムに対処する

Murphy C, Atkin L, Swanson T, et al：International consensus document. Defying hard-to-heal wounds with an early antibiofilm intervention strategy：wound hygiene. J Wound Care 2020；29（Suppl 3b）：S9.（日本語訳）市岡滋，真田弘美，館正弘，他：早期の抗バイオフィルム介入戦略で難治性創傷を克服する：Wound hygiene/創傷衛生．コンバテック ジャパン，東京，2020.

表1　Wound hygieneの４つのステップの内容

内容	活動	ツール	論理的根拠
①cleanse 洗浄	●創底を十分に洗浄して、表面の壊死組織、創傷の組織の残骸、異物の破片、バイオフィルムを除去する。創周囲皮膚を洗浄して、鱗屑や胼胝を取り除き、その範囲の汚染を除去する。必要に応じておだやかな力で、創傷周囲10〜20cm範囲の皮膚を洗浄する。理想的には、表面と創周囲の洗浄を助けるために、消毒薬や抗菌薬入りの洗浄液や界面活性剤溶液を使用する	●ガーゼまたは市販のクレンジングパッド ●創傷および創周囲皮膚のための消毒剤または抗菌洗浄剤、または界面活性剤 ●医療用皮膚クレンジングワイプ ●鉗子	●生理食塩水や水ですすいだり洗い流すだけでは、バイオフィルムは除去できない[1]。意図的に洗浄し、適切なツールや洗浄剤を用いて洗浄することで、創底をデブリードマンのために準備することができる。創周囲皮膚を洗浄して汚染源を取り除くことが不可欠である
②debride デブリードマン	●付着しているすべての壊死組織、創傷内の異物およびバイオフィルムを除去する。点状出血が生じるまで続け(患者がそれを承知し、耐えることができる場合、および各国でその行為が許可されている場合)、創底を創傷被覆材の効果が最適になるコンディションにしておく。残っている組織の残骸を取り除くために、デブリードマンの後、創底を再度洗浄しなければならない	●機械的、シャープ、超音波、または生物学的なデブリードマン ●創傷と創周囲皮膚をデブリードマン後に洗浄するには、消毒薬や抗菌薬入りの洗浄液、または界面活性剤を使用する	●自己融解性デブリードマンのように点状出血しないデブリードマンでは、物理的にバイオフィルムを除去できない場合がある。バイオフィルムを分解・破壊するためには、機械的な力とせん断力が必要である[1]。これは、界面活性剤、消毒薬、抗菌薬を使用することでも最適化することができる
③refashion 創縁の新鮮化	●点状出血が起こるまで、創縁を頻繁に評価し、こする。丸まった組織や下に巻き込まれた組織、乾燥した組織、肥厚した組織、壊死組織を除去して、創縁に定着しているバイオフィルムを死滅させるか、最小限に抑える	●アクティブ(機械的)、シャープ、超音波、または生物学的デブリードマン	●健康な組織を露出させるために、創縁にある胼胝、角質増殖性の組織の残骸および老化細胞を除去することは、健康な組織の進展を可能にする
④dress 創傷の被覆	●残存するバイオフィルムに対処し汚染や再定着を防ぎ、その結果、バイオフィルムの再形成を防ぐことができる被覆材を選択する。また、滲出液を効果的に管理し、治癒を促進する必要がある	●さらに滲出液を吸収して保持することができる抗バイオフィルム剤や抗菌性創傷被覆材を選ぶ	●バイオフィルムは急速に再形成する可能性があり、デブリードマンを繰り返すだけでは、その再生を防ぐことはできない。バイオフィルムが物理的に破壊された後に、有効な外用抗菌薬や抗バイオフィルム剤を適用することで、残留バイオフィルムに対処し、その再形成を抑制することができる[2]

1. Hoon R, Rani SA, Wang L, et al：Antimicrobial activity comparison of pure hypochlorous acid（0.01％）with other wound and skin cleansers at non-toxic concentrations. SAWC Spring and WHS 2013.
2. Percival SL, Chen R, Mayer D, et al：Mode of action of poloxamer-based surfactants in wound care and efficacy on biofilms. Int Wound J 2018；15：749-755.https://doi.org/10.1111/iwj.12922（2022/1/20アクセス）

Murphy C, Atkin L, Swanson T, et al：International consensus document. Defying hard-to-heal wounds with an early antibiofilm intervention strategy：wound hygiene. J Wound Care 2020；29（Suppl 3b）：S10.
（日本語訳）市岡滋，真田弘美，館正弘，他：早期の抗バイオフィルム介入戦略で難治性創傷を克服する：Wound hygiene/創傷衛生. コンバテック ジャパン，東京，2020：S10. より引用

図2　界面活性剤を含んだドレッシング材や創傷洗浄剤

これら4つのステップの内容を表1に示しました。中でも特に注目されるのが、「①cleanse：洗浄」です。これまで行われていた創の洗浄方法では不十分であることが指摘されています。生理食塩水や微温湯を用いた流水による洗浄では、創面に付着したバイオフィルムや創面をコーティングするように付着している蛋白質成分の異物を除去することができないとされ、**創の中も界面活性剤を含んだ創傷洗浄剤で強く洗うこと**が推奨されています。それらの例を図2に示しました。

引用文献

1. Murphy C, Atkin L, Swanson T, et al：International consensus document. Defying hard-to-heal wounds with an early antibiofilm intervention strategy：wound hygiene. J Wound Care 2020；29（Suppl 3b）：S1-S26.（日本語訳）市岡滋，真田弘美，舘正弘，他：早期の抗バイオフィルム介入戦略で難治性創傷を克服する：Wound hygiene/創傷衛生．コンバテック ジャパン，東京，2020.

IAD(失禁関連皮膚炎)の基本的な知識

IADとは、“incontinence associated dermatitis”の略で、「失禁関連皮膚炎」と言われるものです。日本創傷・オストミー・失禁管理学会の定義によると、「IADは、尿または便（あるいは両方）が皮膚に接触することにより生じる皮膚炎」[1]です。この場合の皮膚炎は、皮膚の局所に炎症が存在する広義の概念です。その中には、いわゆる狭義の湿疹・皮膚炎群（おむつ皮膚炎）やアレルギー性接触皮膚炎、物理・化学的皮膚障害、皮膚表在性真菌感染症を含んでいます。私たちが現場でよく目にするのは「おむつ皮膚炎」と呼ばれるものです。

おむつ皮膚炎は、狭義にはおむつ部に生じた皮膚炎、湿疹を意味しています[2]。排泄物や洗浄剤など付着する物質による化学的刺激やアレルギー性接触皮膚炎に加えて、高温多湿や擦れること等によって湿疹を起こしたものとされています。

一方、「おむつかぶれ」とも言われる広義のおむつ皮膚炎は、おむつと接する部位に紅斑や丘疹、水疱、膿疱や鱗屑、浸軟、びらんなど湿疹類似の皮膚症状を生じる状態の総称です。カンジダ感染症などの感染症も含む広い概念で、皮膚科学的な概念とは異なります。**IADはどちらかというと広義のおむつ皮膚炎に該当**します。

IADはどのように発生するのでしょうか。失禁によって皮膚に尿や便が接触すると、その水分が角質細胞に保持されて膨潤します。水分過剰になった角層は膨張・崩壊により浸軟状態となります。浸軟した皮膚では、経皮水分蒸散量（transepidermal water loss：TEWL）が上昇します。皮膚のpHは有意に高くなり、さらに皮膚の摩擦係数が増加して、失禁用パッドや衣類・寝具等との摩擦によって表皮が損傷しやすくなり、IADが発生します。

1. IADのアセスメントツール「IAD-set」

日本創傷・オストミー・失禁管理学会では、臨床現場でのIADのアセスメントツールである「IAD-set」を開発しました（図1）。IAD-setは、排泄物が皮膚に付着する状況にある場合に使用します。評価する部位は、①肛門周囲、②臀裂部、③左臀部、④右臀部、⑤性器部、⑥下腹部／恥骨部、⑦左鼠径部、⑧右鼠径部の8部位です。それぞれの部位で、「Ⅰ. 皮膚の状態：皮膚障害の程度・カンジダ症の疑い」と「Ⅱ. 付着する排泄物のタイプ：便・尿」を評価します。ⅠとⅡの合計点がIAD-setの点数となり、点数が大きいほど重症と判断します。ケアによって点数が減少していけば改善していると判断されます。

2. IAD-setに基づくケアの指針

同学会では、IAD-setに基づいたケアの指針を「IAD-setアルゴリズム」として示しています。IADの予防・管理の基本は、皮膚に付着した排泄物を除去し、清拭・洗浄と保湿を行うことです。これは標準的なスキンケアです。付着する排泄物に対するスキンケアの構成要素を表1のように示しています。これをベースにしてベストプラクティスで示した基本的なケアを行っていくことが推奨されています。

IADの予防は、原則的には皮膚に付着した

図1 IAD-set

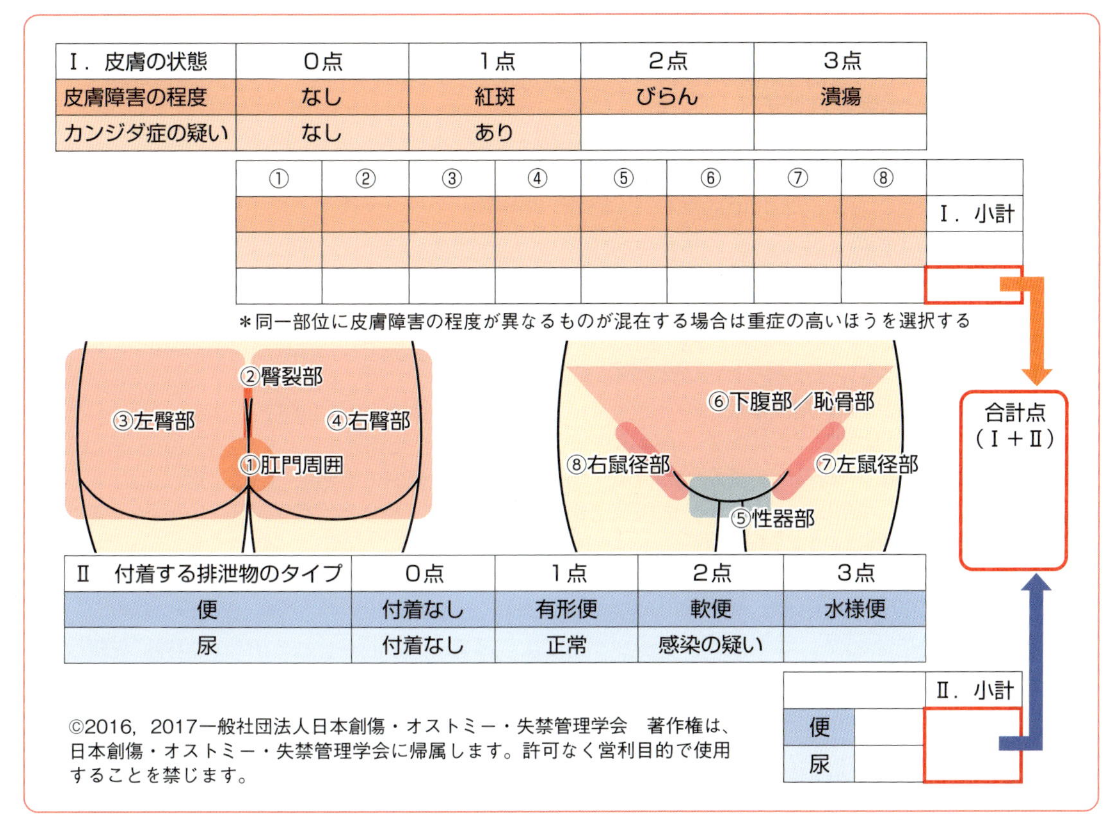

日本創傷・オストミー・失禁管理学会編：IADベストプラクティス．照林社，東京，2019：13．より引用

表1　付着する排泄物に対するスキンケアの構成要素

付着する排泄物（点数）		管理方法			
		洗浄	保湿	保護（撥水）	収集
便	有形便（1点）	●	●		●
	軟便（2点）	●	●	●	●
	水様便（3点）	●	●	●	●
尿	正常（1点）	●	●		●
	感染の疑い（2点）	●	●	●	●

- 標準的スキンケアとは、洗浄と保湿を行うこと
- 「軟便」、「水様便」、「尿の感染の疑い」（2点以上）では、標準的スキンケアに保護（撥水）を追加する
- 排泄物の性状に適した収集方法の選択を行う
- 清拭：皮膚に付着した排泄物（便・尿）を拭き取ること
- 洗浄：皮膚に付着した排泄物（便・尿）や垢などの汚れを洗い流すこと
- 保湿：皮膚表面を覆い水分蒸散を防ぐこと（エモリエント）、または水と結合し角質層に水分を与えること（ヒューメクタント）で皮膚の水分を保持すること
- 保護：皮膚表面に塗布し保護膜を形成し、排泄物（便・尿）の付着を防ぐこと

日本創傷・オストミー・失禁管理学会編：IADベストプラクティス．照林社，東京，2019：21．より引用

排泄物を除去して、洗浄・清拭、保湿、保護を行うことです。そして、IADが発症した場合には、重症度に応じた適切なケアを提供するとともに、常に観察を続けることが大切です。

引用・参考文献

1. 日本創傷・オストミー・失禁管理学会編：IADベストプラクティス．照林社，東京：2019；6.
2. 常深祐一郎編：特集 徹底理解！　おむつ皮膚炎．WOC Nursing 2020；8（10）.

2014年の国際褥瘡ガイドラインで新しくなったこと

2014年に、米国のNPUAP（National Pressure Ulcer Advisory Panel）、欧州のEPUAP（European Pressure Ulcer Advisory Panel）、PPPIA（Pan Pacific Pressure Injury Alliance）が合同出版物として国際褥瘡ガイドラインをリリースしました。以前は米国と欧州だけであったのものに、Pan Pacific（環太平洋地域：オーストラリア、香港、ニュージーランド、シンガポール）が加わり、カバーする範囲が広がったといえます。日本は入っていませんが、オブザーバーとして日本褥瘡学会の理事が入りました。

この国際ガイドライン「Prevention and Treatment of Pressure Ulcers」は、“Clinical Practice Guideline”と“Quick Reference Guide（quick-reference-guide-digital-npuap-epuap-pppia-jan2016.pdf）”の２種類が刊行されています。

2014年の第２版で新たに追加になった「マイクロクライメット」「予防的ドレッシング」「バイオフィルム」は、現在では褥瘡管理における主流になりつつあります。

「マイクロクライメット」（皮膚局所の温度・湿度）は、褥瘡発生に影響を与えていることが明らかになっています。そのため、体圧分散用具を選ぶ際に、湿度・温度管理機能やカバーの質までを考慮することが推奨されています。

「予防的ドレッシング」は、2013年にソフトシリコンドレッシングを用いて褥瘡予防を試みたランダム化比較試験の結果が公表され、ドレッシング材による褥瘡予防という概念が広がりました。わが国のガイドラインではすでにドレッシング材による褥瘡予防が収載されており、世界に先駆けて褥瘡予防に取り組んできたことがわかります。

「バイオフィルム」は、褥瘡感染における関与が解明されるに従って、その重要性が再認識されてきています。わが国では、「臨界的定着」においてバイオフィルムを評価することが重要とされ、DESIGN-R®2020に新たに取り入れられています。わが国で開発された技術によってバイオフィルムの可視化が進んだことが大きな後押しになっているように思います。同時に、創傷管理の新しい概念「Wound hygiene（創傷衛生）」においてもバイオフィルムは重要な要因になっています。

この国際ガイドラインは2019年に改訂されて新たなものが出されています。その中では、わが国の褥瘡状態評価ツールであるDESIGN-R®が最も信頼性と妥当性の高いツールとして紹介されています。（p.38参照）

Part 4

褥瘡状態評価の最新ツール DESIGN-R®2020を理解する

この章は、一般社団法人日本褥瘡学会編集『改定DESIGN-R®2020 コンセンサス・ドキュメント』の内容をもとに具体的に解説しています。

褥瘡状態評価ツール「DESIGN」の誕生

わが国発の褥瘡状態評価ツール「DESIGN」は2002年に誕生しました。この年は、わが国で褥瘡対策未実施減算が始まった年です。これは、病院でチームによる適切な褥瘡対策を行わないと診療報酬において減算されるという、わが国で初めての減算システムでした。そのため、各病院に医師、看護師、薬剤師、理学・作業療法士、管理栄養士などの多職種からなる褥瘡対策チームが組まれました。

ここで問題になったのが、これら多職種が異なる褥瘡分類の考え方をもっていたということでした。例えば、「I度の褥瘡」というとき、医師は皮膚が欠損している潰瘍を指し、ナースは皮膚が破れていない発赤を指していました。このように判断が異なっていたのは、医師は潰瘍になってから治療を開始するのですが、ナースは発赤の状態からケアを始めるためです。

医師は治療に役立てるため、ナースはケアの評価に使うために「重症度分類」と「定量化」の両方を満たすツールが必要でした。そこで生まれたのが「DESIGN」です。

DESIGNは「深さ：Depth」「滲出液：Exudate」「サイズ：Size」「炎症・感染：Inflammation/Infection」「肉芽：Granulation」「壊死組織：Necrotic tissue」の6項目からなり、その欧文の頭文字をとって「DESIGN」と名づけられました。さらに、ポケットがある場合は「ポケット：Pocket」を付け加えます。各アルファベットを用いて、重症度が高いときは大文字で、低いときは小文字で表現することになりました。DESIGNには「重症度分類用」（図1）と「経過評価用」があります。各項目の大文字が小文字になるように治療を行い、毎週の得点の変化で介入の効果を観察することができるようになりました。

図1　DESIGN重症度分類用

				日時	／	／	／	／	／	／
Depth 深さ（創内の一番深いところで評価する）										
d	真皮までの損傷	D	皮下組織から深部							
Exudate 滲出液（ドレッシング交換の回数）										
e	1日1回以下	E	1日2回以上							
Size 大きさ［長径（cm）×長径に直交する最大径（cm）］										
s	100未満	S	100以上							
Inflammation／Infection 炎症／感染										
i	局所の感染徴候なし	I	局所の感染徴候あり							
Granulation tissue 肉芽組織（良性肉芽の割合）										
g	50%以上（真皮までの損傷時も含む）	G	50%未満							
Necrotic tissue 壊死組織（壊死組織の有無）										
n	なし	N	あり							
Pocket ポケット（ポケットの有無）		-P	あり							

DESIGNから DESIGN-R®へ

DESIGNは、開発当初から5年後には改定する予定がありました。DESIGNでは、各項目の点数の重み付けは、深さ（D/d）の項目は1〜5、滲出液（E/e）は1〜3というように、エキスパートの経験と勘によって行われていました。例えば、「中等度の滲出液（e2）」と「硬く厚い密着した壊死組織（N2）」では同じ2点でも軽度と重度の違いがあり、同じ得点であっても患者さんの重症度が異なり、治癒経過に差が生じます。つまり褥瘡の「重い/軽い」が判定できなかったのです。同一患者の褥瘡は点数の変化で評価できるのですが、他の患者さんとの比較ができません。そこで、2008年に褥瘡の「経過」を見るのと同時に「重症度」も見られるように重み付けが行われました。学会の評議員の協力を得て約6000人のデータを収集し、統計学的に分析して重み付けを行い、DESIGN-R®と改称されました。「R」は「rating」の略です。

DESIGN-R®には3つの脚注が付いていますが、**最も重要なのは、「深さ（D/d）の得点は合計点に加えない」**という点です。「D/d」の項目は点数への影響が統計学的に他の項目と重複することが確認されたためです。そして、それまで現場の医療従事者が共通言語として身につけたDESIGNの使い方を変えるのは混乱を招くと考えられたため項目は修正しないで、点数の変更、重み付けだけを変更しました。重症度は治癒日数をもとに分析したため、DESIGN-R®を使うことで患者間の重症度の比較ができるようになったうえに、おおまかな治癒日数が予測できるようになりました。こうして、DESIGN-R®では、DESIGNではできなかった異なる褥瘡の重症度の比較ができるようになりました（図1）。

図1　DESIGNとDESIGN-R®による異なる褥瘡での点数の変化

治癒日数21日

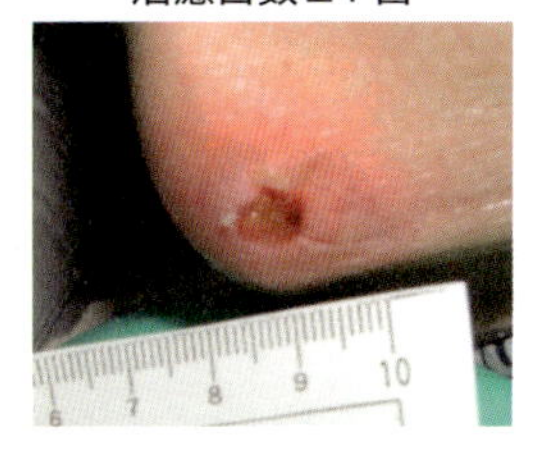

治癒日数280日

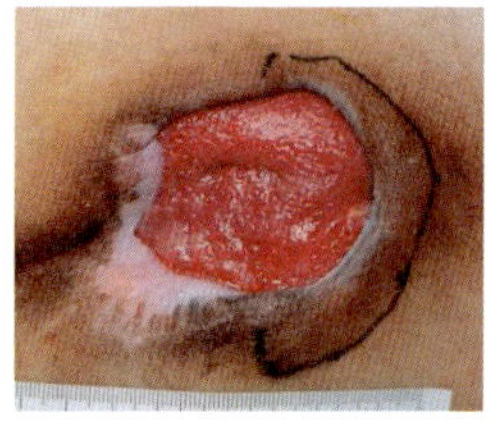

	治癒日数21日	治癒日数280日
DESIGN（2002）	D3-e1s1i1G5N1P0 12点	D3-e2s3i0g1n0P3 12点
DESIGN-R®（2008）	D3-e1s3i1G6N3P0 14点	D3-e3s8i0g1n0P12 24点

真田弘美：日本初の「DESIGN-R®」は世界標準の褥瘡状態評価ツールになった そして今，DESIGN-R®2020に．エキスパートナース 2021；37（3）：19．より引用

Part4 褥瘡状態評価の最新ツールDESIGN-R®2020を理解する

世界標準の褥瘡状態評価ツールとなったDESIGN-R®

DESIGNは、褥瘡のチーム医療推進の鍵ともなるツールでした。多職種の共通ツールとして活用され、このツールを用いることで褥瘡治療のガイドラインの開発につながりました。ガイドラインでは、大文字を小文字にする治療方針の基準を「炎症期」「肉芽形成期」「表皮形成期」ごとにつくることができ、治療・ケアのスタンダードが生まれました。同時にこのツールの信頼性と妥当性を世界に向けて発信し、雑誌『Journal of Wound Care』の表紙を飾るほどのインパクトを世界に与えました（図1）。

1．世界標準の褥瘡評価ツールとして

褥瘡の国際ガイドラインとしては、米国褥瘡諮問委員会（NPIPU）、ヨーロッパ褥瘡諮問委員会（EPUAP）、環太平洋褥瘡諮問委員会（PPPIA）が共同で出しているガイドラインがあります（図2）。2019年に出されたガイドラインの13章「アセスメントとモニタリング」の項目で、**DESIGN-R®は最も信頼性と妥当性が高いツール**として紹介されています。現在では、英語の他に、スペイン語、ポルトガル語、台湾語、中国語、韓国語、インドネシア語などに翻訳され、世界標準の褥瘡状態評価ツールになっています。

2．ガイドラインとともに果たした功績

DESIGN-R®と『褥瘡予防・管理ガイドライン』の最も大きな功績は、日本の褥瘡有病率の減少に寄与したことでしょう。これらは、診療報酬改定に必要なエビデンスの構築において必須のツールともなっています。2006年以降の診療報酬改定ではエビデンスとなるデータが求められていますが、褥瘡ハイリスク患者ケア加算の新設にあたって、その元となるデータを生んだのがDESIGN®ツールでした。褥瘡ハイリスク患者ケア加算は、専門性の高い看護師を評価する初めての診療報酬です。入院中のすべての患者さんの中から褥瘡ハイリスク患者を抽出し、適切なケア計画を立案してチーム医療を行うというもので、要件となっている褥瘡の専従管理者として「皮膚・排泄ケア認定看護師」が評価されています。これは、日本看護協会と日本創傷・オストミー・失禁管理学会が行った調

図1　海外の専門雑誌のトップ記事となったDESIGN®ツール

J Wound Care 2004:13（1）

図2　褥瘡の国際ガイドライン

European Pressure Ulcer Advisory Panel, National Pressure Injury Advisory Panel, Pan Pacific Pressure Injury Alliance：Prevention and Treatment of Pressure Ulcers/ Injuries：Clinical Practice Guideline. EPUAP/NPIAP/ PPPIA, 2019；209.

査が元になっています。

この調査は、当時のWOCナース（皮膚・排泄ケア認定看護師）を、褥瘡対策を専門として部署横断的に活動する専従看護師として配属している病院（専従群）と、WOCナースを専従として配属していない病院（対照群）とで、3週間の褥瘡治癒過程を比較するというものでした。その結果、1週間後から3週間後にかけて、どの週においても専従群の点数が対照群よりも有意に低い値を示しました。この治癒過程の比較に用いたのがDESIGN-R®だったのです。それ以降、診療報酬の改定に必要なエビデンスデータの収集には、一連のDESIGN-R®ツールが使われています。現在の診療報酬の中で、DESIGN-R®の合計点や下位項目得点を用いる項目を表1に示します。このなかで、介護報酬として2018年に新設された「9. 褥瘡マネジメント加算」でDESIGN-R®が取り入れられたことは意味深いことです。それまでは、診療報酬と介護報酬とで褥瘡における言葉が違っていました。つまり、医療職と介護職との間で褥瘡の共通言語がなかったのです。病院などの医療施設から介護保険施設に移った患者さんの情報が共有できないという実態がありました。それが2018年度介護報酬の「褥瘡マネジメント加算」ではDESIGNツールが使われ、医療と介護がつながりました。

表1　診療報酬・介護報酬でDESIGN-R®の合計点や下位項目得点を用いる項目

［2012年度診療報酬改定から］
1. 入院基本料の算定要件
2. 在宅医療の特定医療保険材料の算定（皮膚欠損用創傷被覆材、非固着性シリコンガーゼ）

［2014年度診療報酬改定から］
3. 訪問看護管理療養費の算定要件
4. 在宅患者訪問褥瘡管理指導料の報告書
5. 処置料：重度褥瘡処置の算定要件

［2018年度診療報酬改定から］
6. ADL維持向上等体制加算の施設基準
7. 褥瘡対策加算1、2の算定要件
8. 療養病棟入院基本料

［2018年度介護報酬改定から］
9. 褥瘡マネジメント加算

注：令和4年度診療報酬改定では、DESIGN-R®2020になっている

DESIGN-R®2020には「深部損傷褥瘡(DTI)疑い」と「臨界的定着疑い」が加わった

DESIGN-R®は2020年にDESIGN-R®2020に改定されました（図1）。

改定されたDESIGN-R®2020の新規ポイントは、**「深部損傷褥瘡（DTI）疑い」と「臨界的定着疑い」の2項目が追加**されたことです。その理由は、褥瘡のさまざまな研究によって次々と新しい知見が得られ、それらを褥瘡の治療・ケアに反映する必要が生じたからです。日本褥瘡学会が2015年に改訂した『褥瘡予防・管理ガイドライン（第4版）』では、保存的治療に関して「深部損傷褥瘡（DTI）の疑い」と「臨界的定着により肉芽形成期の創傷治癒遅延が疑われる」という内容が入っています。ガイドラインとの整合性のためにもDESIGN-R®2020にDTIと臨界的定着（クリティカルコロナイゼーション）の評価を入れ込む必要がありました。

米国褥瘡諮問委員会（NPIAP*）は、「褥瘡には皮膚から深部、深部から皮膚という2つの進展様式がある」とし、このうち深部から発生するものを深部組織損傷（deep tissue injury：DTI）と位置づけました。しかし、DTIは確実に観察する方法がなく、わが国では褥瘡のアセスメント項目に加えることが難しいという状況がありました。それが近年、エコーによって早期から脂肪・筋層などの深部組織の変化が可視化できるようになりDTIの判別が可能になってきました。そこで、「深部損傷褥瘡（DTI）疑い」をDESIGN-R®の項目に加えることになりました。

臨界的定着はクリティカルコロナイゼーション（critical colonization）のことで、ドレッシング材による湿潤環境がもたらした新しい感染様式でもあると言われています。従来、感染の徴候といわれているのは「腫脹」「痛み」「膿」「発熱」などですが、クリティカルコロナイゼーションではそれらの所見は観察されません。ただ、いっこうに治癒が進まないのが特徴です。クリティカルコロナイゼーションの原因の1つとしてバイオフィルムが挙げられます。そのため、これまでの感染への介入とは異なるバイオフィルムに特化した治療方法が必要になります。また、バイオフィルムは目に見えないため観察できず、アセスメント項目に入れることができませんでした。しかし、最近、バイオフィルムを可視化できるキットが商品化され観察できるようになりました。同時に、創面にぬめりやスラフ（黄色壊死組織）の増加があるときは何らかの治療戦略を立てる必要があることから、「臨界的定着疑い」をDESIGN-R®に組み込むことになりました。

このようにして改定されたDESIGN-R®2020褥瘡経過評価用を次ページに示します。

＊NPIAP：National Pressure Injury Advisory Panel（NPUAPが改称）

図1　改定されたDESIGN-R®2020褥瘡経過評価用（青字が変更された箇所）

カルテ番号（　　　　　　　　　）
患者氏名　（　　　　　　　　　）

月日	/	/	/	/	/	/

Depth[＊1]　深さ　創内の一番深い部分で評価し、改善に伴い創底が浅くなった場合、これと相応の深さとして評価する					
d	0	皮膚損傷・発赤なし	D	3	皮下組織までの損傷
				4	皮下組織を超える損傷
	1	持続する発赤		5	関節腔、体腔に至る損傷
				DTI	深部損傷褥瘡（DTI）疑い[＊2]
	2	真皮までの損傷		U	壊死組織で覆われ深さの判定が不能
Exudate　滲出液					
e	0	なし	E	6	多量：1日2回以上のドレッシング交換を要する
	1	少量：毎日のドレッシング交換を要しない			
	3	中等量：1日1回のドレッシング交換を要する			
Size　大きさ　皮膚損傷範囲を測定：［長径（cm）×短径[＊3]（cm）］[＊4]					
s	0	皮膚損傷なし	S	15	100以上
	3	4未満			
	6	4以上　16未満			
	8	16以上　36未満			
	9	36以上　64未満			
	12	64以上　100未満			
Inflammation/Infection　炎症/感染					
i	0	局所の炎症徴候なし	I	3C[＊5]	臨界的定着疑い（創面にぬめりがあり、滲出液が多い。肉芽があれば、浮腫性で脆弱など）
	1	局所の炎症徴候あり（創周囲の発赤・腫脹・熱感・疼痛）		3[＊5]	局所の明らかな感染徴候あり（炎症徴候、膿、悪臭など）
				9	全身的影響あり（発熱など）
Granulation　肉芽組織					
g	0	創が治癒した場合、創の浅い場合、深部損傷褥瘡（DTI）疑いの場合	G	4	良性肉芽が創面の10%以上50%未満を占める
	1	良性肉芽が創面の90%以上を占める		5	良性肉芽が創面の10%未満を占める
	3	良性肉芽が創面の50%以上90%未満を占める		6	良性肉芽が全く形成されていない
Necrotic tissue　壊死組織　混在している場合は全体的に多い病態をもって評価する					
n	0	壊死組織なし	N	3	柔らかい壊死組織あり
				6	硬く厚い密着した壊死組織あり
Pocket　ポケット　毎回同じ体位で、ポケット全周（潰瘍面も含め）［長径（cm）×短径[＊3]（cm）］から潰瘍の大きさを差し引いたもの					
p	0	ポケットなし	P	6	4未満
				9	4以上16未満
				12	16以上36未満
				24	36以上
部位［仙骨部、坐骨部、大転子部、踵骨部、その他（　　　　　　）］					合計[＊1]

＊1　深さ（Depth：d/D）の点数は合計には加えない
＊2　深部損傷褥瘡（DTI）疑いは、視診・触診、補助データ（発生経緯、血液検査、画像診断等）から判断する
＊3　"短径"とは"長径と直交する最大径"である
＊4　持続する発赤の場合も皮膚損傷に準じて評価する
＊5　「3C」あるいは「3」のいずれかを記載する。いずれの場合も点数は3点とする

http://www.jspu.org/jpn/member/pdf/design-r2020.pdf

「深部損傷褥瘡(DTI)疑い」の見方、付け方

DESIGN-R®2020に新たに加えられた項目の1つが「深部損傷褥瘡（DTI）疑い」です。“疑い”が付いていることには意味があります。日本褥瘡学会の用語集では、深部損傷褥瘡（DTI）を次のように定義しています。

「NPUAPが2005年に使用した用語である。表皮剥離のない褥瘡（Stage Ⅰ）のうち、皮下組織より深部の損傷が疑われる褥瘡をいう」[1]

Stage Ⅰとは、圧迫しても消退しない発赤（紫斑）の状態です。しかし、皮下組織より深部の組織の損傷が疑われる所見のある褥瘡には、「圧迫すると消退する発赤やびらん」が含まれます。そこで、DESIGN-R®2020ではStage Ⅰの所見にこだわらないで、皮下組織より深部の損傷が「疑われる」褥瘡を網羅するという意味で、「深部損傷褥瘡（DTI）“疑い”」としました。**深部損傷褥瘡（DTI）疑いには、発赤、浮腫、水疱、びらん、浅い潰瘍などの多様な肉眼的所見のある褥瘡も含まれる**ことに留意しましょう。

DESIGN-R®2020で変更された「D/d：深さ」の項目を図1に示しました。「D」の項目に「DTI：深部損傷褥瘡（DTI）疑い」が加わり、「深さ判定が不能の場合」の「U」が「壊死組織で覆われ深さの判定が不能」となりました。実際には「DDTI」あるいは「DU」と表記します。

[例]　DDTI-e0S15i1g0n0p0：16点

DTI疑いのアセスメントは、視診、触診、画像診断、血液生化学的検査、観血的な処置、経時的な観察で行います。

①**視診**：深部損傷褥瘡（DTI）疑いを含む急性期褥瘡の所見には、発赤、紫斑、浮腫、水疱、びらん、浅い潰瘍などがある。NPIAPの定義では、皮膚が濃い赤色、紫、栗色の変色や、血疱の所見があるとされるが（図2）、急性期の皮下脂肪組織の変化は視診のみでは把握しにくいため、経時的な観察や触診を併用して判断する。

②**触診**：皮膚の硬さや皮膚温、疼痛も合わせて観察する。皮膚温にはサーモグラフィー所見も補助的に活用する。

③**画像診断**：a）X線単純写真、b）CT、MRI、

図1　DESIGN-R®2020における「d/D」の項目

Depth[*1] 深さ　創内の一番深い部分で評価し、改善に伴い創底が浅くなった場合、これと相応の深さとして評価する					
d	0	皮膚損傷・発赤なし	D	3	皮下組織までの損傷
				4	皮下組織を超える損傷
	1	持続する発赤		5	関節腔、体腔に至る損傷
				DTI	深部損傷褥瘡（DTI）疑い[*2]
	2	真皮までの損傷		U	壊死組織で覆われ深さの判定が不能

＊1　深さ（Depth：d/D）の点数は合計には加えない
＊2　深部損傷褥瘡（DTI）疑いは、視診・触診、補助データ（発生経緯、血液検査、画像診断等）から判断する

c）超音波画像診断法（エコー）。

④**血液生化学的検査**：血清中のクレアチンホスホキナーゼの使用が有用。

⑤**観血的な処置**：深部損傷褥瘡（DTI）疑いの場合は、医師に報告し、全身状態を鑑みて適宜デブリードマンを行い創底の状態を確認し、深達度を判定する。

⑥**経時的な観察**：時間の経過により真の深達度が明らかになるため、毎日フィジカルアセスメントを行う。

「深部損傷褥瘡（DTI）疑い」の褥瘡で「D：深さ」以外の項目で評価に迷うのが、目視できない「G：肉芽組織」です。深部損傷褥瘡（DTI）疑いでは深部は見えないため、「g0」とすることになっています。そこで、DESIGN-R®2020の「G：肉芽組織」では、「g0」を「創が治癒した場合、創の浅い場合、深部損傷褥瘡（DTI）疑いの場合」と変更しています（図3）。この点も注意が必要です。

引用文献

1. 日本褥瘡学会HP：用語集 http://www.jspu.org/jpn/journal/yougo.html # shinbu（2022.7.15アクセス）

図2　深部損傷褥瘡（DTI）疑いの褥瘡

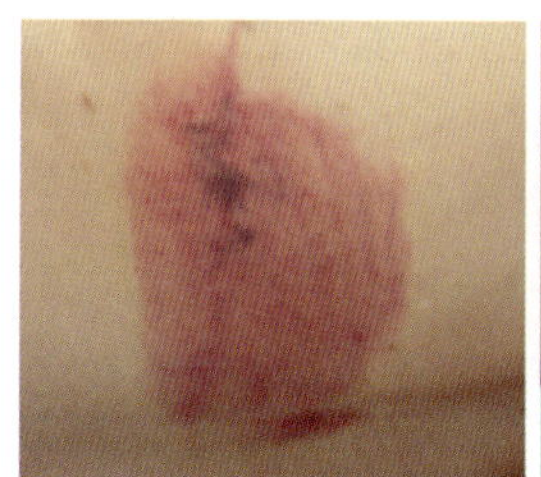
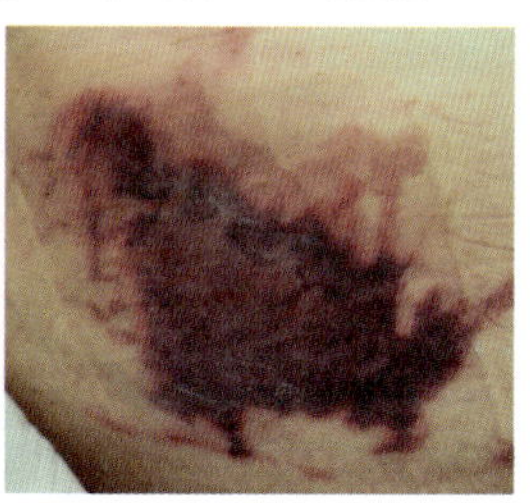

日本褥瘡学会 編：改定DESIGN-R®2020 コンセンサス・ドキュメント．照林社，東京，2020：13．より引用

図3　DESIGN-R®2020における「g/G」の項目

Granulation　肉芽組織					
g	0	創が治癒した場合、創の浅い場合、深部損傷褥瘡（DTI）疑いの場合	G	4	良性肉芽が創面の10%以上50%未満を占める
	1	良性肉芽が創面の90%以上を占める		5	良性肉芽が創面の10%未満を占める
	3	良性肉芽が創面の50%以上90%未満を占める		6	良性肉芽が全く形成されていない

「DDTI：深部損傷褥瘡（DTI）疑い」と「DU：深さの判定が不能の場合」との関係

深部損傷褥瘡（DTI）疑いとDUはともに、深部組織損傷を伴う褥瘡であることが多く、明確な線引きは難しいといえます。ただし、深部損傷褥瘡（DTI）疑いは、比較的急性期の褥瘡を表すのに対して、DUは慢性化し、壊死組織が明瞭な場合をとらえた病変と考えられます。この差は、時間的な要素を考慮したものと考えることもできるでしょう。

「臨界的定着疑い」の見方、付け方

DESIGN-R®の「I：炎症/感染」は、その評価結果によって局所の創傷ケア方法に大きな違いが出てきます。これまで、大文字の「I」は、「3：局所の明らかな感染徴候あり（炎症徴候、膿、悪臭など）」と「9：全身的影響あり（発熱など）」だけでしたが、DESIGN-R®2020では、「3C：臨界的定着疑い（創面にぬめりがあり、滲出液が多い。肉芽があれば、浮腫性で脆弱など）」の項目が新たに加わりました（図1）。「3：局所の明らかな感染徴候あり（炎症徴候、膿、悪臭など）」はそのままで、「3C」か「3」かいずれかを記載します。いずれの場合も点数は3点となります。表記の例は以下のようになります。

[例] D3-E6s6I3CG6n0p0：21点

「臨界的定着」とは、「定着」と「感染」の中間にあって、両者のバランスによって定着よりも細菌数が多くなった感染へと移行しかけた状態です。臨界的定着は「クリティカルコロナイゼーション」とも言われ、日本褥瘡学会では以下のように定義しています。

「critical colonization　創部の微生物学的環境を、これまでの無菌あるいは有菌という捉え方から、両者を連続的に捉えるのが主流となっている（bacterial balance の概念）。すなわち、創部の有菌状態を汚染（contamination）、定着（colonization）、感染（infection）というように連続的に捉え、その菌の創部への負担（bacterial burden）と生体側の抵抗力のバランスにより感染が生じるとする考え方である。臨界的定着はその中の定着と感染の間に位置し、両者のバランスにより定着よりも細菌数が多くなり感染へと移行しかけた状態を指す。」[1]

この**臨界的定着状態を作り出す原因としてバイオフィルムの存在**が明らかになってきました。バイオフィルムとは、細菌が産生する細胞外高分子物質（extracellular polymeric substance：EPS）によって、創部に存在する細菌が産生する宿主免疫や抗菌薬、消毒薬から防御される状態を指すといわれています。臨界的定着状態の褥瘡は、肉眼的には明らかではな

図1　DESIGN-R®2020における「i/I」の項目

Inflammation/Infection　炎症/感染					
i	0	局所の炎症徴候なし	I	3C*5	臨界的定着疑い（創面にぬめりがあり、滲出液が多い。肉芽があれば、浮腫性で脆弱など）
				3*5	局所の明らかな感染徴候あり（炎症徴候、膿、悪臭など）
	1	局所の炎症徴候あり（創周囲の発赤・腫脹・熱感・疼痛）		9	全身的影響あり（発熱など）

＊5「3C」あるいは「3」のいずれかを記載する。いずれの場合も点数は3点とする

いものの炎症を生じており、バイオフィルムを伴う細菌による感染が生じていると考えられます。

現状で「臨界的定着疑い」と判断されているのは、肉眼的には感染徴候はないものの治癒が停滞している状態、経験的には2週間以上経過しても治癒が進まないときに、消毒薬/抗菌薬を使用すると治癒が促進する場合を指すことが多いとされています。しかし、まったく感染徴候が出ないわけではないため、臨床での判断指標として、「創面にぬめりがあり、滲出液が多い。肉芽があれば、浮腫性で脆弱など。」と表記しています。以下に詳細を示します。

①視診・触診

創面にはぬめりがあり、炎症が持続しているため滲出液が多くなります。また、肉芽が形成されている場合は、浮腫性で脆弱です（図2）。

図2　臨界的定着疑いの褥瘡

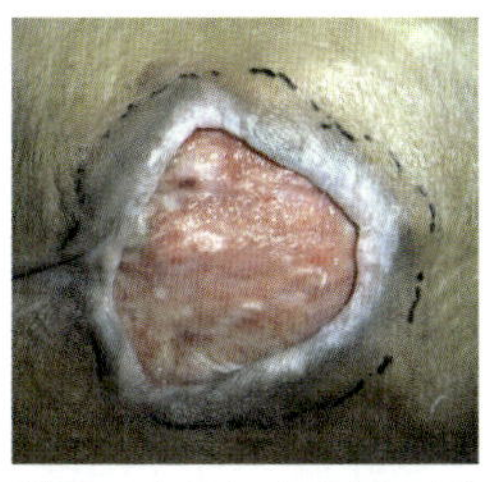
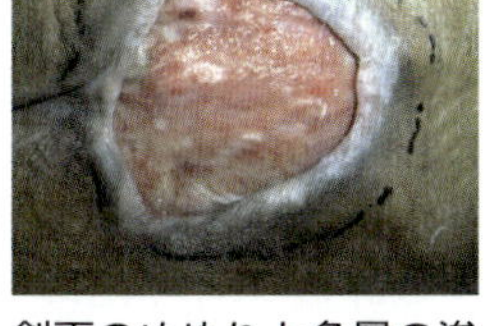

創面のぬめりと多量の滲出液

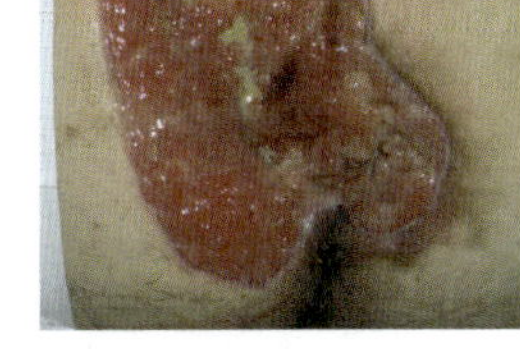

浮腫性で脆弱な肉芽

日本褥瘡学会編：改定DESIGN-R®2020 コンセンサス・ドキュメント．照林社，東京，2020：28．より引用

②細菌学的検査

細菌数は臨界的定着や感染を判断する根拠にはなりません。また臨床で組織生検を行うことは難しいため、組織中の細菌学的検査は確定診断としては推奨されていません。一方で、臨界的定着の本態であるバイオフィルムの検出には、以下のような簡便な手法が考案されています。

滅菌されたメンブレンシートを創部に10秒間貼付します。専用の前処理液・染色液・脱色液によって合計2分間処理することによって、創面にバイオフィルムがどの程度、どの部分に形成されているかを可視化できるというものです。商品化されたものもあるため、有効に使うことが推奨されます。

引用文献

1. 日本褥瘡学会ホームページ：用語集 http://www.jspu.org/jpn/journal/yougo.html # rinkai（2022.7.15アクセス）

DESIGN-R®2020の実際の点数の付け方

DESIGN-R®2020の表記法は、**原則的に改定前のDESIGN-R®と同様**です。「深さ（d/D）」の後にハイフン「-」を入れて、ESIGNと続けます。**深さは合計点数には含めず**、ポケット「p」の後にコロン「：」をつけて合計点数を記載します（図1）。各項目に沿ってみていきましょう。

図1　DESIGN-R®2020の基本的な表記法

D3-e1s6i0g3n3p0：13点

1．深さ：Depth

創面の一番深い部分で評価し、改善に伴って創底が浅くなった場合はこれと相当の深さとして評価します。改定により「DDTI」「DU」が変更されました。

d0：皮膚損傷・発赤なし d1：持続する発赤 d2：真皮までの損傷	D3：皮下組織までの損傷 D4：皮下組織を超える損傷 D5：関節腔、体腔に至る損傷 DDTI：深部損傷褥瘡（DTI）疑い DU：壊死組織で覆われ深さの判定が不能

①深さの採点

・創縁と創底の段差の有無、創底の見える組織によって判定します。

・視診・触診、補助データ（発生経緯、血液検査、画像診断等）から、深部組織の損傷が疑われる場合には、「深部損傷褥瘡（DTI）疑い」（DDTI）と判定します。

・創底が壊死組織で覆われており深さの判定が不能な場合は、「DU」と判定します。

・褥瘡が発生していない、または、治癒した場合は、d0とします。

②治癒過程の深さの判定

・全層損傷の真皮を超える褥瘡の治癒過程では、創縁と創底の段差の程度によって判定します。

2．滲出液：Exudate

e0：滲出液なし e1：少量（毎日のドレッシング交換を要しない） e3：中等量（1日1回のドレッシング交換を要する）	E6：多量（1日2回以上のドレッシング交換を要する）

・図2のようにドレッシング材、あるいはガーゼに付着している滲出液の量で判定します。

・ドレッシング材は種類によって吸水力が異なり、標準化した滲出液量の評価を行うため、ガーゼを貼付した場合を想定して判定します。

・1日1回の交換でもドレッシング材から滲出液があふれ出る場合は、「E6」と判定します。

・1日2回の交換でもごく少量の滲出液が付着しているガーゼの場合は、「e1」と判定します。

3．大きさ：Size

皮膚損傷範囲（持続する発赤の範囲も含む）の、長径と短径（長径と直交する最大径）を測定し（cm）、それぞれを掛け合わせた数値を0

図2　ガーゼ貼付の場合をイメージした滲出液の評価の目安

e1：少量

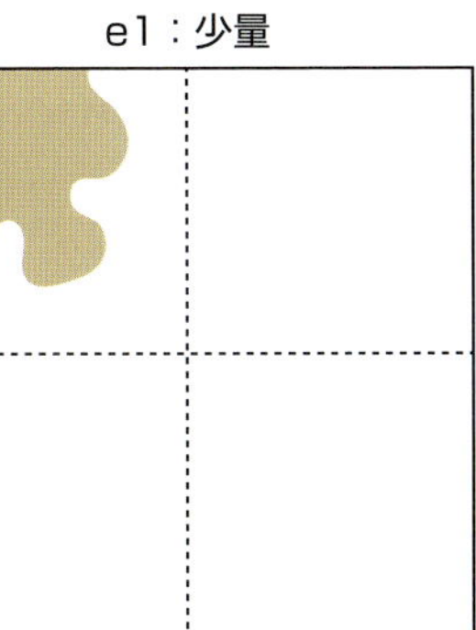

e3：中等量

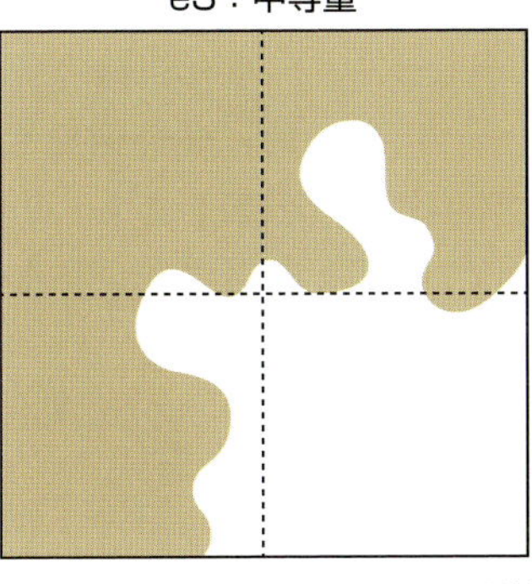

E6：多量

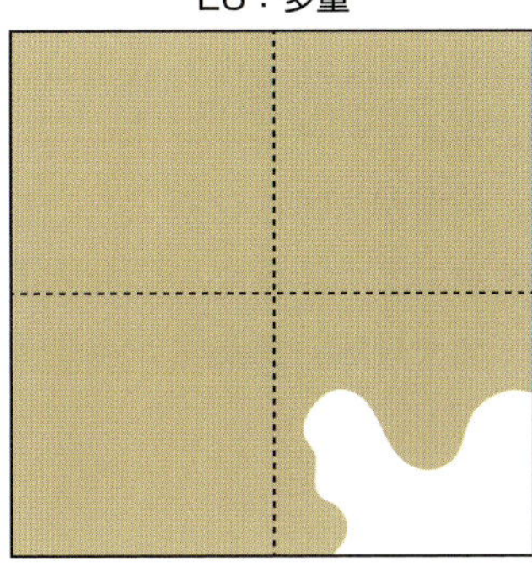

日本褥瘡学会編：改定DESIGN-R®2020 コンセンサス・ドキュメント．照林社，東京，2020：14．より引用

から15点に分類しています。

s 0：皮膚損傷なし s 3：4未満 s 6：4以上、16未満 s 8：16以上、36未満 s 9：36以上、64未満 s12：64以上、100未満	S15：100以上

大きさの目安としては円形の創をイメージしてください。おおまかに、s 3は直径2cm未満、s 6は4cm未満、s 8は6cm未満、s 9は8cm未満、s12は10cm未満、S15は10cm以上と理解します。

①採点方法（図3）

・毎回同一体位で測定します。

・肉眼的に外から見える皮膚損傷を測定します。

図3　大きさの採点方法

皮膚損傷範囲を測定

長径（cm）(a) ×長径と直交する最大径（cm）(b)

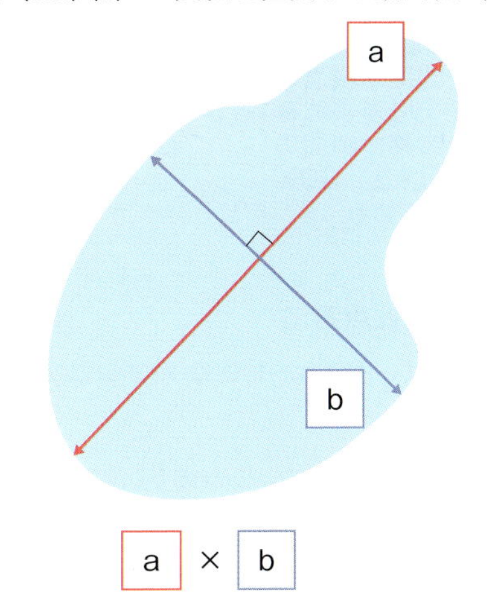

4．炎症/感染：Inflammation/Infection

創周辺の炎症あるいは創自体の感染につき0から9点に分類しています。

①炎症/感染の採点方法

・炎症とは、壊死組織、圧迫、摩擦などによる機械的刺激により局所に起こった組織反応で、創周囲の発赤、腫脹、発熱、疼痛を伴います。

・臨界的定着疑い（I3C）の場合は、「創面に

i 0：局所の炎症徴候が見られないもの i 1：局所の炎症徴候が見られるもの（創周囲の発赤・腫脹・熱感・疼痛）	I 3C：臨界的定着が疑われるもの（創面にぬめりがあり、滲出液が多い。肉芽があれば、浮腫性で脆弱など） I 3：局所に明らかに感染徴候が見られるもの（炎症徴候、膿、悪臭など） I 9：全身的影響が見られるもの（発熱など）

ぬめりがあり、滲出液が多い。肉芽があれば、浮腫性で脆弱など」から判断します。

・I3C、I3のいずれの場合も点数は3点とします。

・感染は、細菌が生体内に侵入し、宿主体内において増殖します。感染の症状としては上記の症状に加え排膿、悪臭、全身的発熱などを伴います。

5. 肉芽組織：Granulation

創面の肉芽組織の量により0から6点に分類します。

g０：創が治癒した場合、創の浅い場合、深部損傷褥瘡（DTI）疑いの場合 g１：良性肉芽が創面の90%以上を占める g３：良性肉芽が創面の50%以上、90%未満を占める	G４：良性肉芽が創面の10%以上、50%未満を占める G５：良性肉芽が創面の10%未満を占める G６：良性肉芽が全く形成されていない

①肉芽形成の採点方法

・肉芽組織は、良性か不良かの2つに大別されます。

・良性肉芽が創面積に占める割合で判定します。

・d0、d1の場合はg0となります。

・創底が壊死組織で覆われている場合（深さの判定がDUの場合）は、顕在化している肉芽組織で評価します。

・ｇ0の定義は「創が治癒した場合、創が浅い場合、深部損傷褥瘡（DTI）疑いの場合」となります。

・そのため、深部損傷褥瘡（DTI）疑いの場合（深さの判定がDDTIの場合）は、基本的にｇ0と判定します。

6. 壊死組織：Necrotic tissue

壊死組織の病態が混在している場合は、全体的に多い像をもって表現します。0から6点に分類します。基本的に、壊死組織の有無、柔らかさで判定します。

ｎ０：壊死組織はみられない	Ｎ３：柔らかい壊死組織あり Ｎ６：硬く厚い密着した壊死組織あり

7. ポケット：Pocket

ポケットの広さの計測は、褥瘡潰瘍面とポケットを含めた外形を描き、その長径と短径（長径と直交する最大径）を測定し（cm）、それぞれを掛け合わせた数値から「褥瘡の大きさで測定した数値」を差し引いた大きさとします（図4）。0から24点に分類します。

測定時には、毎回同一体位で測定します。ポケット部に鑷子や綿棒を挿入し、ポケットの開口範囲を確認します。

ｐ０：ポケットなし	Ｐ６：４未満 Ｐ９：４以上、16未満 P12：16以上、36未満 P24：36以上

図4　ポケットの採点方法

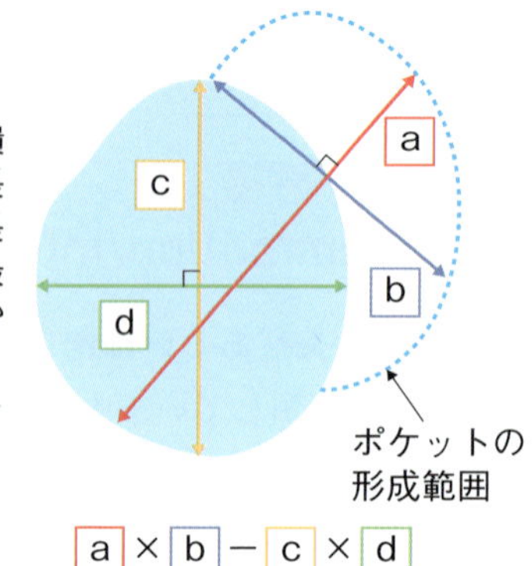

Part 5

褥瘡を防ぐために重要な体圧管理

体圧と褥瘡との関係とは

私たち"ヒト"の身体には、二足歩行を獲得するために、"S字カーブ"と言われる生理的弯曲が備わっています。人の背骨を横から見ると、頸椎前弯、胸椎後弯、腰椎前弯となっています。この生理的弯曲があることが、歩行の際の衝撃吸収に役立っています。弯曲部分が、臥床したときには身体の突出となり、部分圧迫を受けることになります。図1に、硬いマットレスに臥床した際の全身体圧の状態を示しました。

部分圧迫は、微小血管の閉塞をもたらし、血流低下を招きます。血液は酸素と栄養素を運ぶため、細胞死・組織障害に至り褥瘡発生となります。そこで、局所に持続する圧迫が加わらないようにするために行うのが「体位変換」です。

これまで長い間、「体位変換は2時間ごと」とされてきました。これは、1977年に東京都老人総合研究所・東京都養育院附属病院が出版した『褥瘡－病態とケア－』という書籍でそのように示されたからです。そこには「局所の圧迫を避けるため、2時間毎のめやすで体位変換をすることが大切である。」と記載されています。欧米での実験結果でも同様のめやすが示されています。有名なのはKosiakの研究で、ネズミのハムストリングに9.3kPaの圧力を一定時間かけ続けたところ、2～3時間後に変化が現れ始めたとされています。

しかし昨今では、この2時間には明確な根拠がないとされ、最新の『褥瘡予防・管理ガイドライン（第5版）』では、以下のように**「4時間をめどとすること」が明示**されています[1]。

CQ12	高齢者に対する褥瘡の発生予防のために、体圧分散マットレスを使用したうえでの4時間をこえない体位変換間隔は有効か？
推奨文	高齢者に対する褥瘡の発生予防のために、体圧分散マットレスを使用したうえでの4時間をこえない体位変換間隔を提案する。

推奨の強さ 2B[注1]

図1　身体の構造と体圧と褥瘡の関係

【要因】
①ヒトが二足歩行のために獲得した生理的弯曲
②身体の分節構造

部分圧迫を生じる

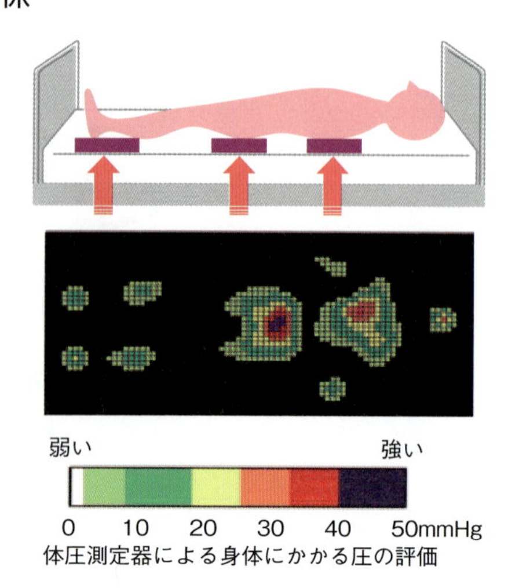

体圧測定器による身体にかかる圧の評価

また、2009年のNPUAP/EPUAP合同ガイドラインでは、「体位変換の頻度は、患者の組織耐久性や活動性のレベル、全身状態、治癒の目的、皮膚の状態のアセスメントによって決定する」と記載されており、患者の状態や状況、使用されている体圧分散寝具等から考慮しなくてはならないことが示されています。体位変換は、ケアを実施する側の負担にもなるため、**画一的なケアではなく、状態・状況に応じた観察に基づく柔軟な判断が必要**であることを示しています。

引用文献

1. 日本褥瘡学会編：褥瘡予防・管理ガイドライン 第5版. 照林社, 東京, 2022：34.

注1

『褥瘡予防・管理ガイドライン（第5版）』では、以下のように「推奨の強さ」を規定しています。『ガイドライン（第4版）』とは異なっていますので注意してください。詳しくは、p.viをご覧ください。

推奨は、推奨の強さとエビデンス総体のエビデンスの確実性からなる。推奨の強さは、「行うことを推奨する（強い推奨）：1」「行うことを提案する（弱い推奨）：2」「行わないことを推奨する（弱い推奨）：2」「行わないことを推奨する（強い推奨）：1」「推奨なし」に分けられる。

また、エビデンス総体のエビデンスの確実性（強さ）は、「A（強）：効果の推定値が推奨を支持する適切さに強く確信がある」「B（中）：効果の推定値が推奨を支持する適切さに中等度の確信がある」「C（弱）：効果の推定値が推奨を支持する適切さに対する確信は限定的である」「D（とても弱い）：効果の推定値が推奨を支持する適切さにほとんど確認できない」となっている。

体位変換技術と体圧分散寝具の進化

健康な人は、同一の体位で60分以上身体を動かさないでいると苦痛を感じると言われています[1]。人は一晩の睡眠中に20～30回の寝返りをしています。無意識に行う寝返りは、健全な生活を送る上で重要な動作なのです。自力で寝返りできない人は、他動的に体位を変えてあげないと局部に持続して圧力がかかり褥瘡ができやすくなります。特に日本人の場合、高齢で痩せている人では、骨突出部に圧力がかかって褥瘡ができやすくなります。褥瘡の発生度は、以下の式で表されます。

$$\frac{(\text{身体に加わる外力})\times(\text{時間})}{(\text{組織耐久性})}$$

この式からわかるように、褥瘡の発生度を下げるには、まず、組織耐久性を上げることが必要になります。しかし、組織耐久性は患者個々に属する個別要因です。病気になったり高齢になったりすれば組織耐久性の低下は避けられません。となると、「外力」や「時間」をコントロールすることが、褥瘡発生度を下げる近道になります。そのために体位変換を適度に行うことが大切ですが、他動的に体位変換を行うためには看護・介護の手が必要になります。さらに夜間の頻繁な体位変換は患者・利用者の睡眠を妨げてしまうという問題もあります。寝返りのサポートが十分に行えない現状の中で、どうするかを考えたとき、寝返り（体位変換）の頻度が減少しても褥瘡が発生しないようにするための体圧分散寝具の的確な使用が必要になります。体圧分散寝具は、そのマットレスの素材やメカニズムの進化によって非常に多機能のものが増えてきています。そして、もう1つが効率的で効果的な体位変換技術の進化（深化）です。そこで、私は「スモールチェンジ」や「間接法」を有効に使うことをお勧めしています。

文献

1. 清水まゆみ，和田容子，酒井美喜子：同一体位による苦痛に対する看護介入の有効性．看護人間工学研究誌2007；8：9-14.

体圧管理に重要な「ずれ・摩擦」

褥瘡の発生要因として考えられるのは、「圧力」「摩擦」「ずれ」であることは前の章でも述べました。摩擦は、皮膚とマットレスやクッションとの間で生じます。ずれは「皮下組織のゆがみ」のことで、頭側挙上の際などに顕著に見られるものです。具体的にベッド上で頭側挙上する際を見てみましょう（図1）。

重力は下方にかかりますが、その重力と釣り合う力が上方に向かいます。その力がベッドに垂直方向に働く「圧力」とベッドに平行方向に働く「摩擦力」となります。この水平方向に働く摩擦力を「せん断力」と呼びます。せん断力によって水平方向の組織にゆがみが生じるのが「ずれ」です。

皮膚の状態で考えてみると、皮下組織や筋肉・骨などは下方向に力が加わりますが、皮膚表面には上方向に摩擦力が加わっているため、同じ組織に2つの力が加わることになります。これがせん断力です。そのため、真皮や毛細血管網などが引き伸ばされ薄く変形して血管径が縮小し虚血が生じることによって、褥瘡発生につながると考えられています。**せん断力は摩擦係数の高い接触面に斜めの力が加わって生じますから、仙骨や大転子部、踵部などの骨突出部位は重点的にずれへの対応を行う必要があります**。

図1　頭側挙上時に生じるせん断力

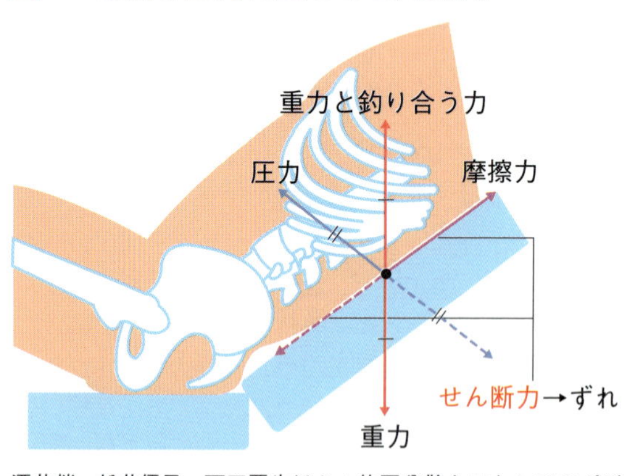

①ベッド挙上により、上半身に徐々に角度がつく
②上半身に加わる重力と釣り合う力から、圧力（ベッドに垂直な方向）と摩擦力（ベッドに平行な方向）が生じる
③ベッド挙上角度が上がるほど、摩擦力によるずれが大きくなる
④頭部を下げる際にも、逆の現象によりずれが起こる

酒井梢，松井優子，下田晋也ほか：体圧分散ケアとしてのポジショニング．エキスパートナース 2008；24（1）：30-33．より引用

体圧管理とマイクロクライメット

これまで褥瘡発生には、体圧・ずれ・摩擦の3要因が影響すると言われていましたが、2010年にInternational working groupが、International REVIEWにおいて、褥瘡予防は、pressure、shear、friction、maicroclimateから検討することが重要と指摘しました。それを受けて、2014年度版NPUAP/EPUAP/PPPIAによる国際ガイドラインで、新たな褥瘡予防として「マイクロクライメットの管理」が追加されました[1]。

マイクロクライメットは「微気候」とも言われ、「皮膚局所の温度・湿度」のことを指します。臥床している場合では、皮膚と接触するすべての面はマイクロクライメットに影響することになるため、体温を上昇させないことや、湿度を透過させて下げることが必要になります(図1)。

では、なぜ皮膚局所の温度上昇が課題となるのでしょうか。車椅子クッションの実験から、以下のことが指摘されました[2]。

- 体温が1℃上昇すると組織の代謝が10%亢進する
- 代謝が亢進した状態で外力によって部分圧迫が加わり虚血になると、酸素や栄養素の供給が不足し、組織損傷が起こりやすくなる
- 皮膚局所の温度上昇は、発汗にも影響をあたえ、皮膚が湿潤し、皮膚の浸軟をもたらすことになる
- 浸軟した皮膚とは角層がふやけて白く見える状態で、角層のバリア機能や組織耐久性の低下となり、皮膚損傷＝褥瘡となりやすい状態となる

図1 褥瘡の進行における各種要因

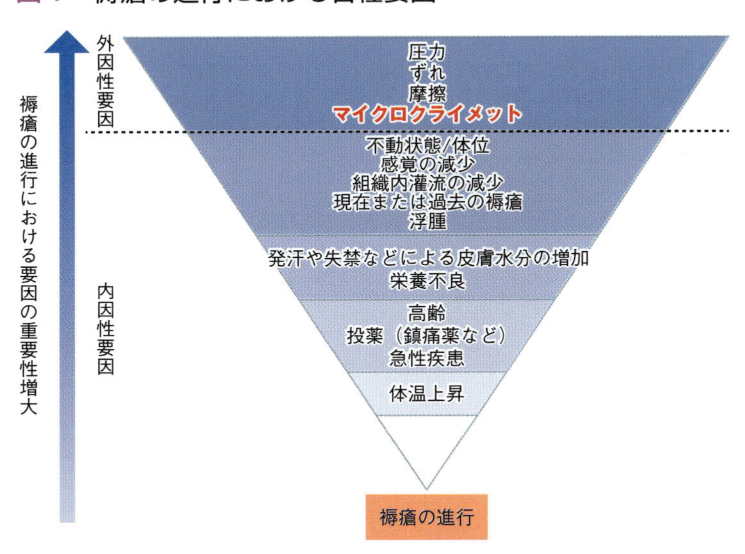

Wounds Internatinal：世界創傷治癒学会（WUWHS）コンセンサスドキュメント：褥瘡予防用ドレッシング材の役割. Wounds International 2016：19付録2.より引用

そのため、体温を上昇させないことや、湿度を下げることが課題になります。具体的には、マットレスや体圧分散寝具の構造、使用されるカバーの素材や構造に留意することが必要です。マットレスの構造では、ダクトをつけて送風し温度上昇を抑える機能を付加させたりすること（図2）、さらに熱がこもりづらい素材を用いたマットレスなども考案されています（図3）。ケアでは、発汗した場合にはすぐに拭き取ることや、汗等を速やかに拡散させる素材の寝衣や寝具も開発されています。体位変換そのものが通気や換気の効果にもなります。

褥瘡発生に影響する4つ目の重要要因としてマイクロクライメットに対する対応は重要であり、ケアによる対応もある程度可能なため、注視していかなくてはなりません。

引用文献

1. NPUAP, EPUAP, PPPIA：Prevention and Treatment of Pressure Ulcers. Clinical Practice Guideline 2014：75-78.
2. Fisher SV, Szymke TE, Apte SY, et al：Wheelchair cushion effect on skin temperature. Arch Phys Med Rehabil 1978；59(2)：68-72.

図2　ダクトをつけたマットレスの例［オスカー（株式会社モルテン）］

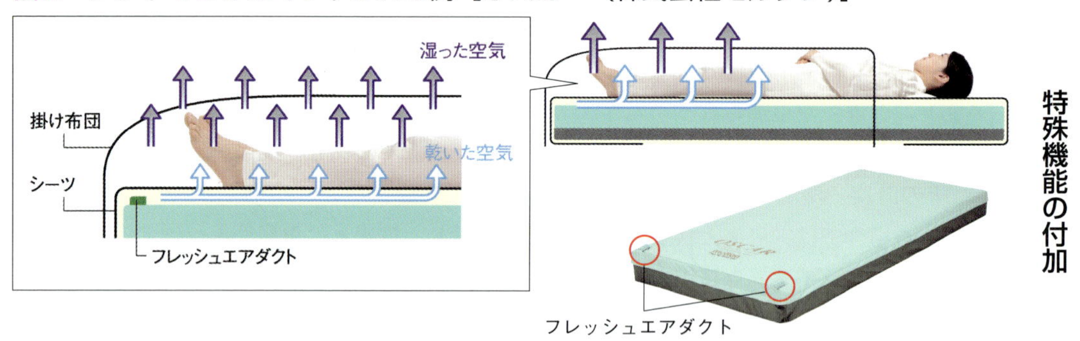

マットレスの足元2箇所にあるフレッシュエアダクトから、シーツを通し拡散された微弱な空気が寝床内に送り込まれ、寝床内の湿った空気と入れ替わることで「むれ」対策に効果がある

株式会社モルテン健康用品事業本部ホームページ：製品情報，特殊マットレス，オスカー．より引用
https://molten.co.jp/health/products/mattress/oscar/（2022/7/25/アクセス）

図3　マットレスの構造体の例

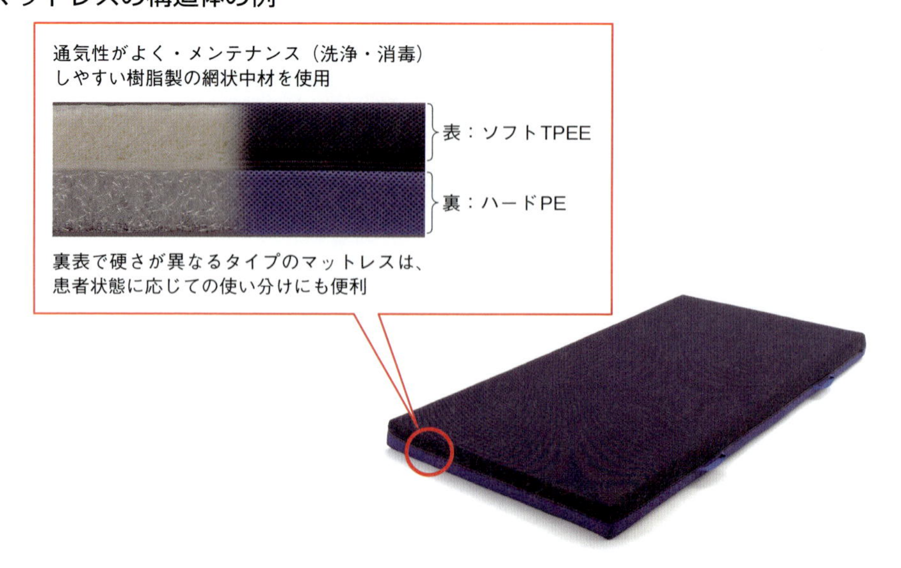

圧再分配とサポート・サーフェス

人の身体には骨突出や生理的彎曲などの凹凸があり、身体とマットレスとの接触面には限りがあります。そのため、「圧再分配」と「サポート・サーフェス」の視点が重要です。

1．圧再分配とは

まず「圧再分配」ですが、身体が接触する面に加わる圧力を分散させることが必要になり、以下の3つの機能が関係します。

①沈める（Immersion）

圧力を減少させるために、身体をマットレスに沈める機能です。これによって特定の骨突出部位に集中していた圧力を、周辺組織や他の部位に分配することができます。沈み込みが大きいほど接触面積が大きくなり平均圧は低くなります。この機能は、マットレスの素材の「圧縮特性」と「寸法（厚み）」によって変わります。

②包む（Envelopment）

骨突出部など身体の凹凸に対するマットレスの変形能のことです。変形することで身体とマットレスとの接触面積を大きくできます。マットレスの素材が水や空気などの流動体であれば変形能はすぐれていることになります。

③経時的な接触面の変化

接触面が時間に従って変化する概念です。特定部位への圧力の持続時間を短縮させることによって褥瘡発生リスクを少なくすることができます。

具体的には、圧切替型マットレスはセルの膨張と収縮を繰り返すことによって、マットレスへの接触部分を周期的に変化させています。これらの圧再分配の機能を具体的にイメージできるように示したのが図1です。

図1　圧再分配のイメージ図

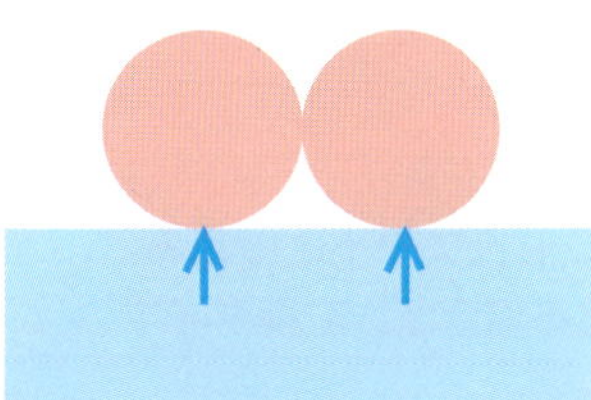

マットレスの沈める・包む機能がない状態

↓

マットレスの接触面積が小さく接触部分に圧が集中している

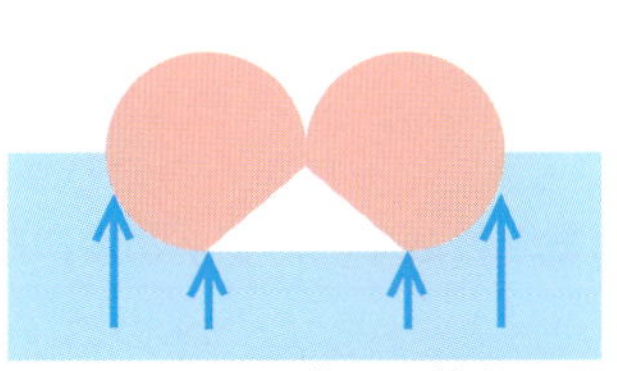

マットレスの沈める機能は問題ないが、身体の凹凸に対するマットレスの変形能が不十分であり、包むが機能していない状態

↓

十分な接触面積を得ることができず、圧が高くなることがある

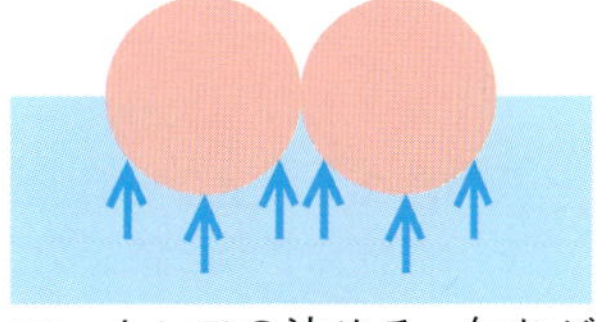

マットレスの沈める・包むが機能している状態

↓

身体の凹凸すべてに適合し、その結果接触面積が拡大し、圧が分散されるので、接触圧を低く保持することができる

市岡滋，須釜淳子：治りにくい創傷の治療とケア．照林社，東京，2011：79．より引用

2. サポート・サーフェスとは

「サポート・サーフェス（support surface）」はNPUAP（米国褥瘡諮問委員会）が2006年に提唱した、以下のようなマットレスの新しい定義です。

「サポート・サーフェスとは、組織への外力を管理するための圧再分配、寝床内環境調整、その他の機能を特別に設計された用具である。具体的には、ベッドと一体となっているマットレス、交換マットレス、上敷マットレスである。あるいは、座位クッション、または上敷き座位クッションである。」

これまでのマットレスは、褥瘡発生予防の観点から、「32 mmHg」という毛細血管閉塞圧値を用いて、「除圧（pressure relief）」と「減圧（pressure reduction）」という捉え方をしていました。除圧ができるマットレスとは、「どの体位においても」「どの身体部位においても」身体に加わる圧力を32 mmHg未満に管理できるものです。減圧ができるマットレスとは、常に32 mmHg未満に管理できる機能はないけれど、標準マットレスと比較すると身体にかかる圧力を低く管理できるものです。しかし、どのマットレスにおいても全患者に対して除圧あるいは減圧が提供できているという根拠はなかったため、新たに「圧再分配（pressure redistribution）」という概念が提唱されました。

サポート・サーフェス使用時の安全対策

上敷きタイプのサポート・サーフェスで厚みがあるものでは、標準マットレスの上に重ねると、患者がベッド上から転落してしまう危険性があります。転落の危険性がある場合は、交換タイプのものを検討する必要があります。

また、電動タイプのサポート・サーフェスを使用している場合、停電時の対応は重要です。エアマットレスの場合、ポンプからの空気の供給がとまってしまい、徐々に空気が漏れ出してしまいます。そうなると、体圧分散機能が低下してしまいますから、各メーカーで出している取扱説明書で停電時の対応を確認しておくことが必要です。

（例）
・株式会社モルテンの場合
「停電時のエアマットレス対応方法のお知らせ」
https://www.molten.co.jp/health/files/airmattress_teiden.pdf（2022/7/25アクセス）

体圧分散用具には どんな種類がある？

体圧分散用具は、「反応型体圧分散用具」と「能動型体圧分散用具」に分けられます。この分類は2007年にNPUAPが発表したものです。

「反応型体圧分散用具」は、「加圧した場合にのみ反応して圧再分配特性を変化させる性能をもつ、電動または非電動のマットレス」で、「沈める、包む」の機能を利用した体圧分散用具です（図1）。

「能動型体圧分散用具」は、「加圧の有無にかかわらず圧再分配特性を変化させる性能をもつ電動のマットレス」のことで、「沈める、包む、経時的な接触部分の変化」の機能を利用したものです（図2）。それぞれの定義を表1に示しました。

体圧分散用具の素材は、空気（エア）、水（ウォーター）、フォーム、ゲルなどさまざまで

図1　反応型体圧分散用具の特性

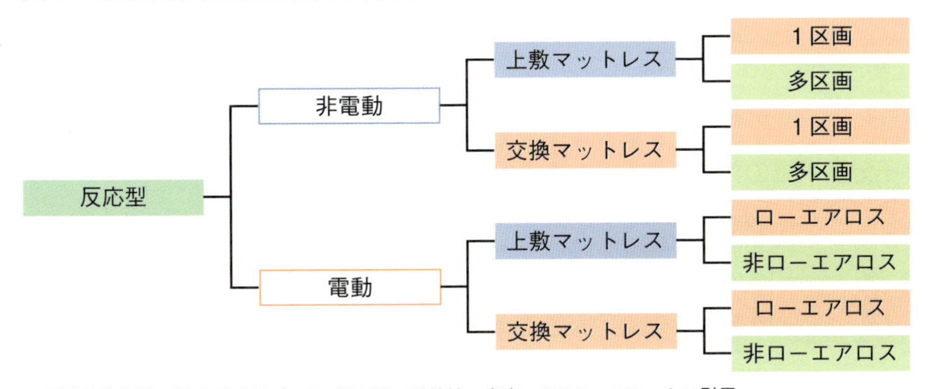

日本褥瘡学会編：褥瘡ガイドブック-第2版．照林社，東京，2015：160．より引用

図2　能動型体圧分散用具の特性

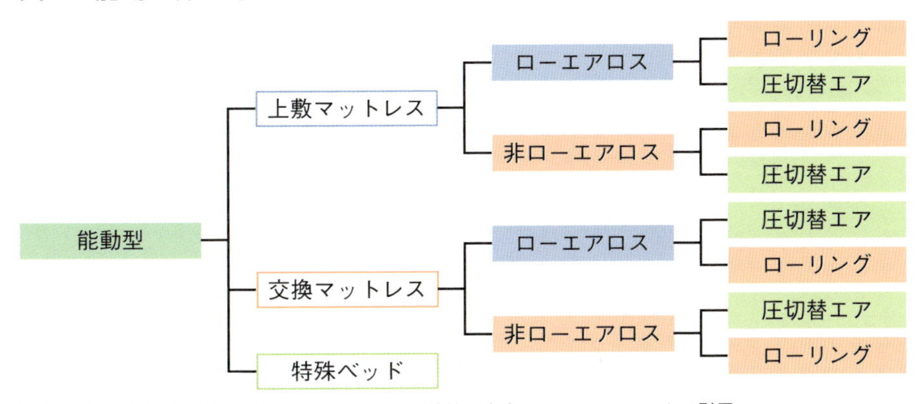

日本褥瘡学会編：褥瘡ガイドブック-第2版．照林社，東京，2015：161．より引用

す（表2）。体圧分散用具は、単独または複数の機能の組み合わせによって圧再分配の特性を示しています（表3）。

表1　体圧分散用具の分類

特殊ベッド	ベッドフレームとマットレスが一体になって機能するベッド
非電動マットレス	操作のために電源を必要としないマットレス（直流・交流問わず）
電動マットレス	操作のために電源を必要とするマットレス（直流・交流問わず）
上敷マットレス	標準マットレスの上に重ねて使用するマットレス
交換マットレス	ベッドフレームの上に直接置くようにデザインされたマットレス

日本褥瘡学会編：褥瘡ガイドブック-第2版．照林社，東京，2015：161．を参考に作成

表2　体圧分散用具の素材

エア	空気で構成されているもの
ウォーター	水で構成されているもの
フォーム	ポリウレタンに発泡剤を入れてつくられたもの。弾性（復元力）の異なるフォームを重ねたものもある
ゲル	液体のような凝集状態でありながら、弾性の特性をもっているもの
ゴム	ゴム弾性を示すエラストマーで構成されている。伸ばすことができ、伸ばした後は元に戻る
ハイブリッド	複数の素材で構成されている

日本褥瘡学会編：褥瘡ガイドブック-第2版．照林社，東京，2015：161．より引用

表3　体圧分散用具の特徴

空気流動	電源を入れるとマットレス内に空気が流れ、それにより中のビーズが流動し、沈めると包む機能を発揮するもの
圧切替	加圧と減圧が周期的に起こり、圧再分配を行うもの
ローリング	患者を側方へ回転させるもの
非ローリング	ローリング機能がないもの
ローエアロス	皮膚の温度と湿潤（寝床内環境）管理を支援するために空気の流れを供給するもの
非ローエアロス	ローエアロスの機能がないもの
1区画	単一の圧再分配機能を有するもの
多区画	異なる圧再分配機能を有する区分で構成されたもの

日本褥瘡学会編：褥瘡ガイドブック-第2版．照林社，東京，2015：162．より引用

体圧分散用具は、どのように選択する？

1．臥位の場合のマットレスの選択

『褥瘡予防・管理ガイドライン（第4版）』において、「NPIAP（NPUAP）/EPUAP/PPPIAガイドラインでは、褥瘡発生リスクがある患者に対しては標準マットレスの使用ではなく、高仕様フォームマットレスや電動の体圧分散マットレスを使用することが最も強いエビデンスで推奨されている」[1]と記されています。

また、体圧分散マットレス・用具の選択は、体圧分散、およびその他の治療機能に対する患者のニーズに基づいて選択されるべきとも指摘され、患者のADLレベル、圧再分配やずれへの対応、マイクロクライメットの観点も加え、総合的な視点から選択することが重要です。

図1に、体圧分散用具選択の目安に関するフローチャートを示しました[2]。体位変換が頻回に行えない場合は、圧切替型エアマットレスの使用が推奨されています[3]。また、「自力で体位変換できない人」には、圧切替型エアマットレスのなかでも交換型あるいは上敷型二層式マットレスの使用が望ましいとされています。

1）褥瘡予防のためのマットレス

体圧分散用具の選択は、可動性・活動性、病

図1　体圧分散用具の選択フローチャート

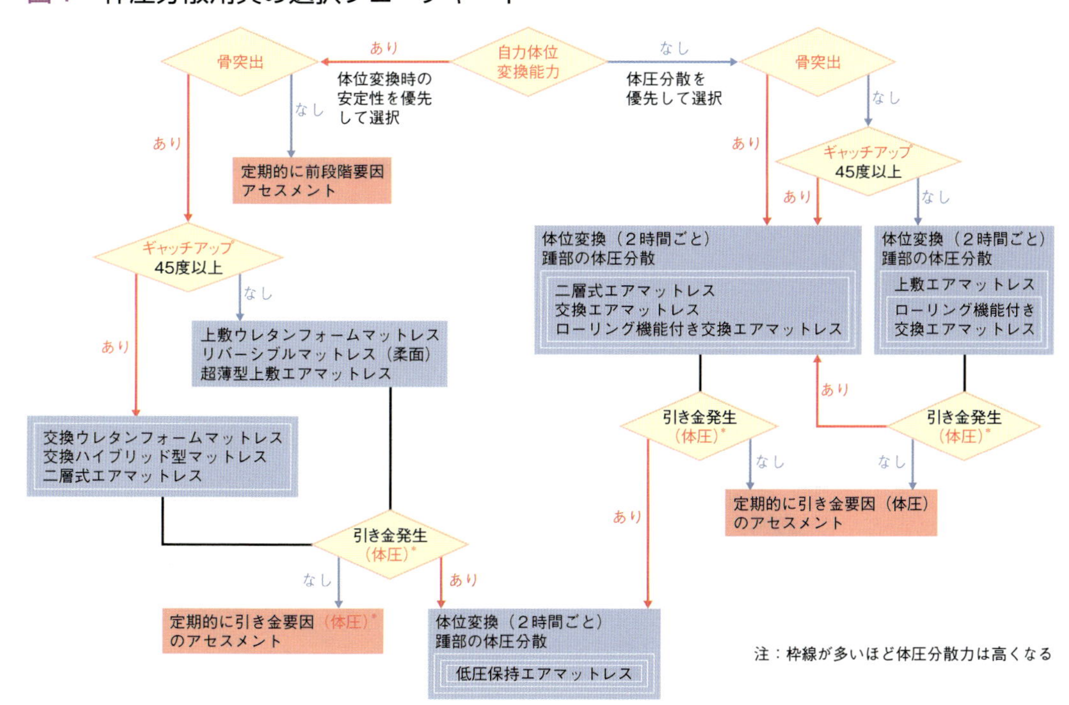

日本褥瘡学会編：在宅褥瘡予防・治療ガイドブック-第3版．照林社，東京，2015：58．より引用

期等の側面から検討されますが、褥瘡発生の大半は高齢者であるため、『褥瘡予防・管理ガイドライン（第5版）』においては、高齢者の褥瘡予防のための検討が中心になされています[3]。

高齢者の褥瘡予防のために「交換圧切替型／上敷圧切替型多層式エアマットレスを推奨する」ことは推奨の強さ「1B」、高齢者の褥瘡予防のために「交換静止型フォームマットレスを提案する」ことは推奨の強さ「2B」、高齢者の褥瘡予防のために「上敷圧切替型単層式／静止型エアマットレスを提案する」ことは推奨の強さ「2B」となっています。

これらのエビデンスは、国外の論文からの検討であり、日本人の高齢者と比較すると体格の違いがあることや、検討に用いられているマットレスがわが国にはないことなどの事情も勘案する必要があるでしょう。国内における寝たきり高齢者に対する検討では、上敷圧切替型二層式・単層式エアマットレスの使用で有意に褥瘡発生率が低いという報告もあります。

二層式エアマットレスとは、セルが二層に分かれていて、セルが完全に収縮することがないのが特徴です。そのため、円背や関節拘縮、顕著な病的骨突出がある高齢者に効果があります（図2）。

また、三層式エアマットレスはわが国で開発されたもので、二層式エアマットレスと同じような効果が期待できます。

2）褥瘡を保有する場合に選択したいマットレス

褥瘡が発生した後のエアマットレスの選択について、『褥瘡予防・管理ガイドライン（第4版）』では次のように示されています。

- DESIGN-R®で「d1」「d2」褥瘡の治癒促進には上敷静止型エアマットレスを使用してもよい（推奨度C1）*
- 「d2」以上の褥瘡の治癒促進のためには、マット内圧自動調整機能付交換切替型エアマットレス、圧切替型ラージエアセルマットレス、二層式エアマットレス、低圧保持用エアマットレスを使用してもよい（推奨度C1）

＊『褥瘡予防・管理ガイドライン（第4版）』の推奨度は、『ガイドライン（第5版）』とは異なっていますので注意してください。詳しくは、p. viをご覧ください。

D3〜D5の褥瘡または複数部位の褥瘡には、空気流動型ベッド、またはローエアロスベッドの使用が強く推奨されています（推奨度A）。空気流動型ベッドとは、内部のビーズを空気の力で流動させ圧再分配を行う機能をもつベッドです（図3）。

ICUやCCUに入院しているクリティカルな状態にある褥瘡患者には、低圧保持用エアマットレス（図4）の使用が勧められています（推奨度B）。そして、ローエアロスベッド、上敷

図2　二層式エアマットレス（二層式セル）
エアマスター トライセルE（株式会社ケープ）

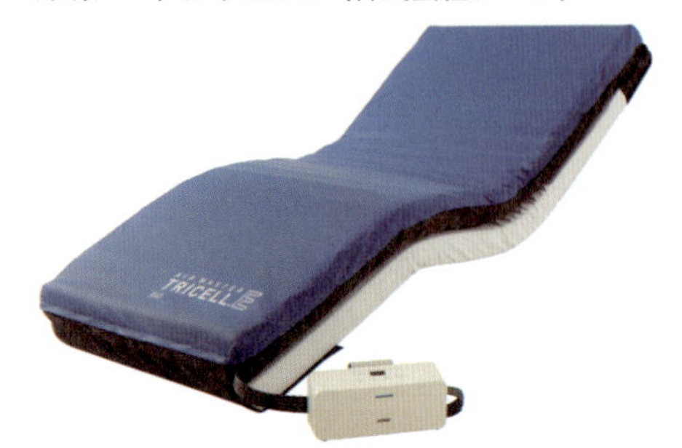

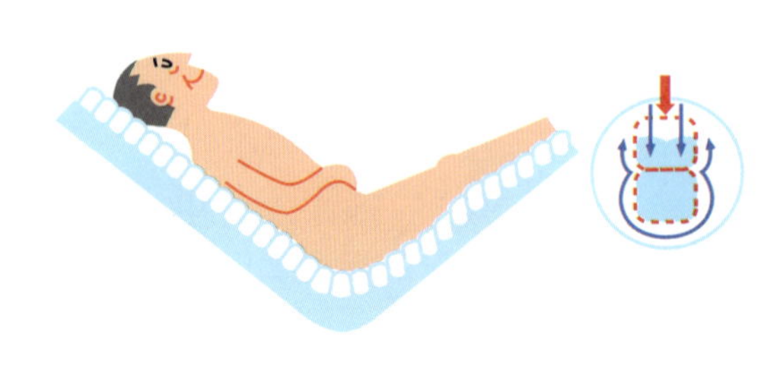

圧切替型エアマットレス、交換静止型エアマットレスを使用してもよい（推奨度C1）となっています。集中ケアを受けている患者は、循環動態が不良のため十分な体位変換ができていないことも多く、こうしたエアマットレスの使用は不可欠といえます。

また、周術期においては、さらに体圧分散やずれ力低減の必要性が高まります。『褥瘡予防・管理ガイドライン（第4版）』では「手術台に体圧分散マットレスや用具を使用するよう強く勧められる」（推奨度A）、「術中に、マットレス以外に踵骨部、肘部等の突出部にゲルまたは粘弾性パッドを使用するよう勧められる」（推奨度B）となっています（図5、6）。

2. 座位の場合の体圧分散用具の選択

座位の場合には、アライメント（体軸の自然な流れ）を重視して座位姿勢を維持することが重要です。90度座位では、骨盤が前傾すると恥骨部に、骨盤中間位では坐骨結節部に、そして骨盤後傾すると尾骨部への接触圧が高まるといわれています[4]。座位姿勢と負荷のかかり具合を図7に示しました。座位姿勢は、褥瘡発生以外にも座り心地と関連します。それらの要素を考慮して体圧分散用具を選択します。

高齢者には脊髄損傷者に使用される体圧再分散クッションやダイナミック型クッションの使用を検討しても良いと『褥瘡ガイドブック（第2版）』に示されています[3]。これらのクッショ

図3　空気流動型ベッド
エアーフローティングサポートシステム
LIFE-ISLAND7（ケイセイ医科工業株式会社）

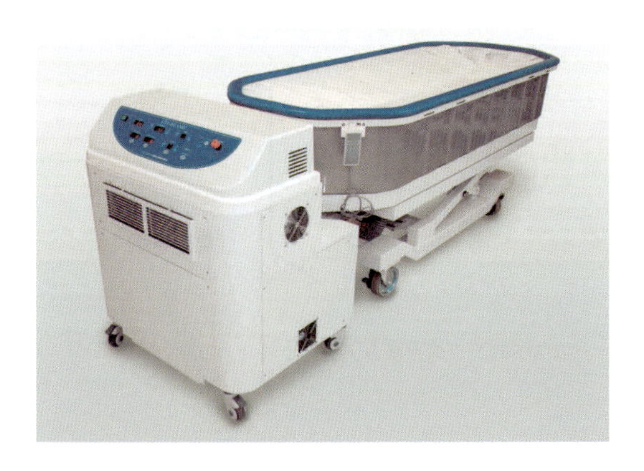

図4　低圧保持用エアマットレス
左：マイクロクライメイト ビッグセル アイズ（株式会社ケープ）

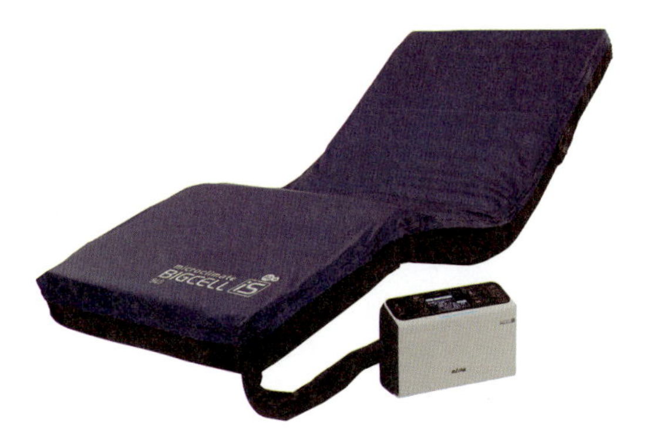

図5　手術台用のマットレスの例
ケープサージカルシリーズ（株式会社ケープ）

図6　手術台の上に置くゲル素材のパッド
アクションパッド®（アクション ジャパン株式会社）

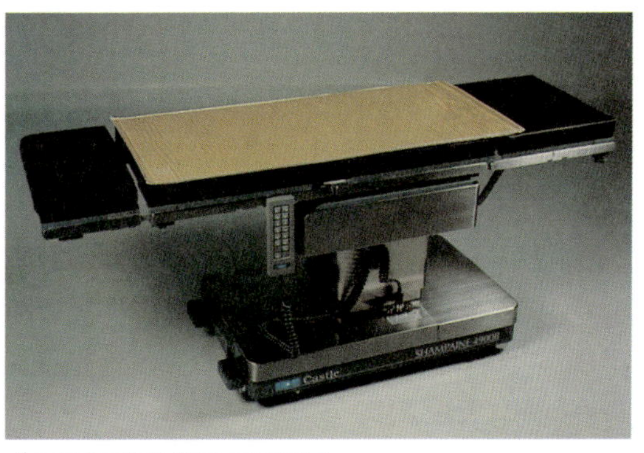

ずれ力吸収効果が高いのが特長

図7　座位姿勢と負荷のかかり方

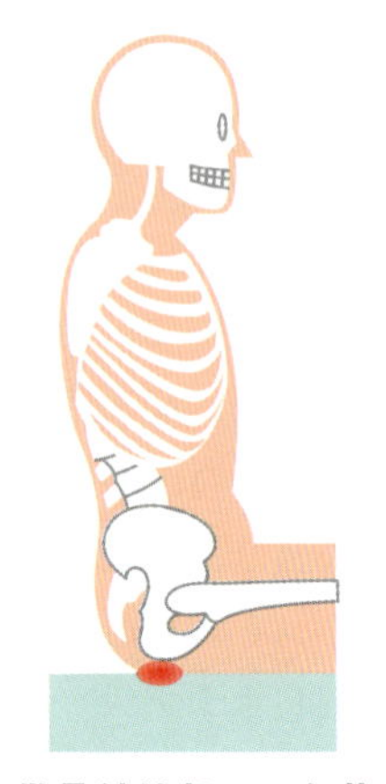
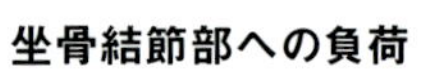

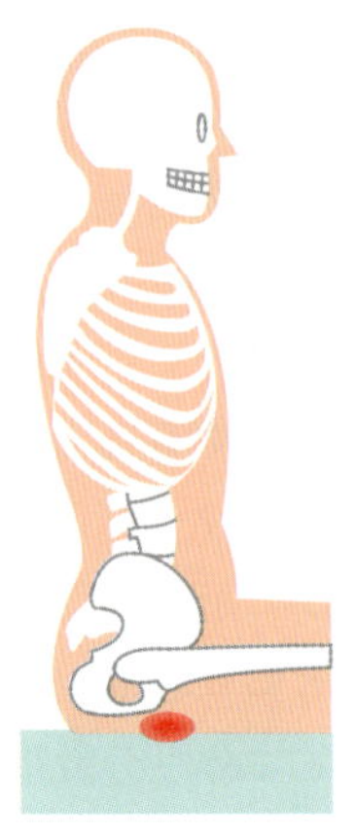

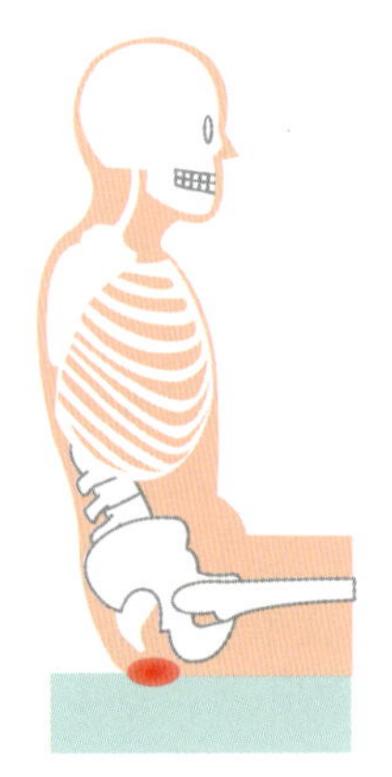

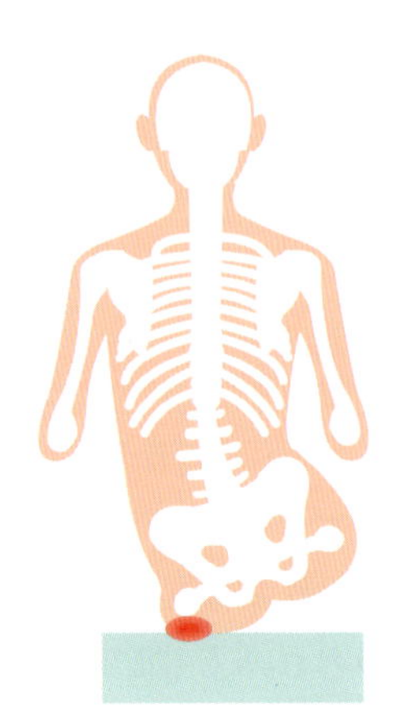

日本褥瘡学会編：褥瘡ガイドブック-第2版．照林社，東京，2015：190．を元に作成

図8　座位と姿勢の位置関係

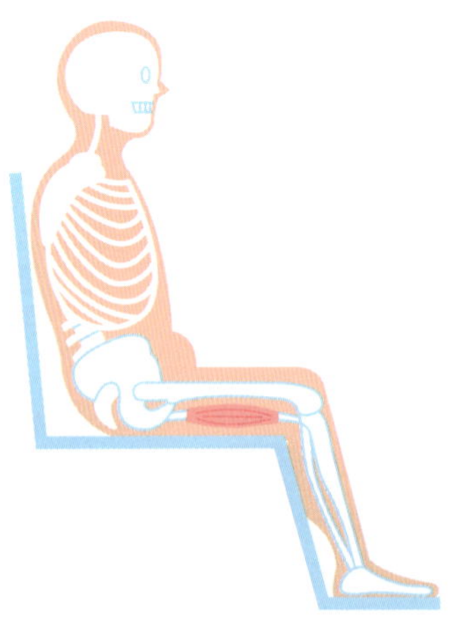

仙骨座りではハムストリングスが伸ばされ、骨盤が後傾する

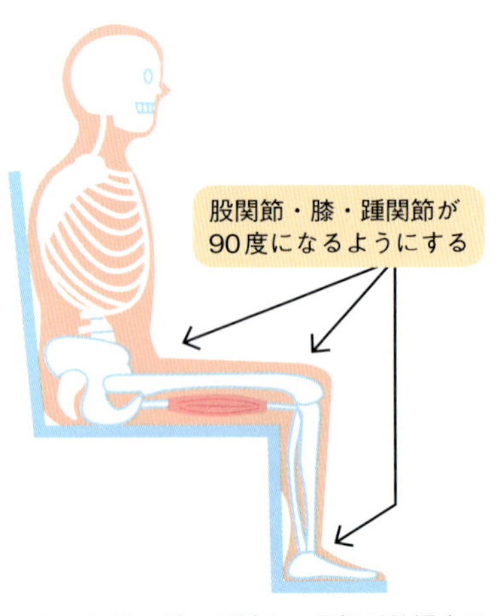

ハムストリングスが緩み、骨盤が前傾する

ンを使用する際には、個別の調整はもとより、カバーの前後、表裏にも注意を要すること、アームサポートの高さ調整も可能な車椅子の使用が勧められます。

高齢者の車椅子座位でよく起こる現象に「仙骨座り」があると言われ、尾骨部に褥瘡が多発します。これは、ハムストリングスという下腿から骨盤に付着する筋が短縮することが原因のため、フットレストを内側に入れ（膝・踵関節90度）、ハムストリングスが緩むようにすると良いとされています（図8）。

引用文献

1. NPUAP, EPUAP, PPPIA：Prevention and Treatment of Pressure Ulcers：Clinical Practice Guideline, 2014.
2. 日本褥瘡学会編：在宅褥瘡予防・治療ガイドブック－第3版．照林社，東京，2015：58.
3. 日本褥瘡学会編：褥瘡ガイドブック-第2版．照林社，東京，2015：192-194.
4. 日本褥瘡学会編：褥瘡予防・管理ガイドライン 第5版．照林社，東京，86：2022.

体圧分散用具を使うとき注意したいこと

本章で解説した「圧再分配」と「サポート・サーフェス」は、密接に関係しています。接触面積の拡大を図り、しっかり圧再分配の効果を上げるためには、優れたマットレスを選択して使用すれば済むのではなく、実はマットレスカバーやシーツ等の使用方法といった、細かな配慮が重要になります。

1．マットレスカバーとリネン、下シーツの張りを防ぐ

マットレスの「沈める」「包む」機能を生かすためには、カバーやリネンの素材に注意する必要があります。伸縮性のないものを使うと踵部のような骨突出部位に「ハンモック現象（図1）」が生じてしまいます。

2．エアマットレスの内圧管理は重要

エアマットレスを使用する際には、マットレス内圧の管理も大切です。内圧が高すぎると「沈める」機能を十分に生かすことができません。逆に「沈める」機能を十分にするために内圧を低く設定してしまうと「底付き現象」が生じてしまいます。それを防ぐためには、訪室時にマットレスに直接触れたり、患者に寝心地を聞いてみることが重要です。エアマットレスは、機器の制御によって作動します。誤作動や破損、停電など、種々の理由から正常な機能が障害される場合もあるので、1日に1回は観察することが重要です。「底付きの見きわめ方」を図2に、エアマットレスの管理方法を図3に示します。

図1　ハンモック現象とは

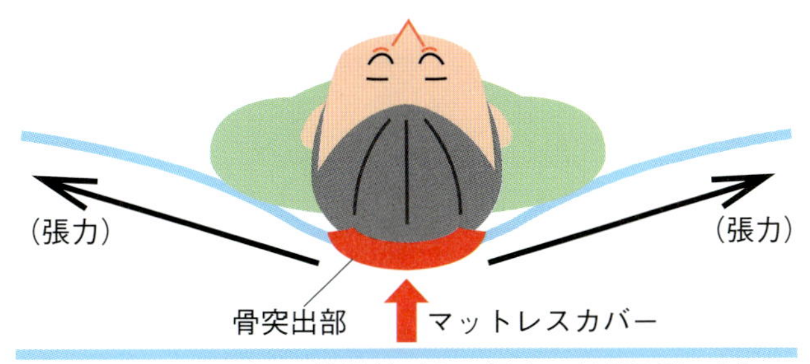

- マットレスカバーに伸縮性がない場合、接触面積が減り、体圧が分散できない
- その結果、骨突出部にハンモック現象が起こり、張力によって圧力が上昇する

真田弘美，須釜淳子：改訂版　実践に基づく最新褥瘡看護技術．照林社，東京，2009：63．より引用

図2　底付きの見きわめ方

底付き現象のアセスメント

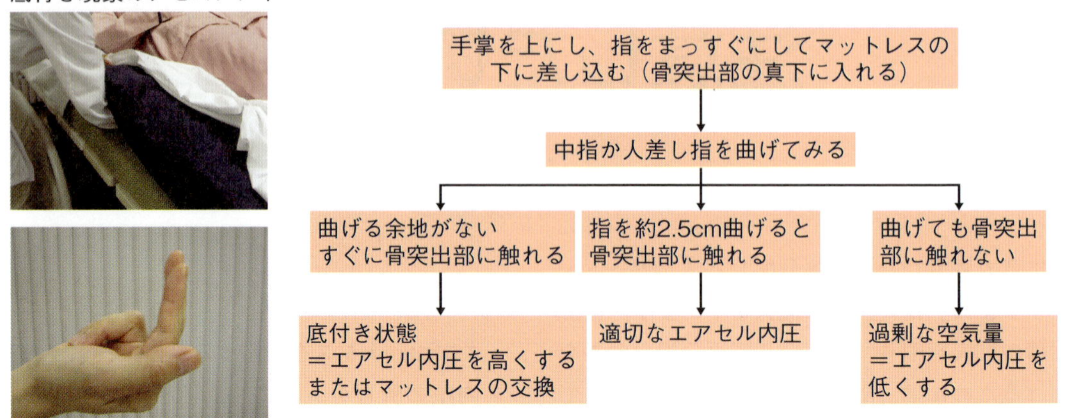

真田弘美，須釜淳子：改訂版　実践に基づく最新褥瘡看護技術．照林社，東京，2009：62．より引用
（写真提供：大桑麻由美）

図3　エアマットレスの管理方法

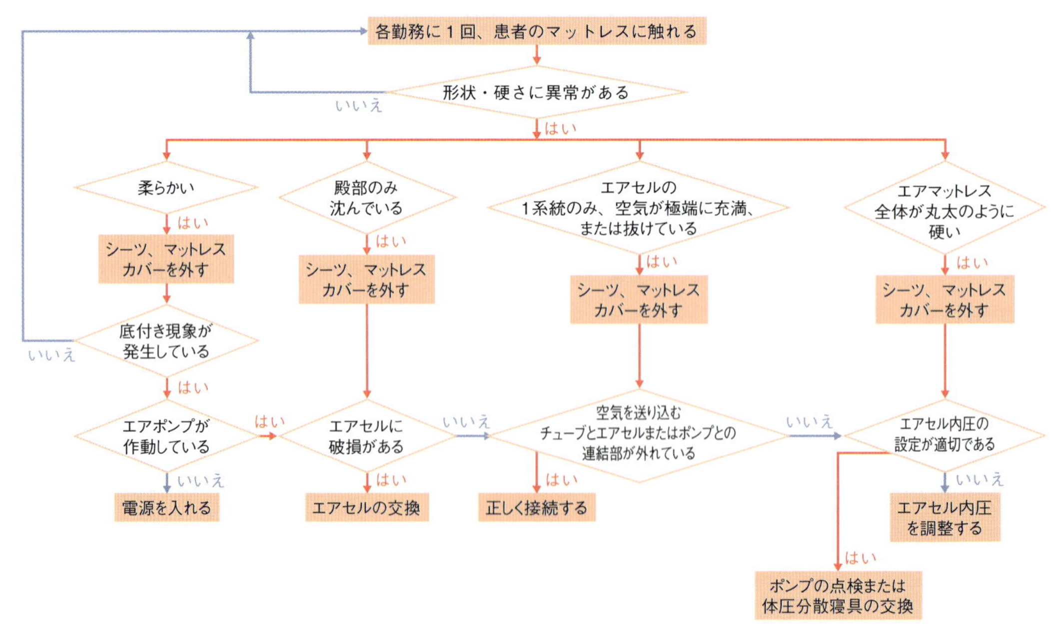

真田弘美：褥瘡・ストーマ・失禁ケアの最新トピックス．エキスパートナース 2010；26（14）：25．より引用

3．気温によるマットレスの変化を確認する

マットレスを構成している「流動体の素材」には空気・水などの種類があり、それらは温度によって流動性が左右されるものもあります。これはウレタン素材も同様です。それを防ぐために、素材の流動性や反発力を保つ室温であるかどうかを確認することも大切です。

褥瘡予防のためのポジショニング

1. ポジショニングの基本

褥瘡予防のためのポジショニングを考える際には、「ポジショニングの基本」について理解することが必要です。ポジショニングの基本は、「自由気ままに安楽で安全に動けること」と言えます。動けず、可動性・活動性が低下することで、褥瘡発生リスクは高まります。そのため、動けないことによる弊害としてはどういうものが考えられるか、それを予防するためにどのようなポジショニングを実施するべきかについて検討しなくてはなりません。

まず、「動かない・動けない」ことから、何が生じるのか確認してみましょう。図1に、姿勢と諸症状との関係について示しました。動けないことにより、自分本位ではなく不本意な姿勢を強いられます。そうすると、筋緊張が起こり、筋肉が血管を圧迫して血流が悪くなります。その結果、疲労物質が溜まり、それが痛みとなって交感神経を優位にし、負の連鎖が始まります。こうして生じるさまざまな弊害の1つに褥瘡発生があります。

ポジショニングは以下のように定義されます。

「動けないことによって起こるさまざまな悪影響に対して予防対策を立てること、自然な体軸の流れを整えるとともに、安全・安楽な観点から体位を評価し、現状維持から改善に役立つよう、体位づけの管理を行うこと」[1]

図1に示した負の連鎖において断ち切らなく

図1 姿勢と諸症状の関係

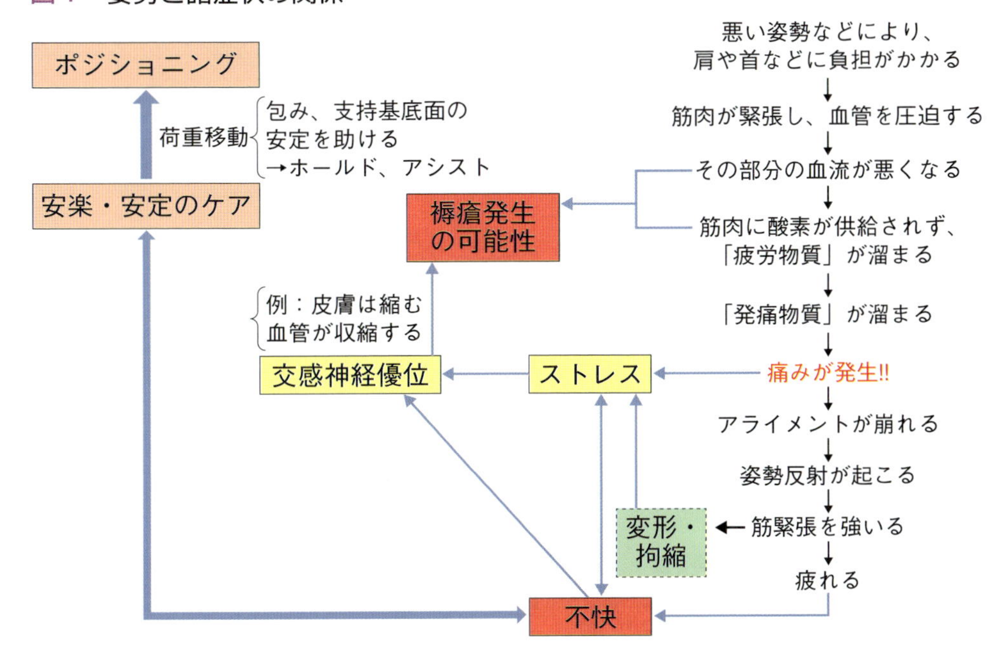

てはならないのは、緊張から痛み、痛みからアライメントが損なわれる＝自然な体軸の流れが損なわれる、という点です。慣れない、あるいは好ましくないポジションは、力学的安定や心理的安定を損ねます。この安定性は、“やじろべえの支点”のようなもので、安全性や安楽性にも容易に影響します（図2）。

そのため、ポジショニングの基本は、アライメントを整え、力が入らない（緊張のない）ポジションをまず創り出すことになります。アライメントを整えるためには、体圧分散マットレスやクッション、あるいはピローを使うことが必要になります。

2. さまざまな場でのポジショニング

脳血管系疾患の患者で、片麻痺から変形・拘縮等を呈する場合があります。「脳梗塞だから」「脳血管系疾患だから」と疾患を理由としがちですが、ポジションのとり方一つで、変形や拘縮の程度を減らすことができます。

仰臥位をとる場合、10度でも20度でも頭側

図2　ポジショニングにおける安定性、安楽性、安全性の関係

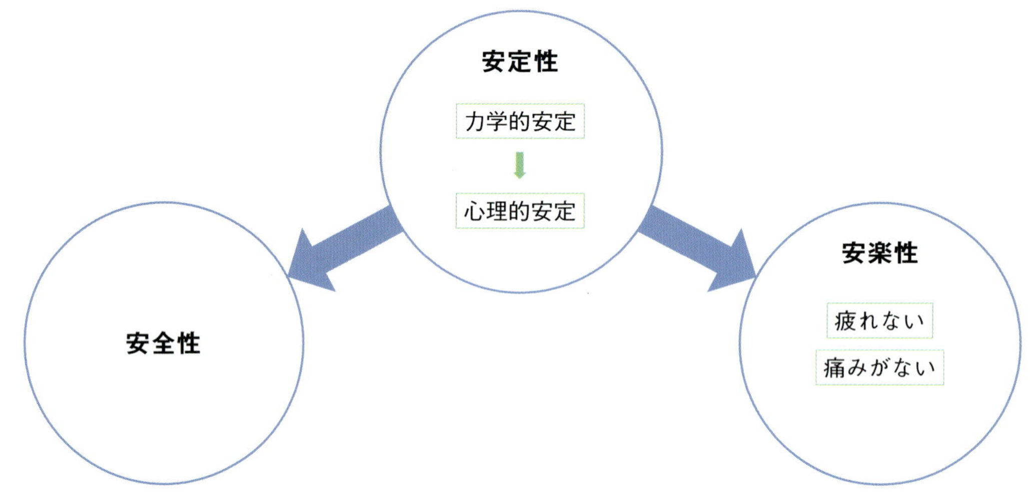

田中マキ子：日常場面でのポジショニング．照林社，東京，2014：5．より引用

図3　やせが著明な場合の30度側臥位での圧迫個所

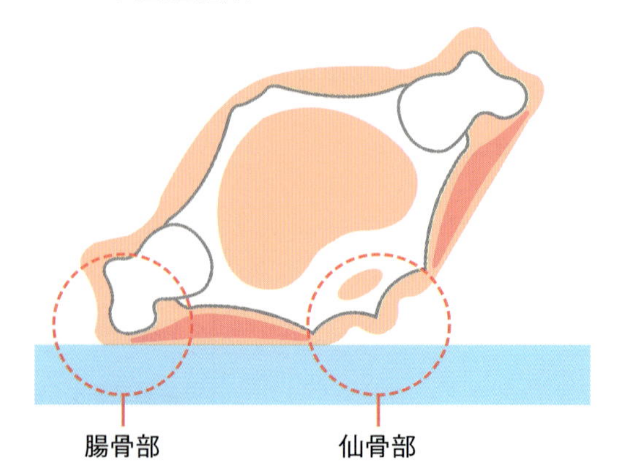

日本褥瘡学会編：褥瘡ガイドブック-第2版．照林社，東京，2015：166．より引用

図4　安定性から見た、観察ポイントと対処法

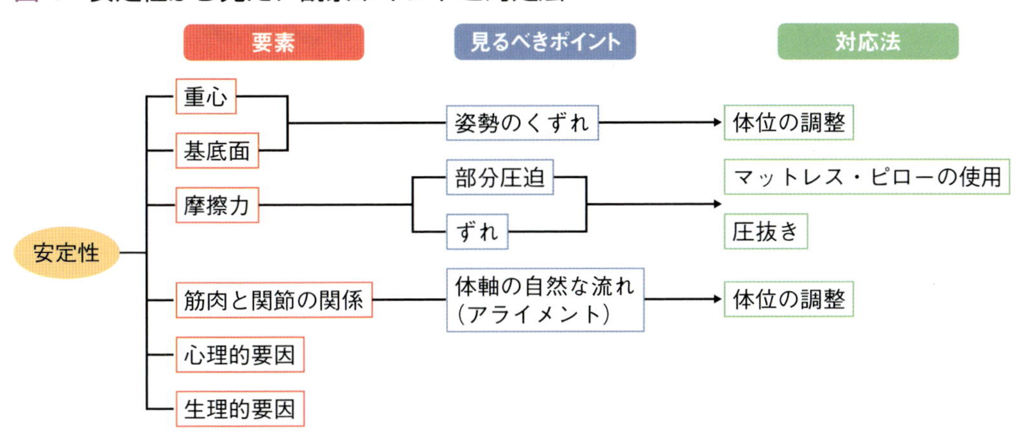

田中マキ子：日常場面でのポジショニング．照林社，東京，2014：6．より引用

挙上したほうがよいでしょう。側臥位では、30度側臥位が良いとされています。平坦な角度で臥床するよりも少しでも頭部を挙上すれば、重力によって横隔膜が下がり、呼吸のための面積が増大し、呼吸機能を助けるポジションを提供できます。30度以上の頭側挙上は臀部圧を高めるので、褥瘡発生の観点から要注意です。「30度側臥位」は、患者の殿筋で身体を支える体位で、側臥位にあっては推奨される体位ですが、わが国の高齢者はやせのため殿筋が乏しく、腸骨部や仙骨部への当たりをつくってしまうために（図3）要注意です。

3．褥瘡予防のポジショニング

このように検討していくと、「仰臥位では○○が」「側臥位では△△が」と一律にいえるものではなく、患者の体形や癖や志向までも考慮し、ポジショニングを行うことが重要だということになります。こうした細部にわたる観察と介入によって、褥瘡予防が可能になります。

図4に、安定性の観点から褥瘡予防をとらえたときの褥瘡発生に関与する要素、見る（観る）べきポイント、そして対応（ケア／介入）方法をまとめました。患者個々の状況・状態に応じた内容を観察から導き出し、緊張しない安楽な姿勢＝ポジション維持のための実践を行うことが、非常に重要な基本となります。

引用文献

1.　田中マキ子：褥瘡予防のためのポジショニング．中山書店，東京，2006：2.

褥瘡予防のためのポジショニング：臥位

1．“寝位置”の調整が重要

臥位におけるポジショニングで、最初に気をつけなくてはいけないのは“寝位置”です。ベッドは、手動・自動にかかわらずリクライニングでき、この機能を使うことで体位にバリエーションをつけることができます。

リクライニングは、臀部と膝部の2点がポイントになります。両方のポイントを合わせることがベストですが、身長の長短がありなかなかジャスト調整できません。そこで、必ず合わせなくてはいけないのが臀部です。膝部は、クッション等の挿入で調整することができます。身体の折れ曲がりの中心は臀部ですので、最初に臀部を合わせます。臀部の寝位置が合っていない状態は、部分圧を高めるだけでなく“ずれ”も引き起こし、臥床患者にとっては、一番つらい状況になってしまいます。

ベッドのリクライニングポイントは、何となく感覚的に意識するのではなく、ベッドの面板構造を理解したうえで確認します（図1）。そして、リクライニングポイントに印をつけるなどすると、寝位置を1回で確実に定めることができます。ひと手間必要にはなりますが、1回確認すれば狂うことはなく確実です。

2．身体が沈み込んでいる側にアプローチする

介入時に注意することは、身体の対称性を意識して観察し、身体が沈み込んでいる側に介入するということです（図2）。私たちは、接触面積を広げることによって体圧分散が図れるという認識があるため、隙間や身体の浮きに対して介入する傾向があります。しかし、隙間を埋める、あるいは浮いている部分にクッション等を挿入すると、身体のねじれは調整されないままになってしまいます。これでは、部分圧迫を調整することにはなっても、身体の安楽を図ったポジショニングにはなりません。また、このようなポジショニングを続けると、変形が維持されるので、変形の度合いがいっそう強化されることになってしまいます。誤解を生みやすいポジショニングですが、身体のアライメントの調整を図るためには、沈み込んでいる側へのアプローチが重要と認識しましょう。

図1　寝位置の確認

●背上げ軸位置の確認

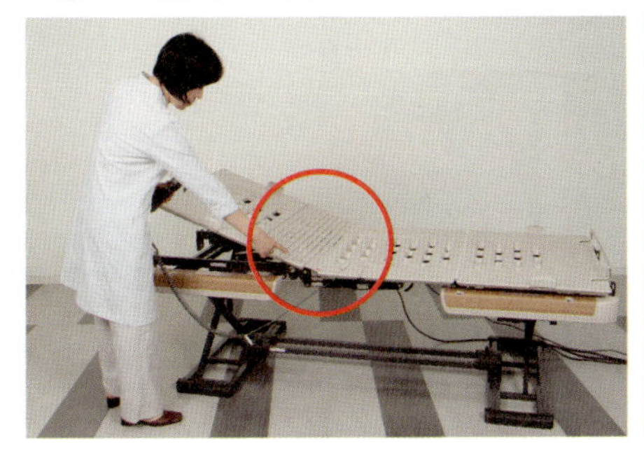

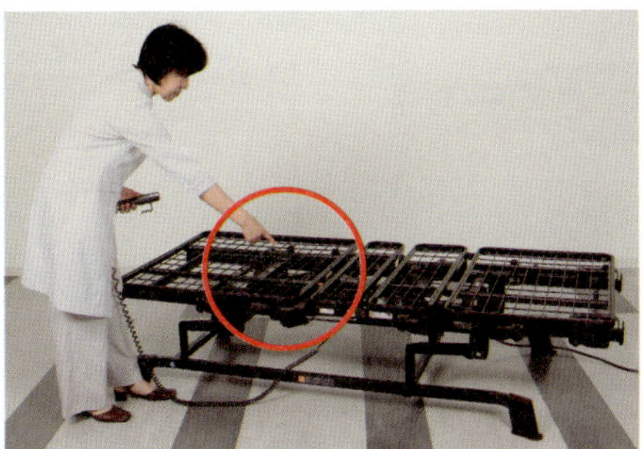

●膝上げ軸位置の確認

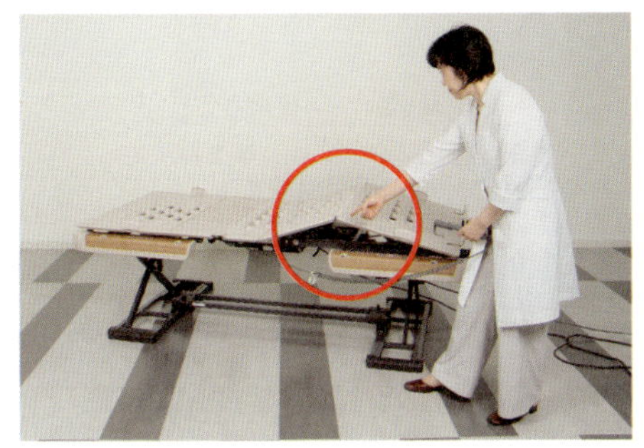

面板構造から臀部・膝部の折れ曲がりポイントを確認し、マークする

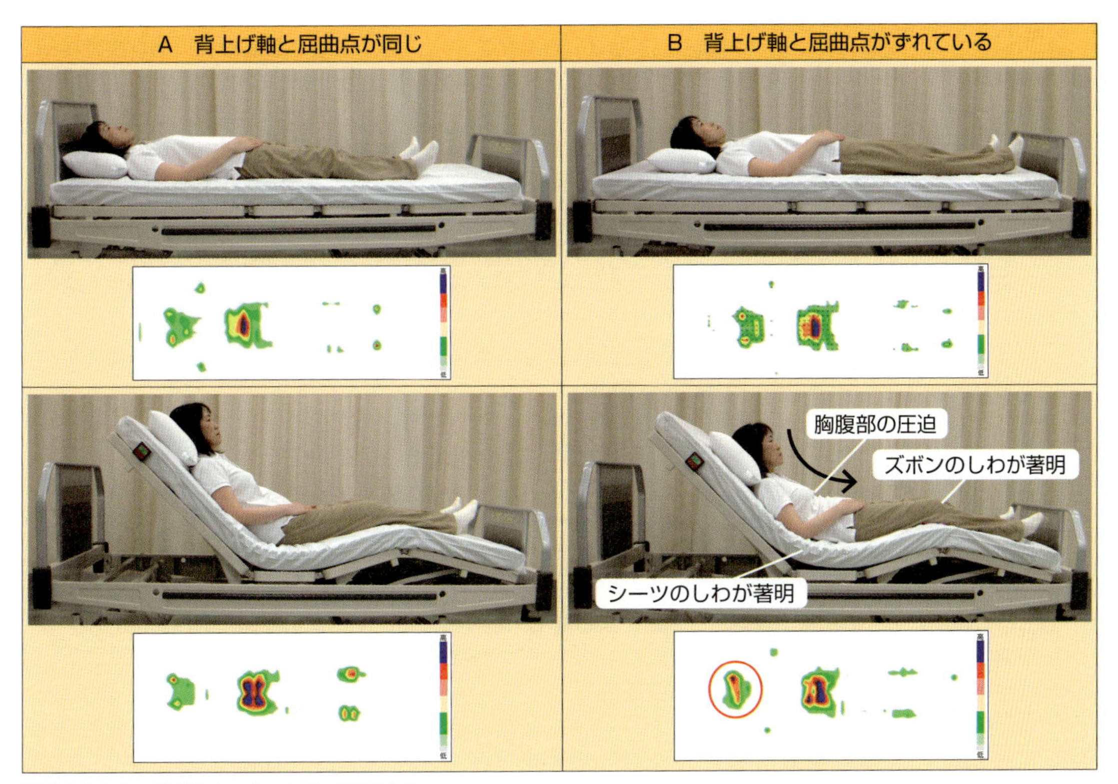

臀部を合わせ、膝部はクッション等で調整する

田中マキ子，北出貴則，永吉恭子：トータルケアをめざす褥瘡予防のためのポジショニング．照林社，東京，2018：56，77より引用

図2　アライメントと介入の基本

左右対称の理想

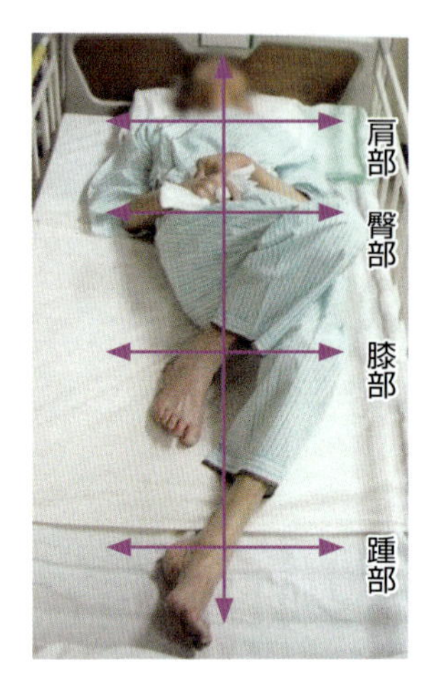

実際の左右対称の状態

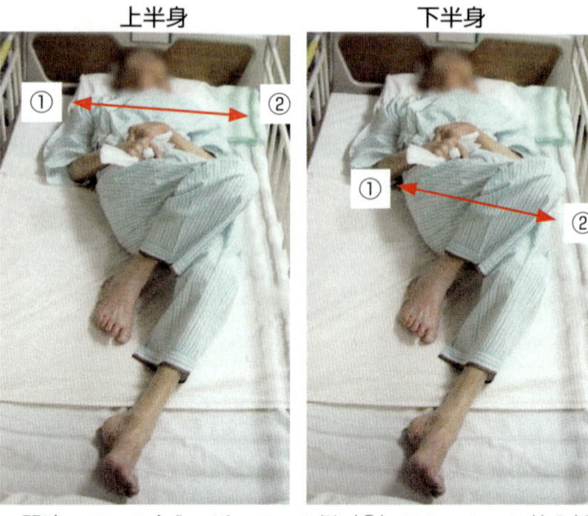

- 間違っている介入：浮いている側（①）にクッション等を挿入し、体圧分散を図ろうとするが、いっそう身体は傾く
- 正しい介入：沈んでいる側（②）を上げるようにクッション等を挿入し、身体の傾きをなくす

ポジショニングのルーツ

ポジショニングにこだわり、考え始めるようになって、ずいぶん時間が流れましたが、ふと「私のポジショニングのルーツは、何なんだろう？」と考えました。臨床経験はあまり長くありませんが、整形外科を中心とした混合病棟で働いた経験が大きく影響していると思いつきました。

整形外科では、肢体の機能障害に対する予防・治療・リハビリテーションが行われます。その際、重要になるのが、形・角度・方向をどのように観察・評価し、ケア実践に応用していくかではないかと考えます。例えば、腕が骨折すると、上腕（肩から肘）と前腕（肘から手首）の向きが互い違いになる場合だって起こります。そうすると正常な上腕はどのようにあるのか、体幹とどのような関係になっているのか等をイメージしながら、正常からどの程度離れて（逸脱して）いるのかと観察します。このとき役立つのが“中心線”です。肩から手首までの中心線を架空に引き、その中心線と手の流れがどのように沿っているのか否かを評価すると、「あれっ、れっ……」と理解できます。こんな経験が、姿勢の歪み・体軸のねじれの評価としてポジショニングに活きるんだと実感し、私のポジショニングのルーツは、肢体の形・角度・方向を見ることにあると確信しました。

骨折の治療では、手術療法、牽引、ギプス固定等のさまざまな方法で整復・固定が行われますが、いずれにしても角度や方向が重要になります。指示された角度や方向を維持できないと痛み・しびれ、機能障害など、不具合を生じることになります。こうした事柄は、筋骨格系に関する理解と評価であり、ポジショニングを構成する主要要素に位置づくと気づきました。

寝違えをして、朝首が痛いという経験がある人は多いでしょう。この経験はまさしく姿勢の歪みや体軸のねじれから生じる現象と同じでしょう。患者は、好んで変形しているわけでも、拘縮を生じているわけでもないと思います。脳梗塞による麻痺の結果、拘縮に至ることは通常のことなのか？と疑問視し、どのようなポジショニングを、どのような素材のピローを、どのように使用すればよいのかを思考することがポジショニングの醍醐味であり、やりがいにも通じることと思っています。

つらい・苦しい体勢を、褥瘡が発生しそうな体勢をなんとかしてほしいと、ポジション・チェンジを患者は待ちわびておられます。この欲求に答えるよう、ポジショニングの基本になる姿勢の観察と評価について、今一度焦点を当ててみませんか。

褥瘡予防のための ポジショニング：座位

座位時の基本は「90度ルール」です。これは、股関節・膝関節・足関節をそれぞれ90度に維持することです。この姿勢は、座面に対する臀部の接触面積を最大に広げるとともに、人の身体に備わっている天然のクッションと言われる殿筋を利用して坐骨や尾骨部の部分圧の上昇を避けることができます。

そこで重要になるのが、アライメントの評価です。図1に示すように、正面はもちろん側面からも、場合によっては高い位置（頭のほう）から観察することも重要です。骨盤の位置が前後することやねじれることが、座位姿勢を大きく変えることになるからです。骨盤の倒れは「前座り」といわれ、いわゆる「ずっこけ座り」になります。骨盤のねじれは、横倒れなどに影響します。

90度ルールを維持し座り続けるためには、腹筋や背筋が必要で、結構体力が必要になります。高齢患者等では体力の問題もあり、この姿勢を維持することはなかなか難しい面もあります。そこで、解剖学的にも必要とされる姿勢を維持し、褥瘡にならない状態をもたらすためには、仙腸関節へのアプローチを意識することが重要になります。

骨盤は、脊柱（背骨）との関係が密接です。骨盤が広がると脊柱も曲がり、逆に脊柱が曲が

図1　座位の観察

座位時の基本

【90度ルール】
股関節：90度
膝関節：90度
足関節：90度

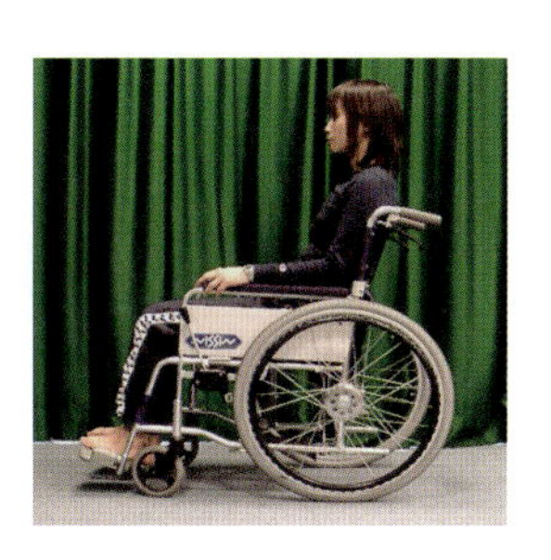

姿勢の観察

側面

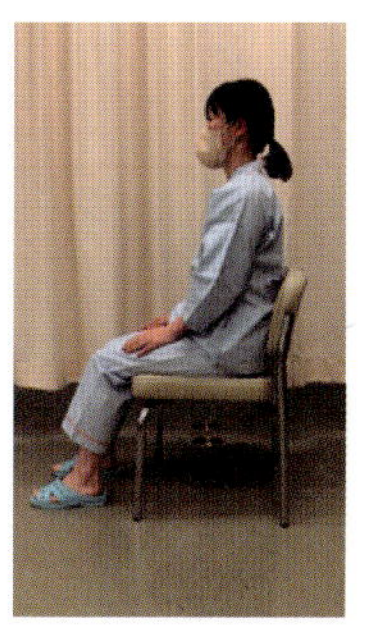

正面

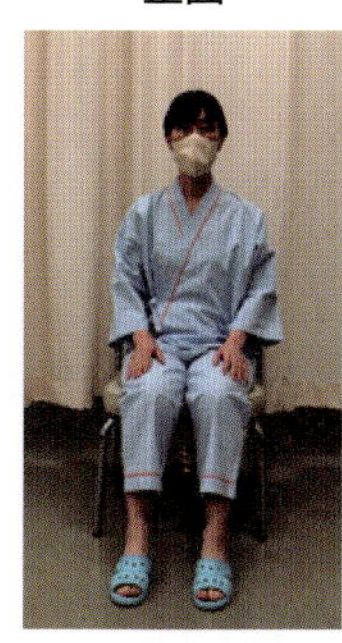

正面

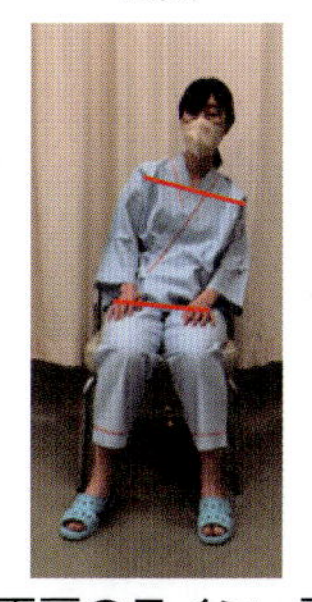

両肩のライン、両腰のラインが平衡でない。身体のねじれがある

姿勢の何を見るか

側面

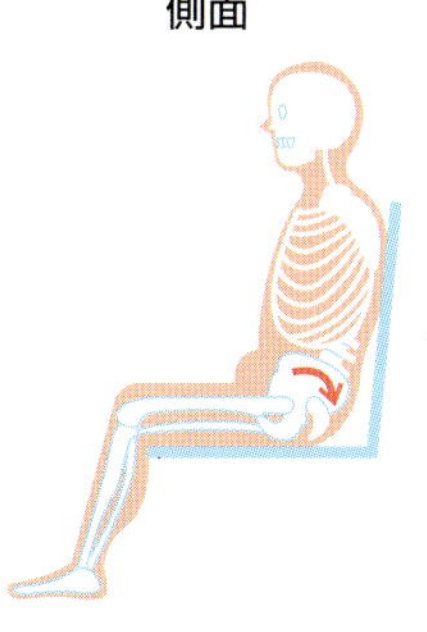

水平面

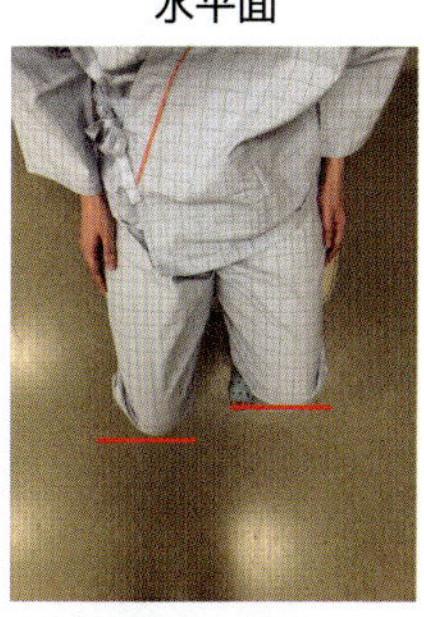

両膝の高さが同じでない。骨盤のねじれが生じている

ると骨盤も広がるといった相関関係にあります。そこで、解剖学的に必要とされる座位姿勢を安楽に維持する介入方法として、骨盤が広がらないようにクッションを使用する方法があります。両手で左右からお尻を押し締めるイメージです（図2）。

車椅子に座っている場合には、上肢の動きを邪魔しないように、小さなクッションを挿入します。両側に挿入してもよいですし、片側に倒れる傾向がある場合には、倒れる側への使用でも効果大です。サイドガードがない、ベッド上端座位や椅子に座る場合には、座面に「逆ハの字」の形で小さなクッションを置き、臀部を落とす座位姿勢が有効です（図3）。

座位姿勢の安定は、脊柱の曲がりを抑制するため、尾骨の飛び出しもカバーし、座位姿勢で課題となる尾骨部圧の上昇を抑えることになります。坐骨部の部分圧迫は、座面クッションを使用することが大切ですので、何も使用しない状態で座ることは避けなくてはいけません。

図2　仙腸関節を意識した介入

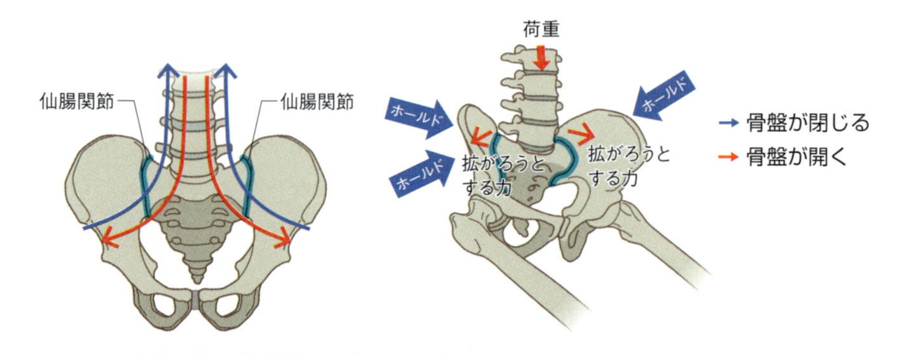

90度ルールを意識する・仙腸関節を閉じるよう意識する

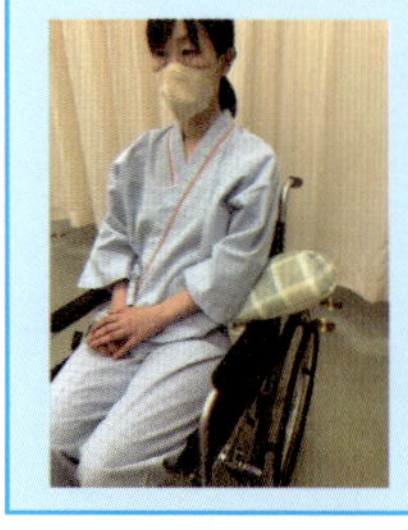

車椅子時に座位が安定しない場合、骨盤を押すようなイメージで小さなクッションを臀部下に挿入すると安定する（直接法）

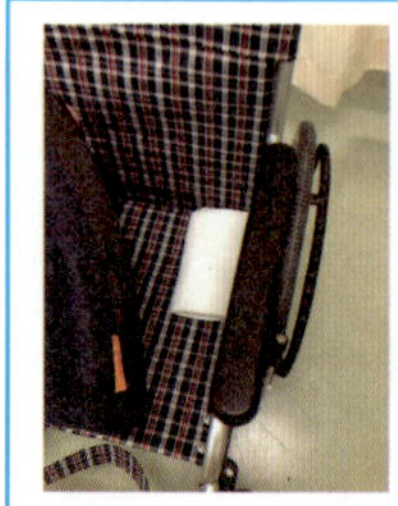

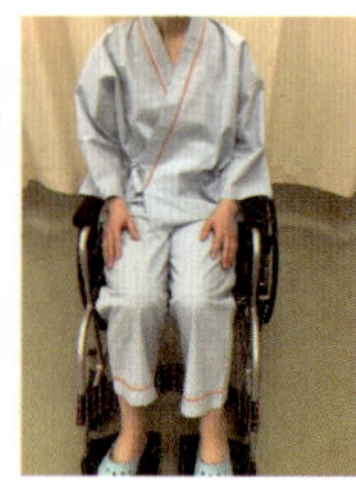

車椅子の座面クッションの下に、小さくたたんだタオルを挿入すると座位姿勢の安定を図ることができる（間接法）

図3　端座位の安定を図るための介入

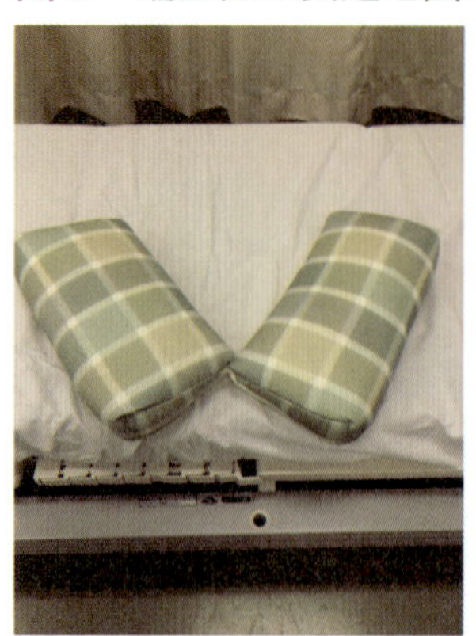

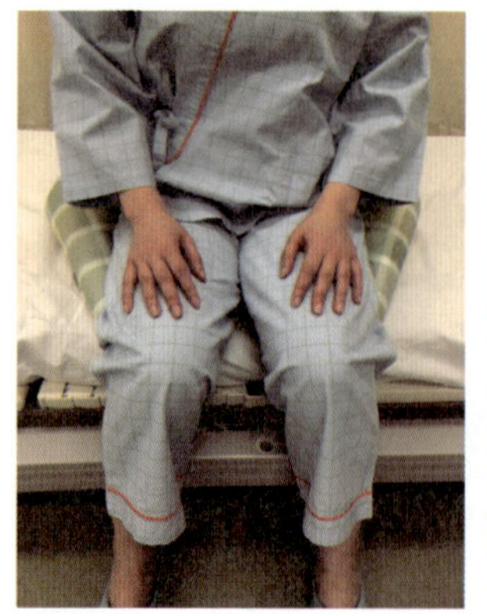

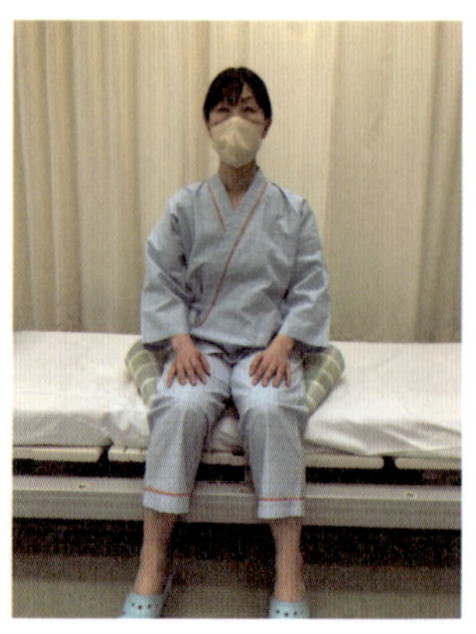

「逆ハの字」の形にクッションを入れて座る

体位変換間隔とスモールチェンジ

1．“スモールチェンジ”の意味

これまで常識のように行われていた褥瘡予防のための「2時間ごとの体位変換」に正当な理由はないことが明らかになっていることは前述しました。このような体位変換におけるパラダイム転換は、体位変換における、その他の“常識”を再検討することにつながりました。

従来は、体位を大きく変える際、「仰臥位から側臥位」や「仰臥位から半坐位」などを当然のことのように行ってきました。しかし、このような大きな体位変換は、実施する側にも受ける側にもかなりの負担を強います。在宅での老老介護をイメージしてみましょう。年老いた妻が寝たきりの夫の体位変換を行う場合です。仰臥位から側臥位に体位変換するためには身体全体を動かすことになります。まず布団をはがし、挿入してあるクッション等を取り除きます。ケアを受ける夫は、寒い状態になり、さらに寝ていたところを起こされることになります。このように、大きな刺激を加えなくてはできない体位変換の効果について見直され、最近では“スモールチェンジ”が提唱され始めました。

私たちは何かに熱中して同一体位を続けているとき、凝りやだるさなどのサインを身体から受け取ります。そして、首を左右に動かす動作や肩を持ち上げる動作を自然に行っています。これが、ストレッチ運動になっています。だるさや痛みは、血液循環不良の身体サインであるため、不快な状態を早い段階で解消するようにすることと“スモールチェンジ”は同義と考えてもよいかも知れません。「小さな」「少し」の動きは、身体全体にわずかに影響するのではなく、大きな影響を与えることができます。しっかり大きく身体を動かすには、ケアする側にも多くの強い労力を必要とします。しかし、症状が重症化する前に少しずつ対応していけば、軽微な労力で済みます。ケア回数は増えるかも知れませんが、1回1回の負担は軽くなります。スモールチェンジは、重症化する前の介入として、「予防の予防」つまり「超予防的介入」と言ってよいかも知れません。

2．スモールチェンジの方法

具体的な方法としては、①身体の置き直し、②自重圧の開放、③重力の利用です。

①身体の置き直し（図1）

上肢・下肢等を少し持ち上げ元の状態よりも角度や位置を変えてあげる方法です。クッションやピローを用いてもよいですが、身体の一部を少し動かすことで、違和感や苦痛が軽減されます。

②自重圧の開放（図2）

体圧分散用具等を使用していても、自身の身体の重みで圧とずれが増していきます。そこで、“滑る手袋”等を使って、定期的に圧とずれを開放してあげると、部分圧の増加と持続を防ぐことができます。

③重力の利用（図3）

高さを利用する方法です。平坦な仰臥位よりも5度でも10度でも頭側が挙上しているほうがよいでしょう。上肢・下肢の拘縮等においても、重心との関係から、伸びるか曲がるかの位置が関係してきます。拘縮患者では、「拘縮から力が抜けたとき、どのようなポジショニングをすれば曲がっている上肢が少しでも伸びるか」あるいは、「伸びる方向に誘われるか」と想像しながらポジショニングをすると、ケアに深みが増していきます。

図1　置き直し

上肢や下肢を少し持ち上げて元の状態より角度や位置を変える

図2　自重圧の開放

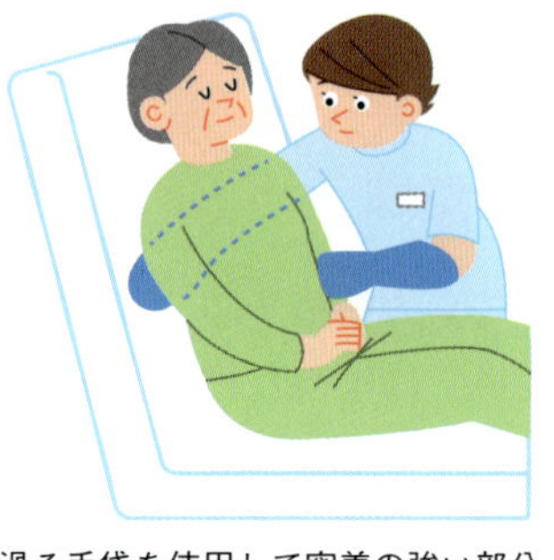

滑る手袋を使用して密着の強い部分へ抜き差しする

図3　重力の利用

身体の重心線より頭の中心線が後ろにあるため、力を抜くと首は後屈する

COLUMN

トータルケアとしてのポジショニング

私が最初に取り組んだ"ポジショニング"は、「褥瘡予防のためのポジショニング」でした。さまざまな専門職や企業と連携して研究を続け、学会発表や雑誌投稿、さらに数冊の書籍執筆に取り組みながら、ポジショニングに関する知見がふくらんでいきました。現在は、褥瘡予防のポジショニングにとどまらず、変形・拘縮、廃用症候群予防の領域や、呼吸・循環、摂食嚥下の場面でのポジショニングと広がりを見せています。

体動制限は、疾患による体位の制限、手術による特殊体位での長時間にわたる維持などで余儀なくされることが多くあります。そのままでは褥瘡発生はもとより廃用症候群が進行することにもなります。そのために適切なポジショニングが必須となります。

また、生命に直結する呼吸・循環にかかわる領域でも重要なかかわりがあります。呼吸をしやすくするためには頭側挙上を行い横隔膜を下げ、胸郭の広がりをサポートするポジショニングが必要になります。

摂食嚥下では、飲み込みやすい頸部の角度を維持する60度仰臥位と褥瘡リスクの高い体位との関連など、きめ細かいポジショニングの工夫が必要です。

このように、ポジショニングでは、ただ単に体位調整を行うだけでなく、日常生活全般をとおしたトータルケアとしての視点に立つことが重要なのです。

スモールチェンジと姿勢反射

前項で、身体を大きく動かさず小さく動かすことでも、高い効果が得られることを述べました。小さく動かすことは「小さな刺激」ととらえることができます。「小さな刺激」ゆえに自立を促すことが可能になり、「動こう」という意欲につながります。この点について、姿勢反射の観点から述べてみましょう。

姿勢反射は、反射的に筋肉が緊張および収縮することで、身体の位置や姿勢、平衡を維持するものです。例えば、誰かとぶつかったとき、少しのぶつかりでは自分の体制（姿勢）を整えようとする動き＝反射が起こります。しかし、強くぶつかると、相手の力に押され、倒れてしまいます。そこで、小さく・弱くぶつかることによって、姿勢反射を刺激し、身体の位置や姿勢の安定を保つことができることがわかります。ポジショニングにおいては、この姿勢反射を引き出すことができれば身体の動きを引き出すことができるのです。

例えば、側臥位をイメージしてみましょう。背中にしっかりとした大きなピローが挿入されると、身体全体が挿入されたピローで支えられるため、挿入されたピローに抵抗するよりも挿入されたピローに体重をあずけるほうが安楽と思うのではないでしょうか。しかし、背中の一部に少し持ち上げられるような感じがするピローが挿入されると、わずかに持ち上げられていることに反射してしっかり押し返し、背中を平らにしようと、少し押し上げられた背中を押し返そうとします（図1）。これは、動きによって生じた不具合に対して改善したいという身体の自然な反応です。

このような反射は、頭部の動きに関係して刺激される感覚器の三半規管や外転神経核や動眼神経核が影響して起こるものといわれています。意識のない方や神経系の機能が障害された方には意味がないと思われがちですが、そのような状況では、重心移動が関係します。先に「重力を利用する」と説明しましたが、アンバランスな刺激が作り出されると、高いところから低いところへ物が移動するように、身体の位置関係が違ってきます。そのため、動きがないことによって生じる拘縮や、拘縮から引き起こされる変形を予防することも可能になります。

このメカニズムは、実は、自動体位変換機能付きエアマットレスの開発に応用されています。マットレスに組み込まれている4つの弯曲形状のエアセル「スモールフローセル」は時間ごとに1つずつ、時計回りにゆっくりと膨張し、ゆっくりと収縮します。それはエアセルの膨らみや縮みによる、違和感を与えにくい小さな体位変換でもあります。同じ部位に圧力がかかり続けることを予防でき、手足の緊張感の軽減にもつながる機能です[1]。このマットレスには、スモールチェンジの発想と、次項で説明する「間接法」の原理も組み入れられています。

引用文献
1. パラマウントベッド株式会社ホームページ：ここちあ「利楽flow」紹介ページ. https://www.paramount.co.jp/cococia_riraku（2022/8/8アクセス）

図1　姿勢反射と動きの関係

- 意識があるとき：動きへの意識と意欲を促す
- 意識等がない場合、反射経路に障害がある場合：身体各部の筋緊張の亢進を予防できる

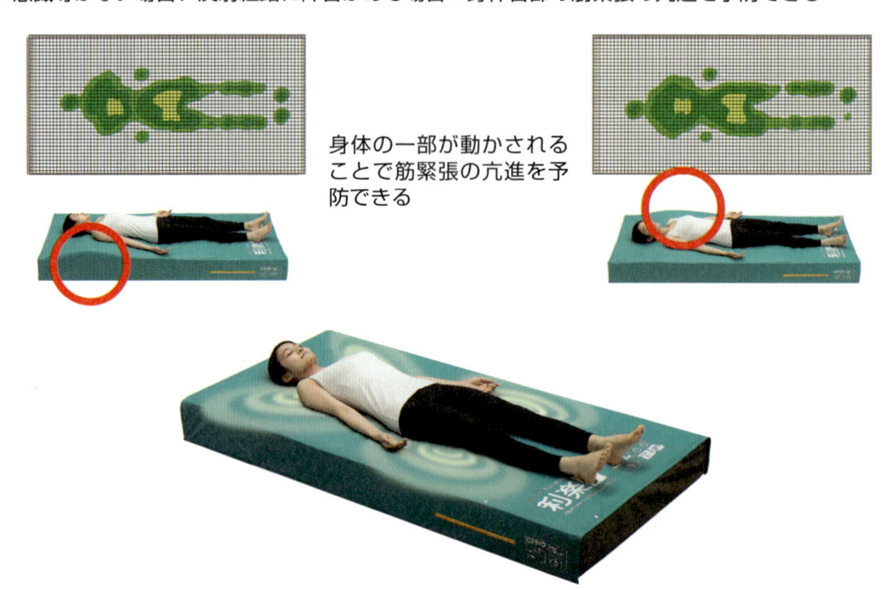

身体の一部が動かされることで筋緊張の亢進を予防できる
利楽

パラマウントベッド株式会社ホームページ：床ずれ防止エアマットここちあ「利楽flow」紹介ページ．より引用

ポジショニングと倫理

医療にかかわる倫理は、「ヒポクラテスの誓い」にまでさかのぼります。ヒポクラテスは、「能力と判断の限り患者に利益すると思う養生法をとり、悪くて有害と知る方法を決してとらない」と述べています。ポジショニングも、患者に利益するという方法の1つであり、私たち医療従事者は「能力と判断の限り」有効なポジショニング方法を工夫して実施する必要があると考えています。それが、医療倫理の範疇にある医療行為としてのポジショニングに課せられた役割です。「人手が足りないから」あるいは「そんな有効な方法があるとは知らなかったから」などという言い訳は医療現場では通用しないのではないでしょうか。

私はポジショニングの講習会などでは、受講者に実際にベッドに横になっていただいてポジショニングの効果を実感していただくようにしています。学会などのハンズオン形式のポジショニングセミナーには、多くの方が参加してくださいます。私たちは、患者や療養者とまったく同じ状態にはなれませんが、似た状態を模して体験をすることはできます。例えば、ベッドに臥床して、動かないことを意識して電動操作で頭部挙上すると、背中から殿部に生じる圧迫とずれがもたらす違和感を感じ取ることができます。このような実体験ができるにもかかわらず、患者の苦痛を推し量ることなく、これまでどおりの知識や技術だけでポジショニングを行うことは、医療倫理の観点からみても「無危害原則」にはずれることになるのではないでしょうか。私はそんなふうに考えて、ポジショニングも含めて新しい知見や技術を習得し、開発するように努めています。

「間接法」を活かしたポジショニング

「間接法」は、スモールチェンジの一環、あるいは実施方法の1つといえます。直接法（直接サポート）は「クッションやピローが身体に直接触れ」ますが、間接法（間接サポート）は「間接的に触れ」ます。従来は、直接身体に沿わせる「直接法」が主流でした。間接的にクッション等を使用する「間接法」はほとんど実施されることはありませんでした（図1）。

間接法は、マットや使用している布団を少し持ち上げて、その下にバスタオル等を畳んだものを挿入する方法や、小さなクッション等を挿入するなどの方法です。実施者の身体的疲労を最小限にして実践できますし、患者にとってはわずかな刺激のため、体位変換による痛み・恐怖・不安などがありません。睡眠中の患者は、覚醒することがなくなります。このように、間接法には多くのメリットがあります（表1）。

間接法の実践で多くの方が納得されるのは、食事のときの「起座位」での間接法の活用です。食事のときは、飲み込みやすくするため、あるいは誤嚥を防ぐために背中を立たせます。その際は、背中にクッションを挿入します。そうすると、背中全面が押されている感覚が生まれてしまいます。さらに、上肢を使って食事ができる患者では、食事の動作によって肩甲骨が動き、背中に挿入しているクッションがずれて

図1　直接法（直接サポート）と間接法（間接サポート）の違い

身体サポート

身体のサポートとは、姿勢全体や身体各部（重量や荷重）をマットレスやクッションなどによってつくられる身体支持面で受けることにより、姿勢アライメントの設定や調整、動きや活動の支援を行うこと

直接的サポート

クッションやピロー等を身体に直接的にあてがうことで身体をサポートし、体位変換および保持、身体各部のアライメントを整え姿勢を調整すること

間接的サポート

マットレスの下からクッションやピローなどを差し込むことで、直接身体に触れずに間接的に体位変換および保持、身体各部の姿勢を調整すること

北出貴則 監修：明日から役立つポジショニング実践ハンドブック．アイ・ソネックス，2017：7．より改変して転載

しまいがちです。背中のクッションがずれてしまうと、不快であるだけでなく、ずれに沿うように身体が横倒れをしてしまいます（図2-①）。

このようなときは間接法を活用します（図2-②）。つまり、クッションを背中に直接当てるのではなく、マットレスの下にクッションを入れて、クッション全体で身体を支えます。そうすると、上肢を自由に動かしても背中に違和感が生じることはありません。また、食事に疲れた場合にはそのままマットレス全体に身体をあずければよいのですが、直接法では頭部の後屈を起こしてしまいます。

これは間接法の活用の一例です。この他にも、臨床ではさまざまな場面で間接法が有効に使えるため、患者の安楽・安全、実施者の介入のしやすさや労力等と勘案して、間接法を活用していただきたいと思います。

表1　間接法の利点

間接法の利点
●時間おきの体位変換に縛られない→訪室ごとに実施する
●看護師の労力の軽減＝ケア時間の捻出→クッションの抜き挿しでOK
●直接あてるクッションを必要としない→クッションによりケアの差が生じにくい
●看護師の健康維持→腰痛等の発症を予防できる
●患者のQOL向上→自然な動きを誘発するため、変形・拘縮予防 夜間睡眠の確保＝認知症状への刺激緩和

図2　食事介入の際の直接法と間接法

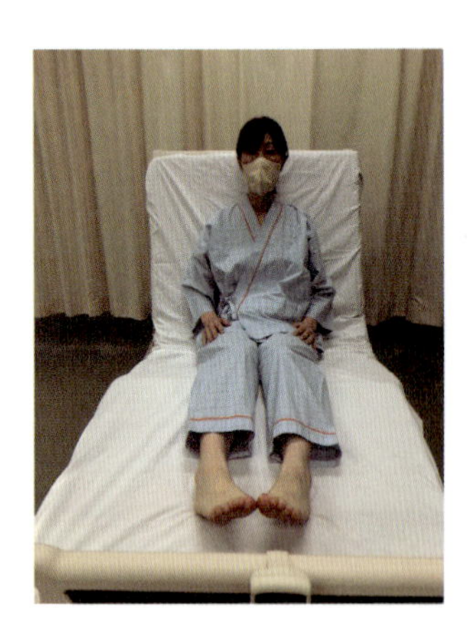

①直接法の課題

食事動作等、上肢や肩甲骨が動くことで、クッションがずれる

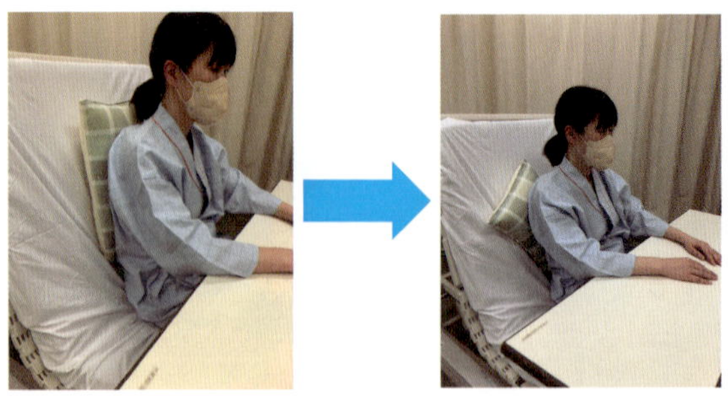

②間接法の利点

食事のときや休憩のとき等、いずれの場合も上肢の動き、肩甲骨の動きに背部のクッションが影響されない

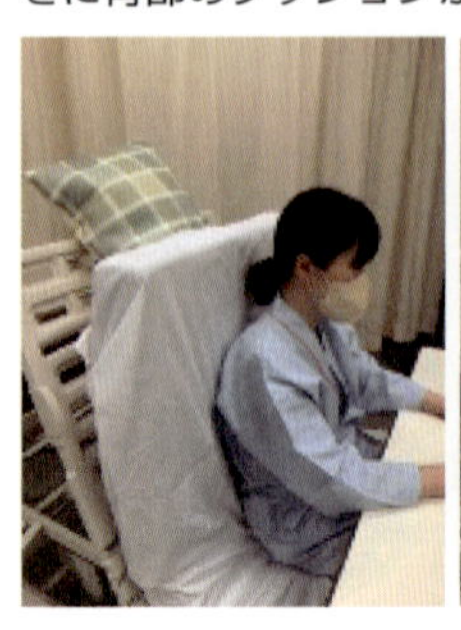

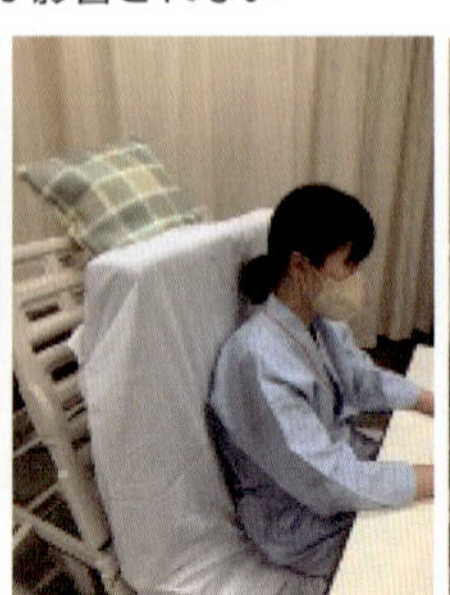

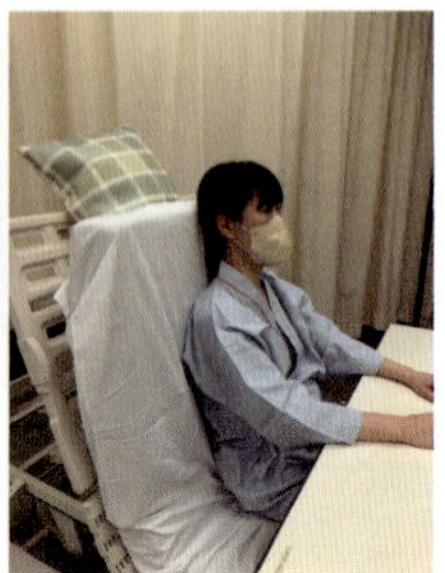

Part 6

褥瘡を治すための基本的な知識

創傷治療の基本：創面環境調整(WBP)とTIME

創傷には急性創傷と慢性創傷があることはPart1「治りやすいキズ、治りにくいキズ」の項で述べました（p.8）。急性創傷は速やかに治癒に向かいますが、慢性創傷では創傷治癒機転がなかなか働かず、速やかに治癒に向かいません。なぜ、急性創傷は治りやすく、慢性創傷は治りにくいのでしょうか。それは、創傷（褥瘡）発生の要因が個体要因や環境要因も含めて多岐にわたるものだからです。そこで、慢性創傷の治癒遅延のさまざまな要因を分析して、Schultzらが2003年に発表したのが「**創面環境調整（wound bed preparation：WBP）**」という概念です。これは、創傷治癒を妨げる因子を取り除き、治りにくい状況を是正するために創面環境を整えるという考え方です。日本褥瘡学会では以下のように定義しています。

創面環境調整／ウンド・ベッド・プリパレーション　wound bed preparation
　創傷の治癒を促進するため、創面の環境を整えること。具体的には壊死組織の除去、細菌負荷の軽減、創部の乾燥防止、過剰な滲出液の制御、ポケットや創縁の処理を行う。

http://www.jspu.org/jpn/journal/yougo.html#soumen（2022/7/29アクセス）

WBPに対するコンセプトの検討は、2000年頃からヨーロッパを中心に行われました。当初は、「デブリードマン」「湿潤状態の提供」「バクテリアのバランス」について注目され[1]、2001年には「創治癒の障害となるモノを取り除く」ことに注目、2002年には「自己治癒を促進、または治癒の効果を促進させる総合的な創傷管理」が目指され、2003年に進化したWBPの構成要素が整理され、頭文字をとってTIMEコンセプトが発表されました。「Tissue（組織）」「Infection/inflammation（感染/炎症）」「Moisture（湿潤）」「Edge of wound（創辺縁）」の4つです。

この発表でとてもよく納得できたのが、図1

図1　治癒する創傷と慢性創傷に関する細胞分子環境の不均衡

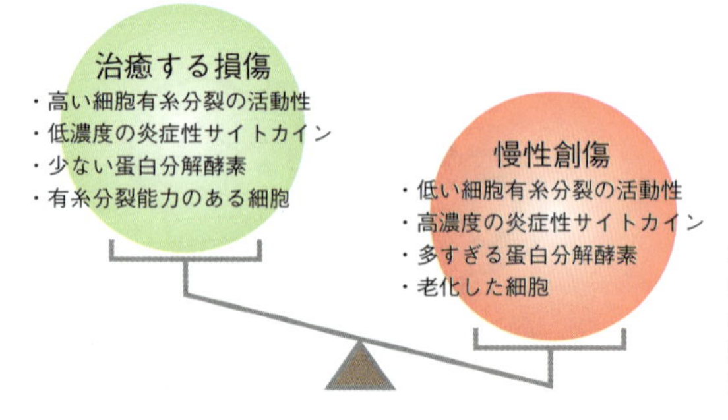

Schultz GS, Sibbald RG, Falanga V, et al：Wound bed preparation：a systematic approach to wound management. Wound Repair Regen 2003；11（Suppl 1）：S7. 図4を訳出，一部改変

に示された「創傷環境の不均衡」です。治癒する創傷と慢性化する（治りにくい）創傷の細胞分子レベルの状態が正反対であるという事実です。治りにくい状態で起こっていることを、治癒する状態へ引き上げれば、バランスは平衡となり、創傷治癒へ移行させることができるという説明でした。この図を見たとき、「なるほど～」と感動すると同時に、とてもシンプルであることに目からウロコ状態でした。

「WBP アルゴリズム」を図2に、「TIME コンセプト」を表1に示します。WBP アルゴリズムでは、まず患者アセスメントを行います。患者アセスメントによって明らかになった全身的（患者）要因と局所（創傷）要因を踏まえて、上記の「TIME」の項目をマネジメントするという方法です。

TIME コンセプトはその後10年を経て、現在のベストプラクティスへの反映を検討してアップデートされています（表2）。当初のTIME コンセプトは創傷の評価段階に過ぎませんでしたが、現在は、治療・実施・モニタリング・評価からなる管理段階に至っているといえるでしょう。

引用・参考文献

1. Schultz GS, Sibbald RG, Falanaga V, et al：Wound bed preparation：a systematic approach to wound management. Wound Repair Regen 11（Suppl 1）：S1-S28, 2003.
2. 田中マキ子：深化したTIMEによる褥瘡ケーススタディ．照林社，東京，2013.

図2　WBPアルゴリズム

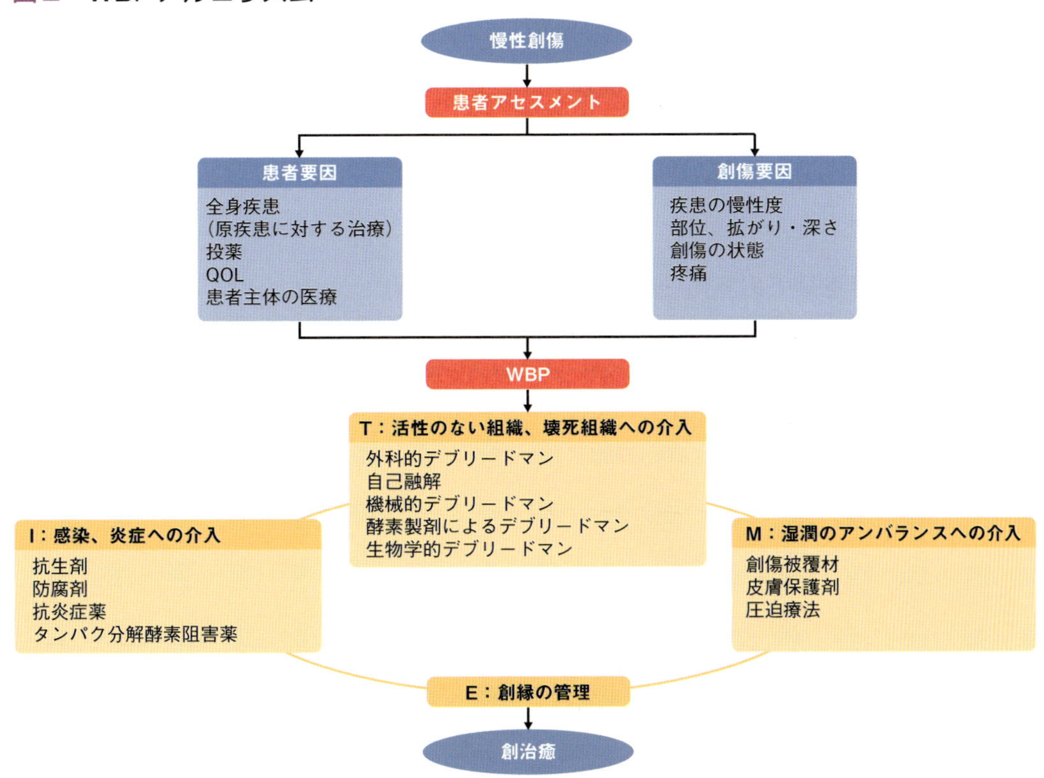

松崎恭一：Wound bed preparation とTIME．市岡滋，須釜淳子 編，治りにくい創傷の治療とケア．照林社，東京，2011：13．より引用
Flanagan M：The philosophy of wound bed preparation in clinical practice. Smith & Nephew Medical Ltd, 2003：1-34．より引用し訳出のうえ改変

表1　TIME－Principle of WBP コンセプト（日本語版）

臨床的観察	病態生理	WBPの臨床的介入	介入の効果	アウトカム
Tissue non-viable or deficient 活性のない組織または組織の損傷	マトリックス（細胞間質）の損傷と細胞残屑による治癒遅延	デブリードマン（一時的または継続的） ・自己融解的、外科的、酵素的、機械的、バイオロジカル的 ・生物	創底の回復 細胞外マトリックスプロテイン機能の回復	創底の活性化
Infection or inflammation 感染または炎症	高いバクテリア数または炎症期の遷延 ↑炎症性サイトカイン ↑プロテアーゼ活性 ↓増殖因子活性	感染巣の除去（局所／全身） ・抗菌 ・抗炎症 ・プロテアーゼ抑制	低いバクテリア数または炎症のコントロール ↓炎症性サイトカイン ↓プロテアーゼ活性 ↑増殖因子活性	バクテリアのバランスと炎症の軽減
Moisture imbalance 湿潤のアンバランス	乾燥による表皮細胞の遊走の遅延 ・過剰な滲出液による創縁の浸軟	適度な湿潤バランスをもたらすドレッシング材の使用 ・圧迫、陰圧、その他の方法による滲出液の除去	表皮細胞遊走の回復、乾燥の予防、浮腫や過剰な滲出液のコントロール、創縁の浸軟防止	湿潤バランス
Edge of wound-non advancing or undermined epidermal margin 創辺縁の治癒遅延または潜蝕化	ケラチノサイトの遊走がない。細胞外マトリックスにおける反応性創傷細胞の不在と異常、あるいは異常なプロテアーゼ活性	原因の再評価または正しい治療の検討 ・デブリードマン ・皮膚移植 ・バイオロジカル製品 ・補助治療など	ケラチノサイトと反応性創傷細胞の遊走 適切なプロテアーゼプロフィールの回復	創辺縁の（治癒）促進

注1）Flanagan M：The philosophy of wound bed preparation in clinical practice. Smith & Nephew Medical, Appendix 3-TIME table, 2003：30. を大浦武彦，田中マキ子，スミス・アンド・ネフュー株式会社が訳した。
注2）なお、上記の表はSchulz GS, Sibbald RG, Flanaga V, et al：Wound bed preparation：a systematic approach to wound management. Wound Repair Regen 2003；11（2 Suppl）：28，表6をInternational Advisory Board on Wound Bed Preparationが2003年9月に改変したものである。
田中マキ子：創床環境調整（WBP）とDESIGNスケール．TIMEの視点による褥瘡ケア 創床環境調整理論に基づくアプローチ．大浦武彦，田中マキ子 編，学習研究社，東京，2004：9.より引用

表2　TIME-10年を経ての変化（赤字が変更・追加箇所）

臨床的観察	病態生理	WBPの臨床的介入	介入の効果	アウトカム
Tissue 組織	マトリックス（細胞間質）の損傷と細胞残屑による治癒遅延	デブリードマン（一時的または継続的） 1）新たな方法 ・低周波超音波 ・ハイドロサージェリー ・デブリードマンワイプ 2）既存方法の利用の促進 ・幼虫 ・自己融解（蜂蜜およびハイドロゲル） ・酵素の使用（コラゲナーゼ） ・シャープ/外科的 ・化学的（消毒薬、すなわち銀およびPHMB） 3）NPWT-既存のデブリードマン法との併用 創洗浄 ・殺菌性洗浄剤	創底の回復 細胞外マトリックスプロテイン機能の回復	創底の活性化 安全な診療

<table>
<tr><th>臨床的観察</th><th>病態生理</th><th>WBPの臨床的介入</th><th>介入の効果</th><th>アウトカム</th></tr>
<tr><td colspan="5">【考慮すべき要因】
維持デブリードマンの利用
安全な診療をめぐる考慮事項
・知識
・技能
・能力
・有効性のエビデンス</td></tr>
<tr><td>Infection/
inflammation
感染または炎症</td><td>難治性創傷に対するバイオフィルムの影響
慢性/難治性創傷における持続的な炎症の役割に関する理解

高いバクテリア数または炎症期の遷延
↑炎症性サイトカイン
↑プロテアーゼ活性
↓増殖因子活性</td><td>細菌バランス
1）バイオフィルム
・管理-バイオフィルムを妨げて再形成を防ぐための併用療法（デブリードマンと消毒薬）
・バイオフィルムの検出
2）ポリメラーゼ連鎖反応（PCR）/ピロシーケンス技術を利用した創傷中の細菌/真菌検出

感染巣の除去（局所/全身）

・消毒薬の利用増加
→細菌プロファイルに基づく局所抗菌薬
・抗菌
→界面活性剤と抗菌薬の併用
・抗炎症
・プロテアーゼ抑制</td><td>細菌バランスの調整

低いバクテリア数または炎症のコントロール
↓炎症性サイトカイン
↓プロテアーゼ活性
↓増殖因子活性

消毒薬を個別化処方した治療による創傷治癒改善

バイオフィルム破壊</td><td>バクテリアのバランスと炎症の軽減</td></tr>
<tr><td colspan="5">【考慮すべき要因】
・局所/全身投与に関する細菌の耐性増加
・強力的に存在する混合細菌叢
・バイオフィルム検出のための診断法
・適切な抗菌薬の再検討
・製品の使い分け
・微生物の耐性（特に抗菌薬に対する耐性）</td></tr>
<tr><td>Moisture
湿潤</td><td>乾燥による表皮細胞の遊走遅延
・過剰な滲出液による創縁の浸軟
・慢性創傷の滲出液の蛋白分解活性</td><td>適度な湿潤バランスをもたらすドレッシング材の使用
・滲出液管理に適したドレッシング材または装置の選択
・圧迫、陰圧、その他の方法による滲出液の除去および保持</td><td>表皮細胞遊走の回復、乾燥の予防、浮腫や過剰な滲出液のコントロール、創縁の浸軟防止</td><td>湿潤バランス</td></tr>
<tr><td colspan="5">【考慮すべき要因】
ドレッシング材の選択に関する考慮すべき点
・吸収
・保持
・患者にとっての快適さ
・細菌プール
・皮膚の過敏症またはアレルギー</td></tr>
<tr><td>Edge of
wound
創辺縁</td><td>ケラチノサイトの遊走がない。細胞外マトリックスにおける反応性創傷細胞の不在と異常、あるいは異常なプロテアーゼ活性</td><td>原因の再評価または正しい治療の検討
・デブリードマン
・皮膚移植
・バイオロジカル製品
・補助治療など（電磁療法、レーザー、超音波、全身酸素療法）</td><td>ケラチノサイトと反応性創傷細胞の遊走
適切なプロテアーゼプロフィールの回復</td><td>創辺縁の（治癒）促進
周囲皮膚の状態改善</td></tr>
<tr><td colspan="5">【考慮すべき要因】
診断法／theranostics（診断と治療を兼ねた方法）の役割</td></tr>
</table>

注）Leaper DJ, Schultz G, Carville K, et al：Extending the TIME concept：what have we learned in the past 10 years?. Int Wound J 2012；l 9（Suppl 2）：14-15, Table 3. から田中がTIME表の新旧比較として再構成した。

湿潤環境で治すことの大切さ

以前は、キズ（創傷）は乾燥させたほうが早く治るといわれていました。そのため、創部をドライヤーで乾かしたり、「消毒して」→「ガーゼを当てて」→「乾燥させる」という治療法が一般に行われていました。しかし、1950年代くらいから、湿潤状態のほうが創傷は早く治るというデータが出され始め、**「湿潤環境下療法（moist wound healing）」**の概念が提唱されてきました。なぜ、湿潤状態のほうが創は早く治るのでしょうか。それは、創部の滲出液には各種の細胞増殖因子が豊富に含まれているからです（表1）。創面からの滲出液が除去されないで保持された湿潤環境下では、真皮側の線維芽細胞、コラーゲンの増生が起こり良性の肉芽組織が形成されていきます（図1）。そして、創表面における表皮の遊走・移動が円滑に進み上皮化が速やかに起こることがわかってきたのです。

湿潤環境下で創傷治癒を促す治療法を**「湿潤療法」＝「閉鎖ドレッシング」**といいます。

湿潤療法が適用されるのは、良好な肉芽組織が準備された創傷です。感染を伴う場合や不良肉芽の場合には行わないほうがよいでしょう。そして、原則として「きれいな創面」に対して行うため、創面環境調整（wound bed preparation）が前提になります。褥瘡処置における湿潤療法は表2のように行います。

表1　創面の滲出液に含まれる細胞増殖因子

- 血小板由来増殖因子（PDGF1：platelet-derived growth factor）
- 上皮細胞増殖因子（EGF2：epidermal growth factor）
- 塩基性線維芽細胞増殖因子（bFGF3：basic fibroblast growth factor）
- トランスフォーミング増殖因子（TGF-β4：transforming growth factor-β）
- 結合組織増殖因子（CTGF5：connective tissue growth factor）
- 血管内皮増殖因子（VEGF6：vascular endothelial growth factor）

表2　褥瘡処置における湿潤療法

創の洗浄	微温湯を用いて創、および褥瘡周囲の皮膚を洗浄する
洗浄水の拭き取り	過剰な水分は浸軟の原因になるため、拭き取る
外用薬の塗布	創の状態に適した外用薬を用いる
創傷被覆材の貼付	創よりも大きめのサイズで創を覆う
トップドレッシング	ウレタンフィルムなどで創傷被覆材を固定する

切手俊弘：はじめての褥瘡ケア．照林社，東京，2013：61．を元に作成

図1　湿潤環境下で創がよくなる状態

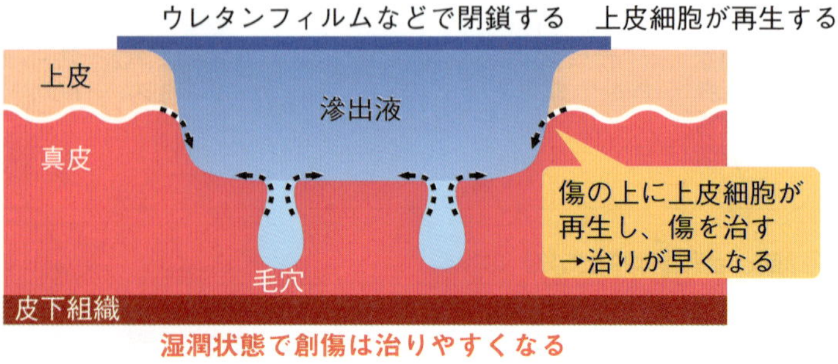

ウレタンフィルムなどで閉鎖する　上皮細胞が再生する

上皮
滲出液
真皮
傷の上に上皮細胞が再生し、傷を治す→治りが早くなる
毛穴
皮下組織

湿潤状態で創傷は治りやすくなる

急性期褥瘡は原因を除去して、ドレッシング材を貼って経過をみよう

すでに述べたように、急性期褥瘡は、褥瘡発生から1～3週間のものをいいます。急性期褥瘡は状態が不安定で、実際にどこまで深く損傷が及んでいるかがわかりません。特に、「深部損傷褥瘡（DTI）」との鑑別が難しいと言われています。DTIは、最初は軽症に見えますが、時間が経つにつれて深い褥瘡へと変化します。

急性期の褥瘡を発見したときは、局所治療に入る前に褥瘡の発生原因を追求し、その原因を取り除くことが必要です。原因としては、病的骨突出、関節拘縮、栄養状態、浮腫、多汗、尿・便失禁などの個体要因が考えられます。これらを除去しないで局所治療を行っていても褥瘡はいっこうに改善しません。むしろ急に悪化することもあります。

そのため、**できるだけこまめに注意深く創部を観察しつづける**必要があります。発赤があっても不透明なドレッシング材を貼付してしまうと変化が見えません。『褥瘡予防・管理ガイドライン（第4版）』では、「創面保護を目的として、ポリウレタンフィルムや真皮に至る創傷用ドレッシング材の中でも貼付後も創が観察できるドレッシング材を用いてもよい（推奨度C1）」となっています。ポリウレタンフィルムを貼付して創部の観察をしている急性期褥瘡を図1に示しました。

貼付する際には、貼付部位を洗浄して皮膚を清潔にします。そして、急激な変化があればその場で交換することが大切です。交換頻度のめやすは1週間です。創の周囲は脆弱になっていることが多いため、ドレッシング材の交換時には皮膚の剥離に十分に気をつける必要があります。

もう一つ急性期褥瘡で大事なのは、**適度な湿潤環境の保持**です。これは前項の湿潤環境下療法（moist wound healing）のところでも述べました。適度な湿潤を保てるドレッシング材を貼付し、外用薬としては創保護効果の高い油脂性軟膏などを用います。酸化亜鉛、ジメチルイソプロピルアズレンなどを使ってもよいでしょう。あるいは、スルファジアジン銀のような水分を多く含んだ乳剤性基剤の軟膏を用いてもよいことになっています。『褥瘡予防・管理ガイドライン（第4版）』では「推奨度C 1」になっています。

図1　急性期褥瘡にポリウレタンフィルムを貼付しているところ
3M™テガダーム™トランスペアレント ドレッシング（スリーエム ジャパン）

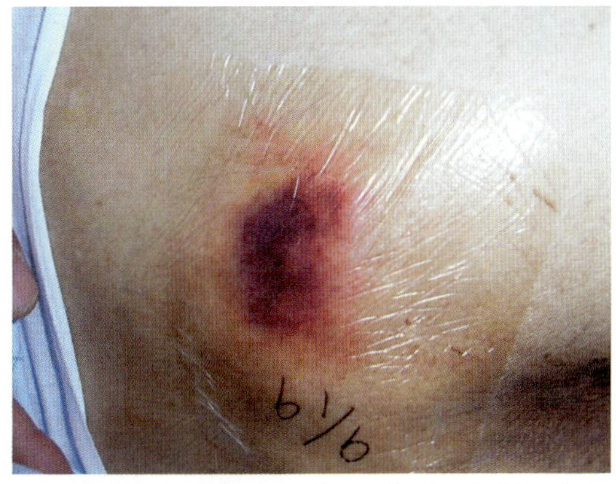

日本褥瘡学会編：褥瘡ガイドブック-第2版．照林社，東京，2015：45．より引用
（写真提供：貝谷敏子）

慢性期褥瘡では「浅い褥瘡」と「深い褥瘡」によって治療法が変わる

慢性期褥瘡では、まず「浅い褥瘡」か「深い褥瘡」かを見きわめます。DESIGN-R®2020で、「d」が浅い褥瘡、「D」が深い褥瘡です（図1）。浅い褥瘡は「真皮までの褥瘡」で、深い褥瘡は真皮を超えて深部組織まで壊死に陥っています。

「浅い褥瘡」は、発赤（紅斑）、水疱、びらん・浅い潰瘍に分けられます。浅い褥瘡の局所治療は、「創の保護」「適度な湿潤環境の保持」の2つに尽きます。

1．浅い褥瘡の治療

①発赤・紫斑

発赤・紫斑は、圧迫によって血管が障害され赤血球が血管外に漏出するために、皮膚が赤くなった状態です（図2）。発赤は、外用薬を使うよりも、ポリウレタンフィルムなどのドレッシング材で保護したほうがよいでしょう。また、貼付しても創部が視認できるような「真皮に至る創傷用ドレッシング材」を用いてもよい

図1 DESIGN-R®2020の「深さ」の項目に見る「浅い褥瘡」「深い褥瘡」

Depth*1 深さ 創内の一番深い部分で評価し、改善に伴い創底が浅くなった場合、これと相応の深さとして評価する					
d	0	皮膚損傷・発赤なし	D	3	皮下組織までの損傷
				4	皮下組織を超える損傷
	1	持続する発赤		5	関節腔、体腔に至る損傷
				DTI	深部損傷褥瘡（DTI）疑い
	2	真皮までの損傷		U	壊死組織で覆われ深さの判定が不能

浅い褥瘡（d）　深い褥瘡（D）

図2 発赤と紫斑が混在している状態

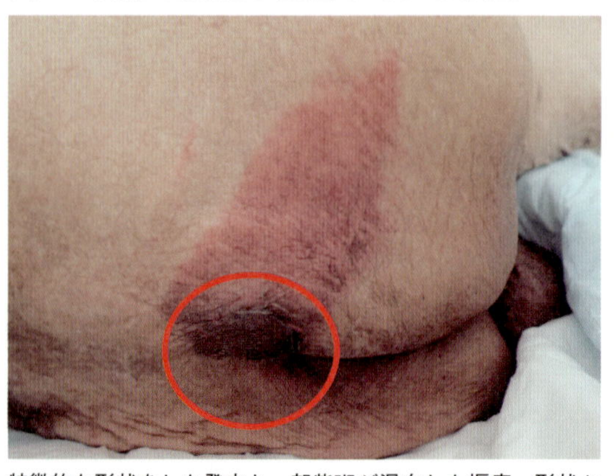

特徴的な形状をした発赤と一部紫斑が混在した褥瘡。形状からも原因の特定が必要

とされています。

②**水疱**

水疱は、表皮と真皮の境界部に滲出液が貯留した状態です（図3）。水疱には外用薬よりもドレッシング材が多く用いられます。水疱は基本的に破らないようにして、ポリウレタンフィルムか、貼付しても創部が視認できるような「真皮に至る創傷用ドレッシング材」で覆います。ドレッシング材の交換は最長でも1週間とします。ドレッシング材の交換時に水疱が破れてしまった場合は、後述する「びらん」と同じような処置をします。

水疱が著しく緊満してしまった場合は穿刺して内容物を排出してしまったほうが、治癒が早いといわれています。破れた場合は、創が見えるドレッシング材、例えばハイドロコロイド、ポリウレタンフォーム、ハイドロジェルのシートタイプなどを貼付します。

③**びらん・浅い潰瘍**

びらんは、脆弱な表皮が真皮から剥がれて滲出液が出た状態です。浅い潰瘍は、表皮が剥がれるだけでなく真皮の一部が損傷を受けて潰瘍化した状態です（図4）。びらん・浅い潰瘍には外用薬よりもドレッシング材の使用が主体となります。外用薬ならば、浅い潰瘍で上皮化を促すためにブクラデシンナトリウムやアルプロスタジル アルファデクスなどを用います（表1）。

2．深い褥瘡の治療

深い褥瘡は治療とともに局所の病態が変わっていきます。そのため、創の状態を定期的にDESIGN-R®2020で評価して、進行に応じて治療法を変えていく必要があります。慢性期の深い褥瘡の代表的な治癒過程を示したのが図5です。深い褥瘡でも、適切な治療とケアによって治癒していきます。

治療方針の基本は、**DESIGN-R®2020の「大文字」を「小文字」に変えていく**ことです。進める順番は、「N→n」（壊死組織の除去）、「G→g」（肉芽形成の促進）、「S→s」（創の縮小）

図3　水疱とびらんの状態

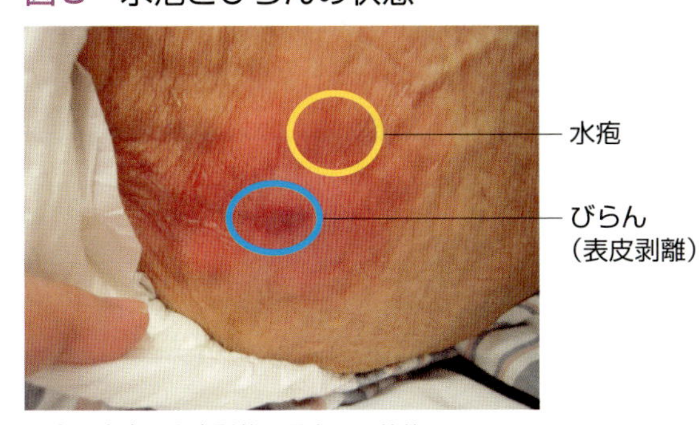

発赤と水疱、表皮剥離の混在した状態

図4　浅い潰瘍の状態

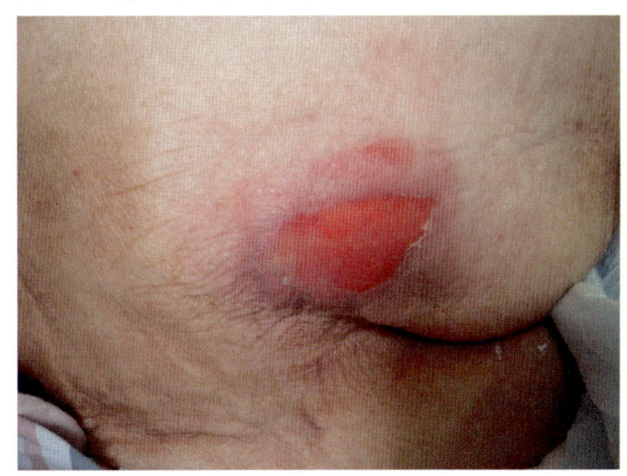

尾骨部の表皮が剥離し、浅い潰瘍状態

表1　慢性期の浅い褥瘡に用いる創傷被覆材と外用薬の例

創傷被覆材	外用薬
・ハイドロコロイド（コムフィール®、デュオアクティブ®CGFなど） ・ハイドロジェル（ビューゲル®など）　など	・アルプロスタジル アルファデクス（プロスタンディン®軟膏） ・ブクラデシンナトリウム（アクトシン®軟膏）　など

の順です。その他の要素である、「I→i」（感染の制御）、「E→e」（滲出液コントロール）、「P→（－）」（ポケットの解消）は、適宜優先するものを考えてそれを先に進めます。それぞれの概要を表2に示します。

図5　慢性期の深い褥瘡の代表的な治癒過程

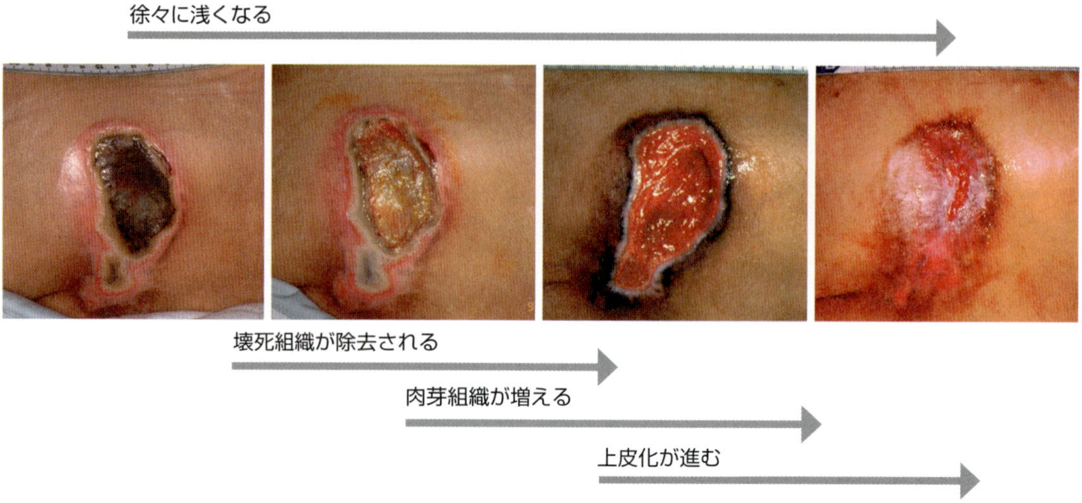

徐々に浅くなる

壊死組織が除去される

肉芽組織が増える

上皮化が進む

日本褥瘡学会 編：在宅褥瘡テキストブック．照林社，東京，2020：126．より引用

表2　DESIGN-R®2020の各項目の治療の進め方

項目	進め方
N→n 壊死組織の除去	外科的デブリードマン、外用薬・ドレッシング材の使用により壊死組織を除去する
G→g 肉芽形成の促進	創面に良性肉芽が見られないか乏しい場合は、適切な外用薬やドレッシング材を用いて創の適度な湿潤環境を保持しながら肉芽形成を促進する
S→s 創の縮小	創の収縮は、肉芽組織の収縮反応と新たな上皮形成によって可能になる
I→i 感染・炎症の制御	感染の合併があるときは、まず感染の制御を優先する。深部膿瘍が疑われる場合は、ただちに切開・排膿をする。感染創は十分に洗浄する
E→e 滲出液コントロール	大量の滲出液は全身浮腫や創感染に伴って見られることが多いので、改善しなければならない。滲出液が少なすぎても創が乾燥してしまう
P→（－） ポケットの解消	ポケットがある場合は、優先的にポケットを解消する

「感染」をうまくコントロールするには

細菌が創部に侵入して創感染が起こると、発赤、腫脹、熱感、疼痛の炎症症状（4つの炎症症状）が生じます。感染が局所から全身に及ぶと敗血症や菌血症となり、全身状態が悪化します。細菌と創傷の関係は、4段階に分類されます（表1、図1）。この3段階目の「Critical

表1　細菌と創傷の関係

①Wound contamination（創汚染）
②Wound colonization（保菌状態、定着）
③Critical colonization（臨界的定着）
④Wound infection（創感染）

図1　感染の4段階

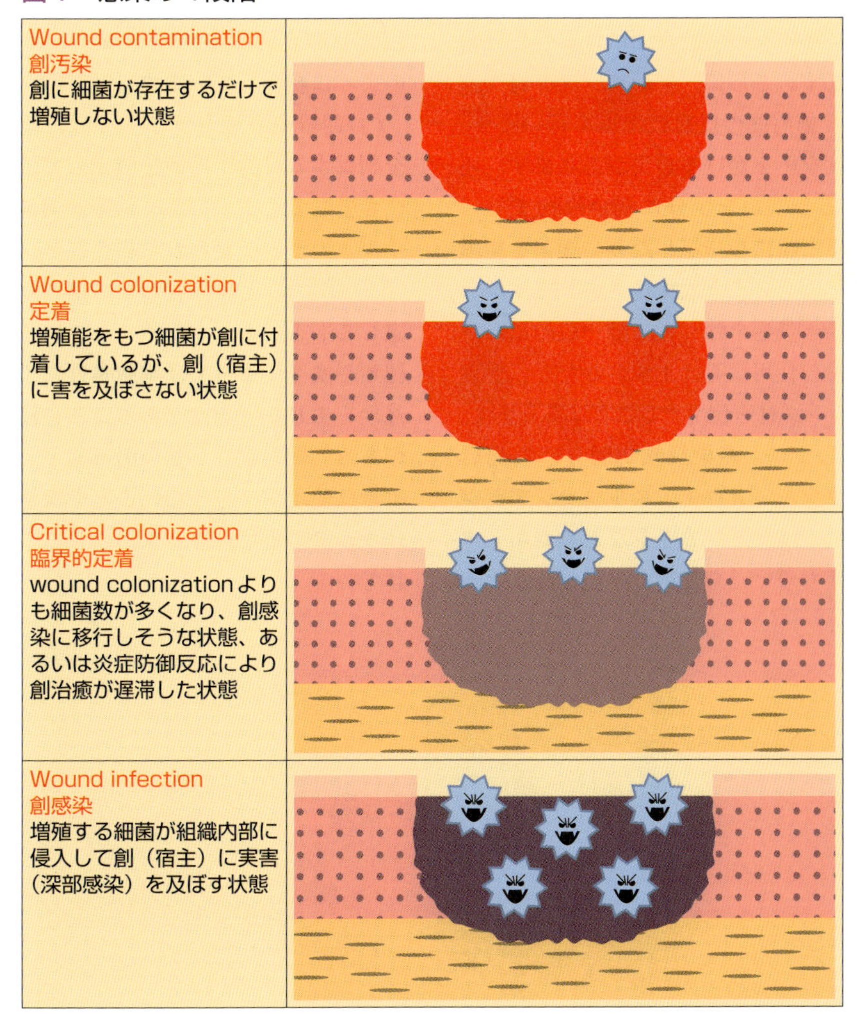
Wound contamination
創汚染
創に細菌が存在するだけで増殖しない状態
Wound colonization
定着
増殖能をもつ細菌が創に付着しているが、創（宿主）に害を及ぼさない状態
Critical colonization
臨界的定着
wound colonizationよりも細菌数が多くなり、創感染に移行しそうな状態、あるいは炎症防御反応により創治癒が遅滞した状態
Wound infection
創感染
増殖する細菌が組織内部に侵入して創（宿主）に実害（深部感染）を及ぼす状態

colonization（臨界的定着）」は特に注目され、改定されたDESIGN-R®2020では、「臨界的定着疑い」（3C）という新たな項目を追加しています。

1．感染コントロールを優先する

感染は褥瘡の悪化要因の1つで、難治性褥瘡の原因です。感染による炎症状態が続いていると良性肉芽は増生されません。**そのため、感染・炎症が生じている場合は、感染コントロールを優先して行う必要があります**。

壊死組織が残っている状態のままで感染創に対して薬剤を使用しても感染コントロールはできません。まず、壊死組織の除去、ポケット内の清浄化を行う必要があります。清浄化は、十分な量の生理食塩水や水道水を用いて創内を洗浄します。洗浄によって創表面に付着した細菌類を除去します。さらに、ドレッシング材交換のたびに創と創周囲の皮膚の洗浄を行います。洗浄には適度な圧をかける必要があります。圧力が弱すぎると細菌を十分に洗い流せませんし、強すぎると組織を損傷したり、細菌を組織の奥に押し込んでしまう危険性もあります。

また、感染・炎症を伴うときは一般的にはドレッシング材の使用は避けます。ただし、銀含有のドレッシング材を使用することはあります。

外用薬としては、感染徴候が明らかな場合は、カデキソマー・ヨウ素、スルファジアジン銀、精製白糖・ポビドンヨードなどを使用します。感染が落ち着いたら使用を中止することが必要です。

2．創部の消毒の考え方

消毒薬の使用については、従来は細胞障害性から使用を控えるという考え方が主流でした。しかし、明らかな感染の徴候がある場合は消毒薬の使用が認められています。『褥瘡予防・管理ガイドライン（第4版）』でも、「基本的には洗浄のみで十分であるが、**明らかな感染が認められ、滲出液や膿苔が多いときは創部の消毒を行ってもよい**。ただし、創部に高濃度で消毒剤が滞留しないように消毒後は洗浄する」とされています。

また、『褥瘡予防・管理ガイドライン（第5版）』でも、創面に感染徴候がみられて治癒が遅延した場合には、「期間を限定して消毒を行うことは創面の細菌数を制御するための選択肢になる」として、NPIAP（NPUAP）/EPUAP/PPPIAの合同診療ガイドラインの記載を以下のように紹介しています。

「合同診療ガイドラインでは、創面の細菌数を制御する目的で期間を限定して消毒薬の使用を考慮してもよいこと、治癒が遅延しバイオフィルムの形成が疑われる場合にメンテナンスデブリードマンと組み合わせて消毒薬の使用を考慮してもよいことが記載されている。消毒薬の種類や濃度によっては細胞毒性による創傷治癒遅延を生じる可能性があることに注意する必要がある。細胞毒性が強い消毒薬として、過酸化水素は使用すべきでないことや次亜塩素酸ナトリウムは慎重な適用が求められることが記載されている。」

感染評価のあれこれ

感染状態を評価する指標にはさまざまなものがあり、理解しておくと臨床でとても役立ちます。古典的な臨床的感染徴候（クラシカル・サイン）には、発赤、発熱・熱感、化膿（悪臭）、浮腫・腫脹、疼痛の５項目が挙げられます。非典型的（二次的）感染徴候（二次的サイン：細菌繁殖、局所創感染）は、肉芽・上皮形成不全、肉芽色の不良、創サイズの縮小が悪い、創周囲を押すと痛みがある、の４項目です。

この他、感染がどのレベルで起こっているのかを評価するものもあります。創表面に細菌負荷が増大したときの徴候を、その頭文字をとって「NERDS」（ナーズ）といいます。これらはCritical colonizationの徴候に相当するとされています。また、感染が成立したときの徴候を「STONES」（ストーンズ）といいます。

感染は、できるだけ早期に評価でき対処するに限るので、「なんだか、ごちゃごちゃする！」となっても、これらの感染評価を知識だけにとどめず、臨床で使用できることが大事ですね。

NERDS：Superficial increased bacterial burden

N：Nonhealing wound	治癒が遅い
E：Exudative wound	滲出液が多い
R：Red and bleeding wound	明るい赤色、脆弱
D：Debris in the wound	壊死組織、不活性化組織
S：Smell from the wound	臭い

STONES：Deep component infection

S：Size is bigger	創の拡大
T：Temperature increased	熱感
O：Os／probes to or exposed bone	骨髄炎、骨露出
N：New area of breakdown	近くの皮膚破綻
E：Exudate, erythema, edema	滲出液、発赤、浮腫
S：Smell	臭い

参考　井上雄二，他：日本皮膚科学会ガイドライン 創傷・熱傷ガイドライン委員会報告―1：創傷一般．2011
https://www.dermatol.or.jp/uploads/uploads/files/guideline/1372912942_1.pdf

クリティカルコロナイゼーションって何？

前述したように、DESIGN-R®2020で追加された「臨界的定着」は「クリティカルコロナイゼーション」のことです。クリティカルコロナイゼーションとは、**「保菌状態、定着から感染に移行しつつあり、もう少しで感染になりそうな状態」**です。

クリティカルコロナイゼーションは感染ではないため、感染徴候はありません。しかし、抗菌薬を使用すると治癒速度が向上するなど臨床的改善が認められます。臨床的な症状としては、悪臭や滲出液の増加、それに伴う浮腫状の肉芽形成が見られます（図1）。

感染とクリティカルコロナイゼーションへの対応は基本的には変わりませんが、感染は悪化すると全身療法が必要になることがあります。クリティカルコロナイゼーションが疑われる場合は、感染と同様に抗菌薬の局所使用が有用です。『褥瘡予防・管理ガイドライン（第4版）』では、肉芽形成が不十分でもクリティカルコロナイゼーションが疑われたときには、「抗菌作用を有するカデキソマー・ヨウ素、ポビドンヨード・シュガー、ヨウ素軟膏もしくはスルファジアジン銀を用いてもよい（推奨度C1）」とされています。同時に、洗浄の強化、膿苔の除去が必要です。カデキソマー・ヨウ素の商品名はカデックス®軟膏、ポビドンヨード・シュガーはイソジン®シュガーパスタ軟膏、ユーパスタコーワ軟膏などです。スルファジアジン銀の商品名はゲーベン®クリームです。

図1　クリティカルコロナイゼーションが見られる創

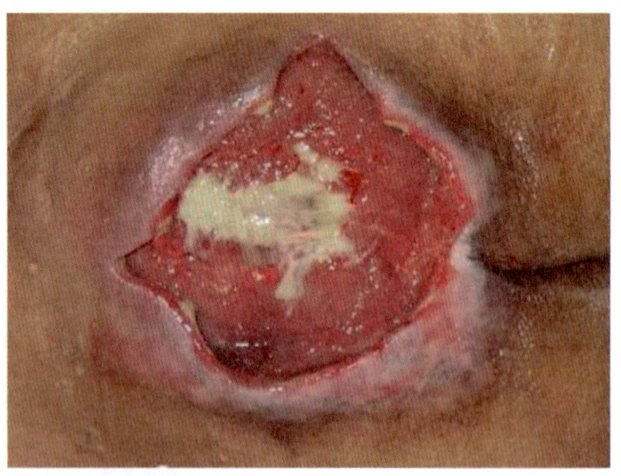

肉芽組織が貧血色で浮腫状であること、ぬめりを帯びた滲出液であることから、クリティカルコロナイゼーションと思われた症例

また、同ガイドラインでは、ドレッシング材の使用についても「臨界的定着により肉芽形成期の創傷治癒遅延が疑われる場合は、銀含有ハイドロファイバー®、アルギン酸Agを用いてもよい（推奨度C1）」としています。銀含有ハイドロファイバー®は組織毒性が低く、滲出液に含まれる細菌を迅速にそして効果的に抗菌します。銀含有ドレッシング材の商品名としては、アクアセル®Ag、アルジサイトAg（2022年2月販売終了）、ハイドロサイト®銀（2020年12月販売終了）、バイオヘッシブ®Ag、メピレックス®Agなどが挙げられます。

「滲出液」のコントロールが褥瘡治療のカギ

褥瘡は適度な湿潤環境のもとで治癒が促進されることは、前述しました（「湿潤環境で治すことの大切さ」p.84）。適度な湿潤環境を維持するために重要なのが滲出液コントロールです。滲出液とは、上皮が欠損した創から滲み出す組織間液です。創傷における滲出液は、白血球や炎症性メディエーター、タンパク分解酵素、細胞成長因子などを含みます。その大部分は血管から漏出した血漿成分です。

肉芽ができているような深い褥瘡の治癒過程では、滲出液が見られます。感染が起こると滲出液は増加し、色や臭いが変化します。滲出液は創感染以外にも毛細血管漏出や浮腫を引き起こすさまざまな要因で発生します（図1）。それらの評価を的確に行って、適切に管理する必要があります。**滲出液を評価するときはまずその量を見ます**。DESIGN-R®2020では量の評価はドレッシング材の交換回数で行います（「滲出液（Exudate）の採点方法」p.46参照）。

図1　滲出液の多い褥瘡

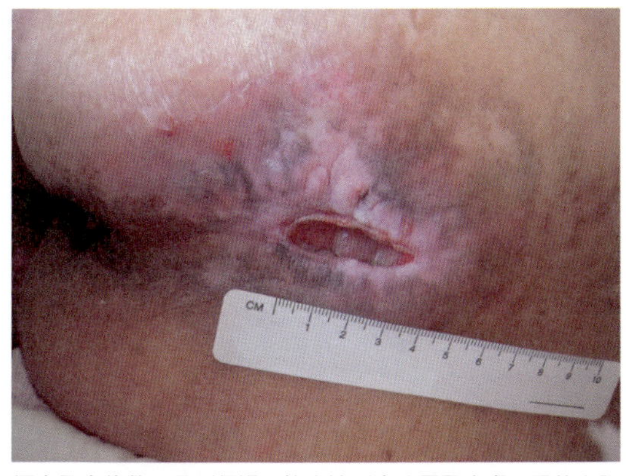

褥瘡発生後数か月が経過。滲出液が多く周囲皮膚の浸軟を認める。この状態から、肉芽の浮腫状態が持続し、創傷治癒はストップした

滲出液の評価においては、**性状の観察**も重要です。正常な治癒過程を経ている滲出液は透明から薄い黄色で、粘性が低いものです。滲出液の観察のポイントを表1に示しました。

1. 滲出液が多い場合

滲出液が多い場合には、滲出液吸収作用のある外用薬の使用が勧められます。『褥瘡予防・管理ガイドライン（第4版）』では、「カデキソマー・ヨウ素、ポビドンヨード・シュガーを用いること」を勧めています（推奨度B）。さらに「デキストラノマー、ヨウ素軟膏を用いてもよい（推奨度C1）」とされています。

また、滲出液が多い場合のドレッシング材は、過剰な滲出液を吸収するポリウレタンフォームを用いることが勧められます。滲出液の吸収力ではポリウレタンフォームはハイドロコロイドよりも優れているとされます。ポリウレタンフォームは、親水性ポリウレタンが過剰な滲出液を吸収・蒸散し、浸軟を防ぎます。ポリウレタンフォームとしては、ハイドロサイト®プラス、メピレックス®ボーダー フレックスなどが挙げられます。

2. 滲出液が少ない場合

一方、滲出液が少ない場合の外用薬としては、同ガイドラインでは「乳剤性基材の軟膏を用い、感染創ではスルファジアジン銀、非感染創ではトレノイントコフェリルを用いてもよい（推奨度C1）」とされています。スルファジアジン銀の商品名はゲーベン®クリーム、トレノ

表1　滲出液の観察ポイント

色調の意義	
特徴	考えられる原因
透明・琥珀	漿液性滲出液。「正常」とみなされることが多いが、線維素溶解酵素産生菌（黄色ブドウ球菌等）による感染のほか、尿瘻またはリンパ瘻が原因である可能性がある
混濁、乳白色、クリーム状	フィブリン網あり（炎症反応の1つである線維性滲出液）または感染（白血球と細菌を含む化膿性滲出液）である可能性がある
ピンクまたは赤	赤血球が存在するためで、毛細血管が損傷している可能性がある（血液性または出血性滲出液）
緑	細菌感染を示す可能性がある（緑膿菌等）
黄または茶	スラフや腸瘻・尿瘻による物質が原因である可能性がある
灰または青	銀含有ドレッシング材使用時に発生する場合がある
粘稠度の意義	
粘性が高い （高粘度で時に粘着性あり）	・感染・炎症の場合はタンパク含有量が多い ・壊死性物質 ・腸瘻 ・一部の創傷被覆材または外用薬の残留物
粘性が低い （低粘度で流れやすい）	・静脈性またはうっ血性心疾患、栄養不良の場合はタンパク含有量が少ない ・尿瘻、リンパ瘻または関節腔瘻
においの意義	
不快	・細菌増殖または感染 ・壊死組織 ・洞／腸瘻または尿瘻

World Union of Wound Healing Societies（WUWHS）. Principles of best practice：Wound exudate and the role of dressings. A consensus document London: MEP Ltd, 2007.
日本褥瘡学会 編：在宅褥瘡テキストブック. 照林社, 東京, 2020：130. より引用

イントコフェリルの商品名はオルセノン®軟膏です。

滲出液が少ない場合のドレッシング材は、ハイドロコロイド（推奨度B）が勧められ、ハイドロジェルを用いてもよいとされています（推奨度C1）。ハイドロコロイドは、デュオアクティブ®、コムフィール、アブソキュア®-ウンドなどです。ハイドロジェルには、ビューゲル®、グラニュゲル®、イントラサイト ジェル システムなどの商品があります。

いずれにしても、滲出液が少ない場合は創が乾燥しないよう湿潤環境を維持できるドレッシング材を選択します。

難しい「ポケット」の治療をどう行う？

治りにくい褥瘡の代表的なものの1つがポケットのある褥瘡です。ポケットというのは「皮膚欠損部よりも広い創腔」のことで、皮下に思いのほか深く広く広がっている場合があります（図1）。

ポケットは発生メカニズムから大きく2つの型に分けられます（表1）。ポケットがある褥瘡では、ポケットがどのくらいの範囲に広がっているかをみることが最初のアプローチになります。ポケットのサイズはこれまで鑷子や綿棒などを使って測っていましたが、現在はP-ライトのような機器を使って測ることが勧められています。不用意に鑷子をポケット内に入れるとポケット内部の肉芽組織を傷つけてしまう恐れがあるからです。そのため、出血したり痛みを生じたり、肉芽の増生を阻むこともあります。P-ライトを用いてポケットを計測する方法を図2に示します。

保存的治療でポケットが改善しない場合は、外科的にポケットを切開するか陰圧閉鎖療法を

図1 ポケットのある褥瘡

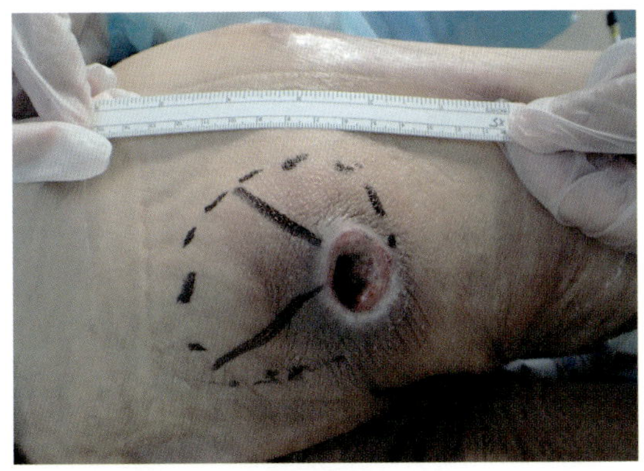

坐骨結節部の褥瘡治療目的で入院。直線はポケット切開を行う際のガイド

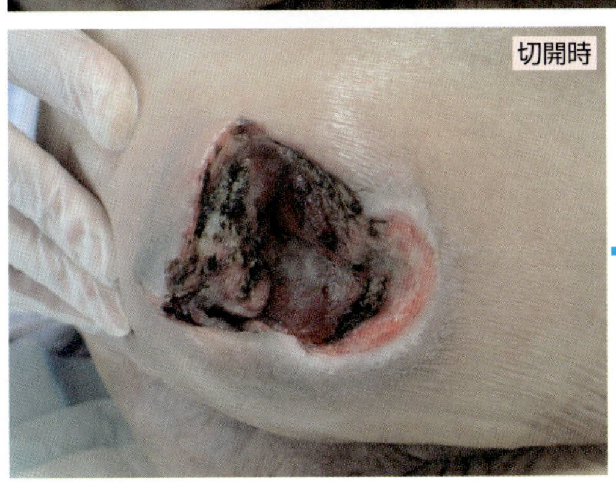

ポケット切開術翌日の状態。黒色部位は、電気メスにて止血した跡

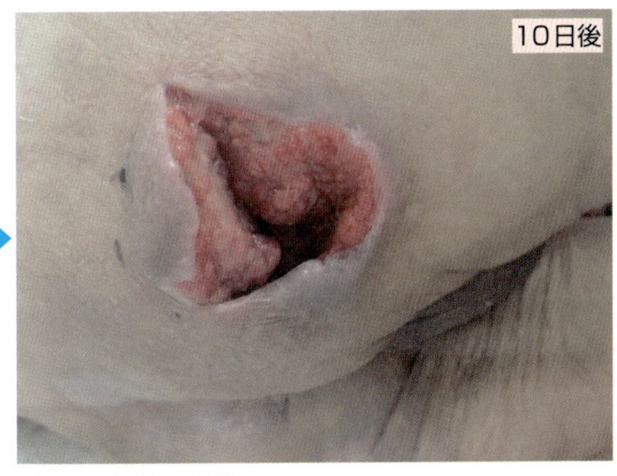

ポケット切開10日後

表1　ポケットの分類

初期型ポケット	深い褥瘡が発生した際に厚い壊死組織が時間の経過とともに融解し、排出された後にできるポケット
遅延型ポケット	褥瘡の治癒過程のなかで外力が加わったための組織にずれが生じ、これに圧と骨突出の複合力で壊死やポケットが形成される

図2　P-ライトを用いてポケットを計測する方法

入院翌日ポケット切開

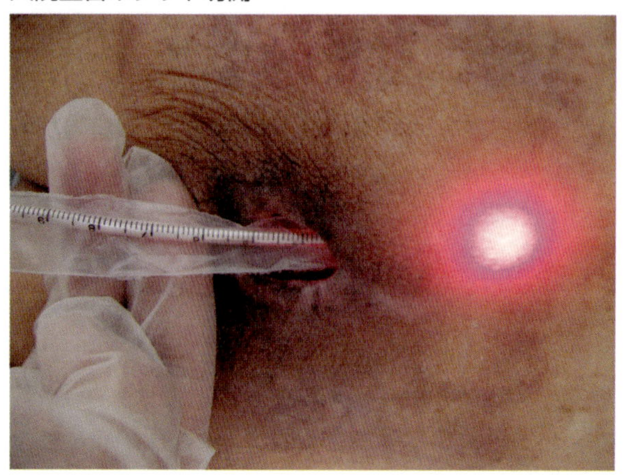

透過したライトが皮膚を通して明点になりポケット内腔が示される
(写真提供：大桑麻由美)

P-ライト（株式会社ベーテル・プラス）

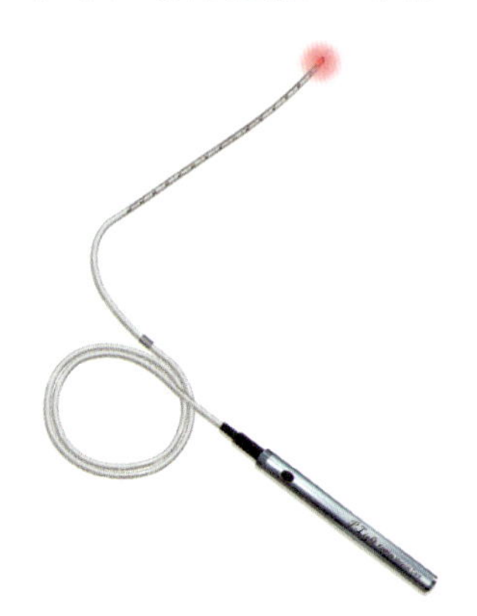

行います。それと同時に、圧迫・ずれ力を排除します。ポケット内に壊死組織が残っている場合は、外科的デブリードマンを行い、洗浄を十分に行って創面をきれいにします。外用薬を使用しての化学的デブリードマンも有効です。ブロメラインを用いて化学的デブリードマンを行うときは、周囲の健常な皮膚を白色ワセリンで保護します。ポケットにおいては、感染を引き起こすことが多いため周囲皮膚の発赤などに常に注意することが必要です。

『褥瘡予防・管理ガイドライン（第4版)』では、ポケットを有する褥瘡には、滲出液が多い場合は、アルギン酸塩、ハイドロファイバー®、アルギン酸Agなどのドレッシング材を用いてもよいとされています（推奨度C1)。ドレッシング材を使用する際に注意したいのは、ポケット内に深くドレッシング材を挿入しないこと、そして創を圧迫するような使い方をしないことです。

Part 7

褥瘡治療・ケアの カギを握るドレッシング材・外用薬の使い方

これだけは知っておきたい ドレッシング材の選び方

ドレッシング材は「創における湿潤環境形成を目的とした近代的な創傷被覆材をいい、従来のガーゼは除く」と定義されています（日本褥瘡学会）。ドレッシング材は、創傷を被覆することにより湿潤環境を維持して創傷治癒に最適な環境を提供します。現在、わが国で薬事上認可されている皮膚欠損用創傷被覆材の医療機器分類を表1に示します。

ドレッシング材には適応に応じて以下の6つの役割があります。①創面保護、②創面閉鎖と湿潤環境、③乾燥した創の湿潤、④滲出液吸収性、⑤感染抑制作用、⑥疼痛緩和、です。褥瘡の治癒過程に沿って、創の収縮や滲出液の減少に応じて適宜ドレッシング材を選択していくことが必要になります。

具体的には、前述の①創面保護、②創面閉鎖と湿潤環境、③乾燥した創の湿潤、④滲出液吸収性は、創傷被覆材の材料により使い分けます。⑤感染抑制作用のためには銀含有創傷被覆材を用います。⑥疼痛緩和は、湿潤環境を保持することで効果が得られます。さらに、ソフトシリコン粘着剤のドレッシング材は、除去時の疼痛軽減をもたらします。

『褥瘡予防・管理ガイドライン（第5版）』では、感染に対する銀含有ドレッシング材の有用性について以下のように言及しています。

CQ2 感染を有する褥瘡に銀含有ドレッシング材は有用か？
推奨文 感染を有する褥瘡に対して、銀含有ドレッシング材の使用を提案する
推奨の強さ 2D

感染を有する褥瘡に対して銀含有ドレッシング材を使用することは、感染制御効果を積極的に支持するものではないものの、ランダム化比較試験において創傷治癒の促進が認められていることから推奨するものとされました。

ドレッシング材は数日にわたって使用できることから、医療スタッフの労力の軽減につながるため、うまく使いこなすことが必要です。

それぞれの役割に応じたドレッシング材の種類と主な商品名を表2に挙げました。

1. 創面保護に適したもの

■ポリウレタンフィルム

［代表的な商品名］オプサイト®ウンド、バイオクルーシブ®、キュティフィルム®EX、3M™ テガダーム™ トランスペアレント ドレッシング、パーミエイド®S

透明または半透明のポリウレタンフィルムに耐久性のある粘着剤を塗布したドレッシング材です。創部からの滲出液によって湿潤環境を保持し、治癒環境を整えます。DTIが考えられる褥瘡で、創面保護の目的で使用できます。

2. 創面を閉鎖し、湿潤環境を形成するもの

■ハイドロコロイド

［代表的な商品名］デュオアクティブ®ET、3M™ テガダーム™ ハイドロコロイド ドレッシング、アブソキュア®-サジカル、レプリケア®ET

ハイドロコロイドは湿潤環境保持の効果が最

表1　創傷被覆・保護材一覧（市販製品）

医療機器分類（薬機法）		使用材料（業界自主分類）	保険償還名称・価格（診療報酬）	販売名	会社名（製造販売元／販売元）
分類	一般的名称				
外科・整形外科用手術材料	粘着性透明創傷被覆・保護材	ポリウレタンフィルム	技術料に包括	オプサイト® ウンド	スミス・アンド・ネフュー株式会社
				3M™ テガダーム™ トランスペアレント ドレッシング	スリーエム ジャパン株式会社
				バイオクルーシブ®Plus	ケーシーアイ株式会社*1
				キュティフィルム® EX	新タック化成株式会社／スミス・アンド・ネフュー株式会社
	非固着性創傷被覆・保護材	非固着成分コートガーゼ	特定保険医療材料 在009・II103・調013【非固着性シリコーンガーゼ】広範囲熱傷用：1080円/枚 平坦部位用：142円/枚 凹凸部位用：309円/枚	アダプティック® ドレッシング	ケーシーアイ株式会社
				トレックス®	富士システムズ株式会社
				トレックス®-C	
				メピテル®	メンリッケヘルスケア株式会社
				エスアイ・メッシュ	アルケア株式会社
	局所管理親水性ゲル化創傷被覆・保護材	親水性メンブラン	在008・II101・調012【皮膚欠損用創傷被覆材】真皮に至る創傷用 6円/cm^2	ベスキチン®W	ニプロ株式会社
	局所管理ハイドロゲル創傷被覆・保護材	ハイドロコロイド		デュオアクティブ®ET	コンバテック ジャパン株式会社
				3M™ テガダーム™ ハイドロコロイド ライト ドレッシング	スリーエム ジャパン株式会社
				アブソキュア®-サジカル	日東電工株式会社／株式会社ニトムズ
				レプリケア® ET	スミス・アンド・ネフュー株式会社
		ハイドロジェル		ビューゲル®	ニチバン株式会社／大鵬薬品工業株式会社
	局所管理フォーム状創傷被覆・保護材	ポリウレタンフォーム		ハイドロサイト®薄型	スミス・アンド・ネフュー株式会社
				メピレックス® ライト	メンリッケヘルスケア株式会社
				メピレックス®ボーダー ライト	
	抗菌性創傷被覆・保護材	ハイドロコロイド		バイオヘッシブ®Ag・ライト	アルケア株式会社
		親水性ファイバー		アクアセル®Ag BURN	コンバテック ジャパン株式会社
	二次治癒ハイドロゲル創傷被覆・保護材	ハイドロコロイド	在008・II101・調012【皮膚欠損用創傷被覆材】皮下組織に至る創傷用 標準型：10円/cm^2 異形型：35円/g	コムフィール	コロプラスト株式会社
				コムフィール プラス	
				デュオアクティブ®	コンバテック ジャパン株式会社
				デュオアクティブ® CGF	
				アブソキュア®-ウンド	日東電工株式会社／株式会社ニトムズ
				3M™ テガダーム™ ハイドロコロイド ドレッシング	スリーエム ジャパン株式会社
				レプリケア® ウルトラ	スミス・アンド・ネフュー株式会社
		ハイドロジェル		イントラサイト ジェル システム	
				グラニュゲル®	コンバテック ジャパン株式会社
				Sorbact® ジェルドレッシング	センチュリーメディカル株式会社
	二次治癒親水性ゲル化創傷被覆・保護材	親水性メンブラン		ベスキチン®W-A	ニプロ株式会社
		親水性ファイバー		アルゴダーム トリオニック	スミス・アンド・ネフュー株式会社
				カルトスタット®	コンバテック ジャパン株式会社
				アクアセル®	
				アクアセル® フォーム	
	二次治癒フォーム状創傷被覆・保護材	ポリウレタンフォーム		ティエール™	ケーシーアイ株式会社*1
				3M™ テガダーム™ フォーム ドレッシング	スリーエム ジャパン株式会社
				バイアテン®	コロプラスト株式会社
				バイアテン® シリコーン+	

＊1 ケーシーアイ株式会社は2021年3月にスリーエム ジャパン株式会社と組織統合されています。

（次頁につづく）

医療機器分類（薬機法）		使用材料（業界自主分類）	保険償還名称・価格（診療報酬）		販売名	会社名（製造販売元／販売元）
分類	一般的名称					
外科・整形外科用手術材料	二次治癒フォーム状創傷被覆・保護材	ポリウレタンフォーム	特定保険医療材料	在008･Ⅱ101･調012【皮膚欠損用創傷被覆材】皮下組織に至る創傷用 標準型：10円/cm² 異形型：35円/ g	ハイドロサイト® プラス	スミス・アンド・ネフュー株式会社
					ハイドロサイト® AD プラス	
					ハイドロサイト® AD ジェントル	
					ハイドロサイト® ライフ	
					メピレックス®	メンリッケヘルスケア株式会社
					メピレックス® ボーダーⅡ *2	
					メピレックス® ボーダー フレックス	
	抗菌性創傷被覆・保護材	親水性ファイバー			アクアセル®Ag	コンバテック ジャパン株式会社
					アクアセル®Ag強化型	
					アクアセル®Ag Extra	
					アクアセル®Agフォーム	
					アルジサイト Ag*2	スミス・アンド・ネフュー株式会社
		ポリウレタンフォーム			ハイドロサイト®銀*2	
					ハイドロサイト® ジェントル 銀	
					メピレックス® Ag	メンリッケヘルスケア株式会社
					メピレックスボーダー®Ag	
		ハイドロコロイド			バイオヘッシブ®Ag	アルケア株式会社
		ハイドロジェル			プロントザン	ビー・ブラウンエースクラップ株式会社
	深部体腔創傷被覆・保護材	セルロースアセテート			Sorbact® コンプレス	センチュリーメディカル株式会社
		親水性フォーム		在008･Ⅱ101･調012【皮膚欠損用創傷被覆材】筋・骨に至る創傷用 25円/cm²	ベスキチン®F	ニプロ株式会社
	親水性ビーズ	高分子ポリマー		Ⅱ105【デキストラノマー】145円/ g	デブリサン®ペースト	佐藤製薬株式会社
	陰圧創傷治療システム	ポリウレタンフォーム／ポリビニルアルコールフォーム		Ⅱ159【局所陰圧閉鎖処置用材料】20円/cm²	V.A.C.® 治療システム	ケーシーアイ株式会社*1
					InfoV.A.C.®治療システム	
					ActiV.A.C.®治療システム	
					V.A.C.Ulta®治療システム	
		コットン			RENASYS®創傷治療システム	スミス・アンド・ネフュー株式会社
		ポリウレタンフォーム		在013･Ⅱ159【局所陰圧閉鎖処置用材料】20円/cm²	RENASYS®創傷治療システム	
	単回使用陰圧創傷治療システム	ポリウレタンフォーム			SNaP®陰圧閉鎖療法システム	ケーシーアイ株式会社*1
		多層構造ドレッシング			PICO®創傷治療システム	スミス・アンド・ネフュー株式会社
		陰圧維持管理装置		在014・Ⅱ180【陰圧創傷治療用カートリッジ】19,800円（入院外のみ算定可）	SNaP®陰圧閉鎖療法システム	ケーシーアイ株式会社*1
					PICO®創傷治療システム	スミス・アンド・ネフュー株式会社
生体内移植器具	コラーゲン使用人工皮膚	コラーゲンスポンジ		Ⅱ102【真皮欠損用グラフト】452円/cm²	ペルナック®	グンゼ株式会社／コンバテック ジャパン株式会社
					ペルナック® Gプラス	
					テルダーミス®真皮欠損用グラフト	オリンパス テルモ バイオマテリアル株式会社／アルケア株式会社
					インテグラ真皮欠損用グラフト	センチュリーメディカル株式会社
		脱細胞組織			OASIS®細胞外マトリックス	クックメディカルジャパン合同会社

＊2 2022年8月現在販売終了
日本医療機器テクノロジー協会 創傷被覆材部会作成：創傷被覆保護材等一覧表（第29版）2020年9月1日改訂より引用

表2　役割に応じたドレッシング材の種類

機能	使用材料分類	主な商品名
創面保護	ポリウレタンフィルム	オプサイト®ウンド、バイオクルーシブ®、キュティフィルム®EX、3M™ テガダーム™ トランスペアレント ドレッシング、パーミエイド®S
創面閉鎖と湿潤環境	ハイドロコロイド	デュオアクティブ®ET、3M™ テガダーム™ ハイドロコロイド ライト、アブソキュア®-サジカル、レプリケア®ET
乾燥した創の湿潤	ハイドロジェル	ビューゲル®、グラニュゲル®、イントラサイト ジェル システム
滲出液吸収性	ポリウレタンフォーム	3M™ テガダーム™ フォーム ドレッシング、バイアテン® シリコーン+、ハイドロサイト®AD ジェントル、メピレックス®ボーダー フレックス
	親水性メンブラン	ベスキチン®
	親水性ファイバー	ソーブサン、アルゴダーム トリオニック、カルトスタット®、アルジサイトAg、アクアセル®Ag
感染抑制作用	親水性ファイバー	アクアセル®Ag、アルジサイトAg
	ポリウレタンフォーム	ハイドロサイト® ジェントル 銀、メピレックス®Ag
	ハイドロコロイド	バイオヘッシブ®Ag
疼痛緩和	ハイドロコロイド	コムフィール、デュオアクティブ®CGF、アブソキュア®-ウンド
	ポリウレタンフォーム	ハイドロサイト®AD ジェントル、メピレックス®ボーダー フレックス
	親水性ファイバー	アクアセル®、アクアセル®Ag
	親水性メンブラン	ベスキチン®W- A
	ハイドロジェル	グラニュゲル®

日本褥瘡学会編：在宅褥瘡テキストブック．照林社，東京，2020：120．より引用

図1　ハイドロコロイドの構造

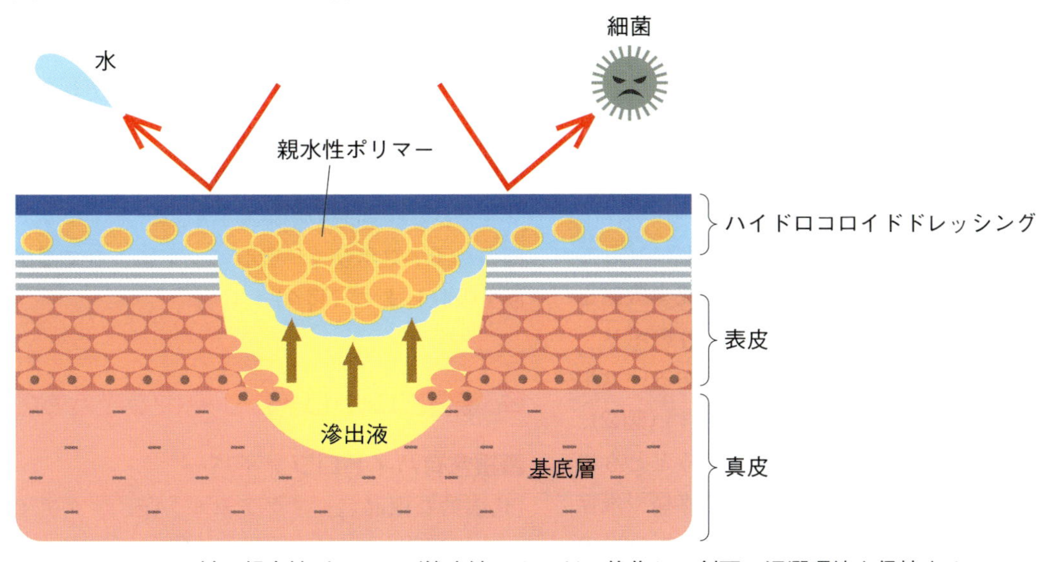

ハイドロコロイド材の親水性ポリマーが滲出液によりゲル状化し、創面の湿潤環境を保持する

日本褥瘡学会編：褥瘡ガイドブック-第2版．照林社，東京，2015：37．より引用

も期待できるドレッシング材です。一般に、「粘着層」と「防水加工された外層」の2重構造になっています（図1）。粘着層は疎水性ポリマーと親水性ポリマーがブレンドされた物体です。疎水性ポリマーは粘着性を、親水性ポリマーは吸水性を有しています。そのため、閉鎖

図2　ハイドロジェルの構造

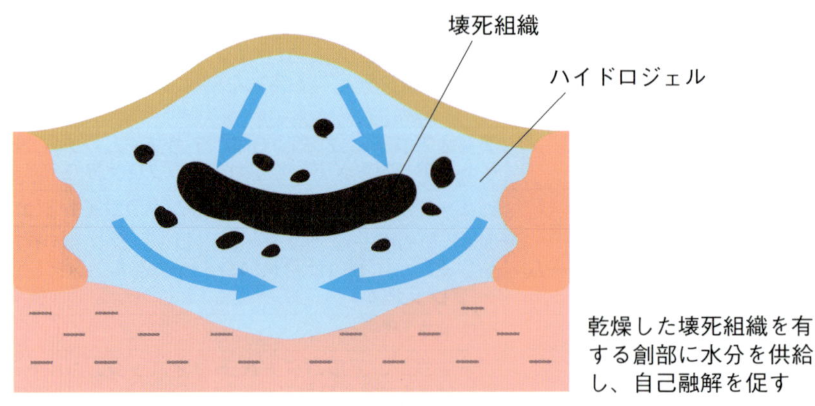
壊死組織
ハイドロジェル
乾燥した壊死組織を有する創部に水分を供給し、自己融解を促す

日本褥瘡学会編：褥瘡ガイドブック-第2版. 照林社, 東京, 2015：37. より引用

され湿潤した環境をつくることができます。創周囲の皮膚はハイドロコロイド材の貼付により汚染を予防でき、皮膚を健常に保ちます。滲出液は親水性ポリマーによって吸収され、吸水した部分はゲル化します。過剰な滲出液を吸収する機能はないため、滲出液の多い創には適していません。

3. 乾燥した創を湿潤させるもの

■ハイドロジェル

［代表的な商品名］ビューゲル®、イントラサイト ジェル システム

乾燥した壊死組織に覆われた創などに対して水分によって軟化させて自己融解を促す機能をもっています。親水部分をもつ不溶性のポリマーで、大部分は水で構成された透明あるいは半透明のジェル状のドレッシング材です（図2）。シート状のものは湿潤環境を維持するとともに速やかな冷却作用が認められるため疼痛や炎症の緩和も期待されます。チューブ入りのものは、デブリードマン効果、上皮形成の促進、また疼痛緩和作用も期待できます。

4. 滲出液を吸収し保持するもの

■ポリウレタンフォーム

［代表的な商品名］テガダーム™ フォーム ドレッシング、バイアテン シリコーン＋、ハイドロサイト®AD ジェントル、メピレックス®ボーダー フレックス

親水性ポリマーを含有し滲出液をスピーディに吸収し創周囲の浸軟を防ぎます。創の湿潤環境を保ちドレッシング材の溶解や残渣物を創面に残しません。吸い上げた滲出液は後戻りしないような工夫がされています。ポリウレタンフォームの構造を図3に示しました。ハイドロポリマーは、中間層の不織布吸収シート、パッド部のハイドロポリマー吸収パッドによって滲出液を吸収します（図4）。

5. 感染コントロールが期待できるもの

■銀含有ハイドロファイバー®

［代表的な商品名］アクアセル®Ag、アクアセル®Agフォーム

創を湿潤環境に保持しながら、創底部には低濃度の銀イオンが放出されるものです。銀イオンには抗菌作用があります。細菌を含む滲出液を内部に留めて、創部への逆戻りを抑えます。

図3　ポリウレタンフォームの構造

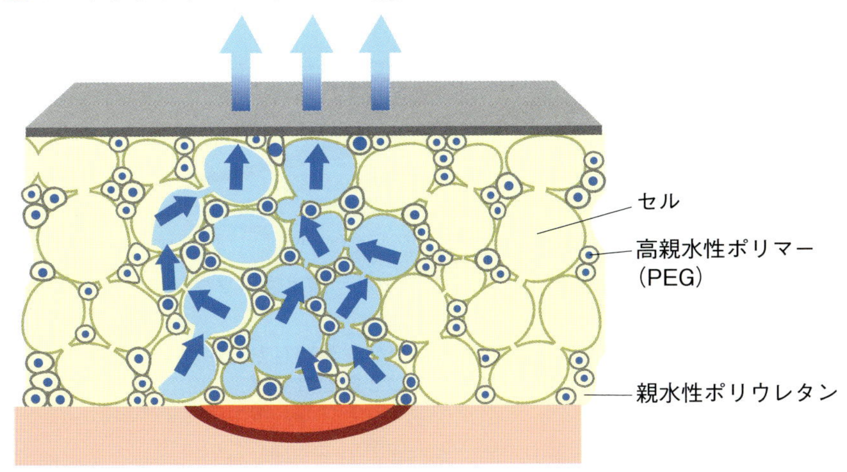

吸収された滲出液は上層部のセルに移動し、横に広がりにくい

日本褥瘡学会編：褥瘡ガイドブック-第2版．照林社，東京，2015：40．より引用
(資料提供：スミス・アンド・ネフュー株式会社)

図4　ハイドロポリマーの構造

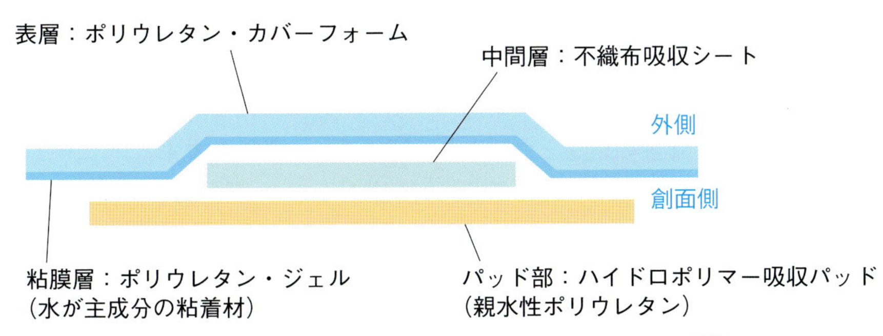

日本褥瘡学会編：褥瘡ガイドブック-第2版．照林社，東京，2015：41．より引用

6．疼痛を緩和できるもの

■ポリウレタンフォーム／ソフトシリコン

［代表的な商品名］ハイドロサイト®ADジェントル、メピレックス®ボーダー フレックス

ドレッシング材によって疼痛を除去することはできません。ただ、創面を適切な湿潤環境に保持することによって、疼痛緩和の効果が期待できます（図5）。

7．創の清浄化を目的としたもの

［代表的な商品名］アクアセル®Agアドバンテージ、プロントザン

創傷管理の新しい概念「創傷衛生（Wound hygiene）」で指摘された創面に付着したバイオフィルムを効果的に除去するために推奨された界面活性剤を含んだ創傷洗浄剤、ならびに抗菌性を備えたドレッシング材が開発されています。

図5　ポリウレタンフォーム／ソフトシリコンの構造

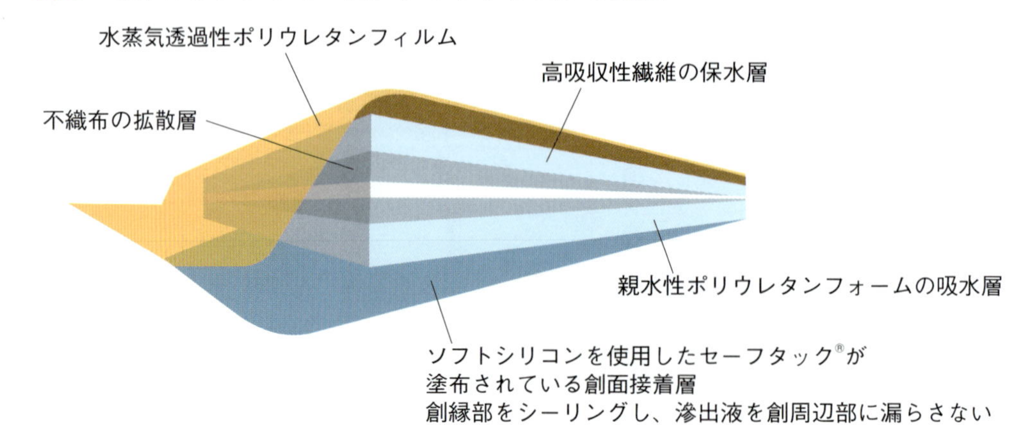

日本褥瘡学会編：褥瘡ガイドブック-第2版. 照林社, 東京, 2015：42. より引用
（資料提供：メンリッケヘルスケア株式会社）

7.「ラップ療法」について

一時さまざまなところで騒がれたいわゆる“ラップ療法”に対しては、日本褥瘡学会が一定の見解を出しています。同学会が定めるいわゆる“ラップ療法”の定義は「非医療機器の非粘着性プラスチックシート（たとえば、食品包装用ラップなど）を用い、体表の創傷を被覆する処置を総称する」というものです。『褥瘡予防・管理ガイドライン（第5版）』では、その使用について以下のように説明しています。

「褥瘡治療にあたっては医療用として認可された創傷被覆材の使用が望ましい。非医療用材料を用いた、いわゆる“ラップ療法”は医療用として認可された創傷被覆材の継続使用が困難な療養環境において使用することを考慮してもよい。ただし、褥瘡の治療について十分な知識と経験をもった医師の責任のもとで、患者・家族に十分な説明をして同意を得たうえで実施すべきである」

8. ドレッシング材の交換について

ドレッシング材は、滲出液がどの程度付着しているかをよく観察して交換のめやすとします。通常は、滲出液がドレッシング材の端1〜1.5cmまで到達しているのを観察したら交換します。適切な交換時期は、ドレッシング材の種類によって異なります。

ドレッシング材交換時の観察点を表2に示します。

また、初めてドレッシング材を使用する場合は、連続して7日間貼付が可能なものであっても、2〜3日以内に創を見て判断します。判断の基準は、滲出液の状態や感染徴候などです。

表2　ドレッシング材交換時の観察点

- 創の滲出液の量
- 創の肉芽の色調、壊死組織の有無
- 創の乾燥の有無
- 創周囲皮膚が浸軟していないか
- 滲出液の色やにおい
- ドレッシング材がめくれたり剥がれたりしていないか

傷には、ドレッシング材

歳をとると皮膚の乾燥等もあり、小さな傷をつくることがよくありますね。私の場合、紙で指を切るなど、知らない間に傷をつくっています。そんなときには、すぐに机の片袖に入れているドレッシング材を貼ります。止血効果、痛みを取り除く効果、傷をきれいに治す効果があって、私には万能アイテムです。

先ごろ、とても恥ずかしいことに、空港で転んでしまいました。タラップを降りて、バスに乗りターミナルに移動する際、最後のステップで、どうしたのかヒールのかかとが階段に引っかかり、そのまま両膝・両手をついて転びました。すぐに立ち上がれたのでよかったのですが、膝が折れていたら……と思うと、ぞっとします。

しかし、それからが悲しかったのです。トイレに駆け込み、手・膝を洗い、流れる血をぬぐい、すぐに訪問先の会社のＭさんに電話をしました。ちょうどその日、打ち合わせの予定でした。「すみません、空港で転びました。アロンアルファとドレッシング材を準備していただくことはできますか？」と。

羽田空港から１時間程度でその会社に着きました。この間、私が思っていたことは、「痛い、ひりひりする。早くドレッシング材を貼りたい。痛い、痛い！……」でした。会社に着くやいなや、処置をしました。やはりドレッシング材は私の頼みの綱です。痛みは嘘のように消え、「ドレッシング材は裏切らない」と再確認しました。

創傷ケアにおいてドレッシング材を使用することの効果は、医療従事者には浸透してきています。しかし、一般の方はどの程度知っておられるのだろうか？　と思います。きずパッドなどの商品で徐々に知られてきていると思いますが、もっと多くの方に知っていただくといいなあ～と思いました。

こうして私の両膝すりむき事件は終わろうとするのですが、実は帰りの道中も恥ずかしかったのです。すれ違う人みんなが私の両膝を見ているように思えて……。エスアイエイド®という商品を両膝に、「どうだ！」と言わんばかりに貼っていたのでした。

ドレッシング材の使い方の基本

ドレッシング材を使用するにあたっては、いくつかの原則があります。

まず、ドレッシング材は基本的に**「感染創には使用しない」**ことです。感染創は、発赤・腫脹・熱感・疼痛などの感染徴候を示しています。感染創をドレッシング材によって閉鎖すると感染性の滲出液が停留してしまい、さらに病原微生物を増殖させてしまいます。そのため、感染創や感染リスクの高い時期には閉鎖性のドレッシング材はけっして使用しないようにします。創が湿潤状態になるということは治癒を促進する一方、細菌にとっても増殖しやすい環境になっているということです。その場合は、表1に示したような感染コントロールを優先することが重要です。

もう一つは、**「ドレッシング材の交換を適切に行う」**ことです。言い換えれば、「ドレッシング材は長くもたせることを目的としない」ことです。

ドレッシング材は、滲出液の量に応じて数日に一度、最長で1週間以内に交換します。ドレッシング材の交換を適切に行うことで、良好な湿潤環境が保持できます。良好な湿潤環境のめやすは、肉眼的に創面が潤い皮膚が浸軟していない状態です。交換の時期を逸しないためにも創の的確なアセスメントは常時必要です。そして、創の状態は常に変化していくため継続的に評価をしていく必要があります。吸水性の高いドレッシング材を使用することによって貼付できる期間を調整することは可能です。

さらに、**「創周囲の皮膚の感染症にも注意する」**ことは大切です。皮膚が真菌感染などを起こしていると湿潤環境によって症状が悪化してしまいます。ドレッシング材貼付部位の皮膚が健常であることを確認しましょう。

こうした原則に基づいてドレッシング材を選択し、適切に使用していくことが大切です。

表1　感染創の局所管理の原則

①排膿および滲出液のドレナージ
②壊死組織の除去
③創洗浄
④抗菌薬の適正使用

外用薬が効くメカニズムを知って効果的に使用する

外用薬にはさまざまな種類がありますので、その薬理作用を知って、創の状態に沿った適切な使い方をする必要があります。まず、**外用薬は「主薬」と「基剤」からできている**ことを理解しましょう（図1）。「主薬」というのは薬効成分のことで、ステロイド、抗生物質など薬剤の効果を発揮する部分です。一方、「基剤」には薬効はありません。配合されている薬剤が効果を表すように、薬剤を保持する役割をもっています。創の治癒において湿潤環境が重要であることはすでに何度も述べてきましたが、湿潤環境の保持に「基剤」の役割は欠かせません。創傷は表皮が欠損している場合が多いので、外用薬は創面に直接塗布されるため、基剤は特に大切です。外用薬を選択する際には、主薬と同時に基剤についてよく知っておく必要があります。

1．基剤の特徴と分類

基剤は「疎水性基剤」と「親水性基剤」に分けられます（図2）。「疎水性基剤」は「油脂性基剤」ともいわれ、油分だけでできていて水となじみません。そのため、少量の滲出液を創面にとどめておくことができ、保湿効果、創の保護効果が期待できます。創の上皮化に使われる基剤です。

水と親和性の高い「親水性基剤」は、さらに「**乳剤性基剤**」と「**水溶性基剤**」に分けられます。「乳剤性基剤」は、水と油を界面活性剤で混(こん)じたもので、「**水中油型（O/W型）**：水分の中に油を含むもの」と「**油中水型（W/O型）**：油分の中に水分を含むもの」に分けられます。

「水中油型（O/W型）」は、乾燥した創面に水分を補給するもので、滲出液の少ない乾燥した創面が適応になります。「油中水型（W/O型）」は含有する水分が少なく補水機能は弱いため滲出液が適正な創に用いられます。

「水溶性基剤」は、水分を吸収して溶解するものです。滲出液を吸収しますので、滲出液の多い創に適しています。基剤による外用薬の分類とその主な種類を表1に示しました。

図1　外用薬の構成（主薬と基剤）

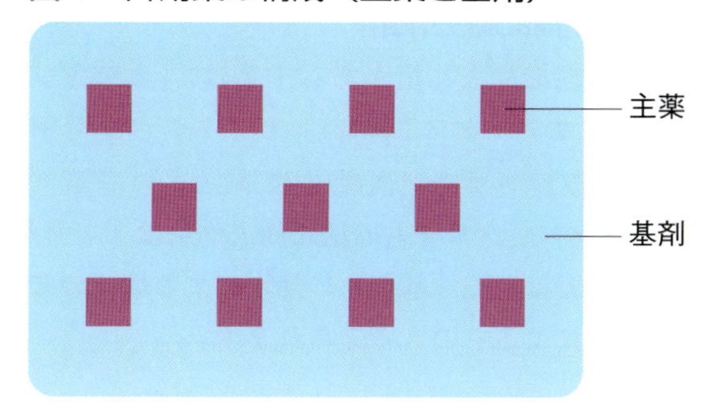

図2　基剤の分類

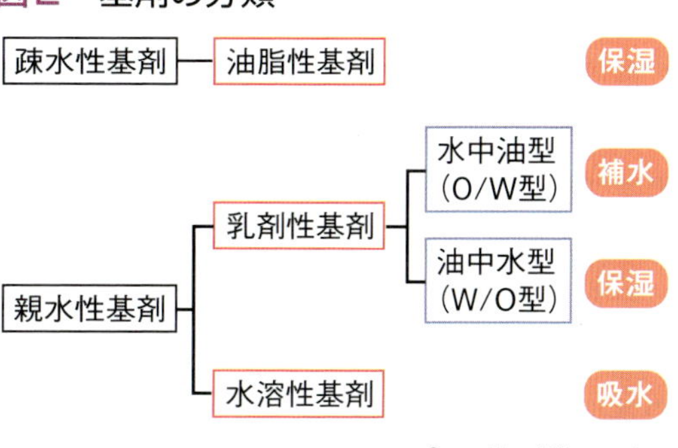

表1　外用薬の基剤による分類と機能

分類			基剤の機能	基剤の種類	外用薬（代表的な製品）
疎水性基剤	油脂性基剤		保湿 油脂性基剤 保湿 滲出液の量 適正	白色ワセリン、 精製ラノリン プラスティベース	亜鉛華軟膏 アズノール®軟膏 プロスタンディン®軟膏
親水性基剤	乳剤性基剤	水中油型（O/W型）	補水 乳剤性基剤（O/W） 補水 滲出液の量 少	多種類の添加物による乳剤性軟膏	オルセノン®軟膏、 ゲーベン®クリーム
		油中水型（W/O型）	保湿 乳剤性基剤（W/O） 保湿 滲出液の量 適正	多種類の添加物による乳剤性軟膏	リフラップ®軟膏※、 ソルコセリル®軟膏
	水溶性基剤		吸水 水溶性基剤 吸水 滲出液の量 多	マグロゴールなど	アクトシン®軟膏、 カデックス®軟膏、 ブロメライン軟膏、 ユーパスタコーワ軟膏

※リフラップ®軟膏は2020年3月に終売

髙橋眞一：外用薬－“これだけ知って”選択の基準．褥瘡・創傷のドレッシング材・外用薬の選び方と使い方 第2版．照林社，東京；2021：31．を元に作成

2．主薬の特徴と種類

褥瘡に使われる外用薬の主薬に期待される薬効は次のようなものです。①壊死組織の除去作用、②抗菌作用、③肉芽形成・上皮化作用、④その他の作用。

それらの薬効に応じて、DESIGN-R®2020の「大文字」を「小文字」にしていくような薬剤の選択と使用をしていく必要があります。つまり、①壊死組織の除去作用は「N→n」、②抗菌作用は「I→i」、③肉芽形成は（G→g）、上皮化作用の結果「S→s」となります。

①壊死組織の除去作用

壊死組織除去作用がある主薬は、「カデキソマー（カデックス®軟膏）」と「タンパク分解酵素（ブロメライン軟膏）」です。

ゲーベン®クリームの壊死除去作用は「主薬」のためではなく「基剤」の補水による壊死の融解促進によるものと考えられます。

表2　褥瘡に用いられる外用薬の作用別分類

一般名	代表的な商品名	剤形	基剤の特徴	作用			
				抗菌	壊死組織除去	肉芽形成	上皮形成
精製白糖・ポビドンヨード	ユーパスタコーワ軟膏	水溶性基剤	吸水	○	○	○	
カデキソマー・ヨウ素	カデックス®軟膏	水溶性基剤	吸水	○	○		
ヨウ素軟膏	ヨードコート®軟膏	水溶性基剤	吸水	○			
ヨードホルム	ヨードホルムガーゼ	―	―	○	○		
スルファジアジン銀	ゲーベン®クリーム	乳剤性基剤（水中油型）	補水	○	○		
ブロメライン	ブロメライン軟膏	水溶性基剤	吸水		○		
デキストラノマー	デブリサン®ペースト	水溶性基剤	吸水		○		
トラフェルミン	フィブラスト®スプレー	―	―			○	○
トレチノイントコフェリル	オルセノン®軟膏	乳剤性基剤（水中油型）	補水			○	○
ブクラデシンナトリウム	アクトシン®軟膏	水溶性基剤	吸水			○	○
アルプロスタジル アルファデクス	プロスタンディン®軟膏	油脂性基剤	保湿			○	○
ジメチルイソプロピルアズレン	アズノール®軟膏	油脂性基剤	保湿				○
酸化亜鉛	亜鉛華軟膏	油脂性基剤	保湿				○

日本褥瘡学会編：在宅褥瘡テキストブック．照林社，東京，2020：127．より引用

②抗菌作用

抗菌作用のある主薬は、ヨウ素・ヨードなどの「ヨード系化合物」（カデックス®軟膏、ヨードコート®軟膏、ユーパスタコーワ軟膏）と「銀」を含むもの（ゲーベン®クリーム）です。

③肉芽形成・上皮化作用

肉芽形成促進作用、上皮化促進作用をもつ主薬はたくさんあります。

褥瘡外用薬の作用別分類を一覧表に示しました（表2）。このような基剤と主薬の効果を理解したうえで、適切な外用薬を選択することが必要です。外用薬をたっぷりと（厚さ約3mm程度）塗布し、滲出液の状況を踏まえて1日1回以上の塗布を行います。

3．最新ガイドラインでの取り扱い

『褥瘡予防・管理ガイドライン（第5版）』では、以下のように「創の大きさ」について、皮膚潰瘍治療薬全般の有用性を提示しています。

CQ1　褥瘡の大きさを縮小させるための外用薬として皮膚潰瘍治療薬は有用か？

推奨文　褥瘡の大きさを縮小させるための外用薬として皮膚潰瘍治療薬を推奨する　推奨の強さ 1B

外用薬は薬効成分や基剤の違いによりそれぞれが特性を有しており、褥瘡に対して皮膚潰瘍治療薬を使用する場合は創部の状態に応じて選択することが望ましい、とされています。「滲出液の量」、「肉芽形成の状態」、「感染の状態」は、文献上はエビデンスが十分示されていないものの、言うまでもなく皮膚潰瘍治療薬を選択する際に考慮すべき重要な項目であり、将来的にエビデンスが充足した場合は本臨床課題の主要アウトカムとして推奨度をつけて採用すべき項目である、と明示されています。

褥瘡対策に加わった「薬学的管理」とは

令和４年度（2022年度）診療報酬改定により、褥瘡対策チームが記載する「褥瘡対策に関する診療計画書」に、「薬学的管理に関する事項」と「栄養管理に関する事項」の２点が追加され、必要に応じて薬剤師や管理栄養士が褥瘡対策チームに介入することになりました。

「薬学的管理に関する事項」では、以下の２点について確認し必要に応じて薬剤師と連携して薬学的管理計画書を作成・記載することが求められています。

1.「褥瘡の発生リスクに影響を与える可能性がある薬剤の使用」の有無
2. すでに褥瘡を有する患者の場合に「薬剤滞留の問題」の有無

上記２の「薬剤滞留が特に問題」となるような「褥瘡の状態」としては、以下のようなものが考えられます。

1. DESIGN-R®2020「D3」以上（NPUAP分類 Ⅲ度以上）
2. 深い褥瘡が発生した後にポケットが形成されている場合
3. 創が変形している場合
4. 皮膚のたるみやずれにより創が移動し、創面が擦（す）れている場合

薬剤滞留は、痛みに耐えるための安楽な体位や姿勢を保持することによっても起こり得ます。疑義解釈では、薬剤滞留が問題となる状態について「例えば、創の状態や外用薬の基剤特性の不適合等により、薬剤が創内に滞留維持できていないこと等が想定される。」としています。

具体的には、創部の形態が複雑な場合、あるいは加齢による皮膚のたるみや外力（圧迫やずれ）によって創の形態が大きく変化し、使用した外用薬が必要な部位（創内）に滞留できない場合が考えられます。

褥瘡のある患者に薬学的管理が必要と判断された場合の薬学的管理計画としては、皮膚褥瘡外用薬学会（代表・古田勝経）が以下のような具体例を示しています。

薬学的管理計画の記載例

- 感染コントロールなど全身管理を実施する
- 輸液や経腸栄養を用いた栄養管理を実施する
- 薬効・基剤に考慮した外用薬の選択や薬剤の適正使用を実施する
- 薬剤滞留の問題を考慮した薬剤の適正使用を実施する（薬剤滞留を考慮した対策）

皮膚褥瘡外用薬学会：褥瘡対策における『薬学的管理に関する事項』に関する当学会の見解 2022年4月1日．より引用

Part 8

褥瘡をやさしくケアするスキンケアと失禁への対応

皮膚のしくみを知ると わかりやすいスキンケアの原則

スキンケアとは、皮膚の生理機能を良好に維持、または向上させるために行うケアのことです。日本褥瘡学会ではスキンケアとして表1のようなものを挙げています。

スキンケアには、褥瘡予防のための「**予防的スキンケア**」と、褥瘡発生後の「**治療的スキンケア**」があります。予防的スキンケアは、脆弱な皮膚の低下した生理機能を補うスキンケアです。治療的スキンケアは、褥瘡治癒を促進する環境調整、創傷ケアを応用したスキンケアです。この2つは実際には完全に独立しているわけではありません。褥瘡発生後、治療のためのスキンケアを行うと同時に、予防のためのスキンケアは継続して行わなければなりません。

スキンケアを行う際には、皮膚のしくみを知って、効果的なケアを行う必要があります。

皮膚は、表皮、真皮、皮下組織から構成されています（図1）。皮膚は外界から身体を保護するバリア機能を持っており、バリア機能の破綻がさまざまな弊害を招くことになります。表皮の保湿には、表皮脂質、角質細胞間脂質（セラミド）、天然保湿因子（NMF：natural moisturizing factor）が重要なはたらきをしています。

外界からの細菌や真菌の侵入を防いでいるのは皮膚の表面に生息している細菌群です。細菌が定着した皮膚は、表皮の皮脂膜によってpH4.5～6.0程度に保たれています。このバリア機能が破綻すると病原性細菌の増殖が促され、感染リスクが高まります。感染予防のためにも、ドライスキンや浸軟、表皮の欠損を予防するスキンケアが重要になります。

健康な皮膚を維持するためには、皮膚の5つの生理機能を保つ必要があります（表2）。

開放創である褥瘡は周囲の皮膚と連続しているため、創周囲皮膚の洗浄は褥瘡管理においても重要な役割をもっています。

表1　スキンケアとは

洗浄	皮膚から刺激物、異物、感染源などを取り除く
被覆	皮膚と刺激物、異物、感染源などを遮断したり、皮膚への光熱刺激や物理的刺激を少なくする
保湿	角質層の水分を保持する
水分の除去	皮膚の浸軟を防ぐ

図１　皮膚の構造とバリア機能の破綻

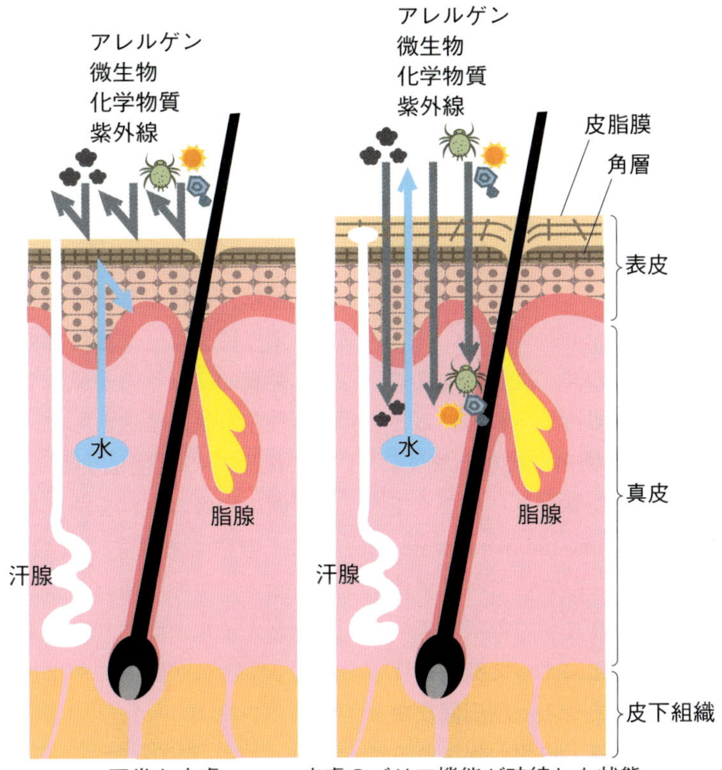

中川ひろみ：褥瘡のスキンケア．褥瘡治療・ケアトータルガイド．照林社，東京，2009：167．を元に作成

表２　健常な皮膚の５つの機能

①保湿機能	角質細胞間脂質、皮脂、天然保湿因子による角質層水分保持機能によって皮膚の潤いを保つ
②温度調節機能	環境温度の変化に伴って、寒いときは立毛筋が収縮して熱放散を防ぎ、暑いときは汗線から汗を分泌して熱を放散し体温を下げる
③緩衝作用	皮脂膜によって有害物質の侵入を防ぎ、pHを酸性に保ち、抗菌作用を発揮する
④免疫機構への関与	種々のサイトカインを産生・分泌して免疫反応に関与する
⑤ボディイメージをつくる	心理的な影響を受けて、皮膚に触れることで自律神経系に影響し、成長発達を促す

田中秀子：スキンケアにおける看護師の役割．スキンケアガイドブック．照林社，東京；2017：2．を元に作成

褥瘡周囲皮膚と創部の洗浄方法

1. 創周囲の洗浄

褥瘡周囲の皮膚は、表面の汗、皮脂に加えて空気中のほこりなどによって汚染されていると同時に、創からの滲出液や細菌が接触します。褥瘡周囲の皮膚は肉眼では浸軟が見られなくても経皮水分蒸散量値（transepidermal water loss：TEWL）が高い値を示していてバリア機能が低下していることがあります。褥瘡治癒のためには、皮膚の正常な角化によって健常な皮膚が形成されなくてはなりません。創周囲皮膚を洗浄すると角化細胞による上皮化が促されるため、褥瘡周囲皮膚の洗浄が大事になってきます。

洗浄剤には石けんと合成洗剤があります。洗剤を使うか石けんを使うかは皮膚の状態によります。その例を表1に示しました。『褥瘡予防・管理ガイドライン（第5版）』では、創周囲皮膚の洗浄について以下のように記載されています。

「皮膚の生理機能を正常に保つことが創周囲からの上皮化を妨げないとするならば、石鹸より弱酸性の洗浄剤、さらに皮膚保護成分配合の洗浄剤を選択することが望ましいといえる。なお、褥瘡周囲皮膚の洗浄時に創内に入った皮膚洗浄剤は、生理食塩水や微温湯などの創部用の洗浄液で洗い流すとよい。」

ただし、弱酸性洗浄剤が創傷治癒の促進に有効であるという明確なエビデンスがあるわけではありません。高齢者のように皮脂量が減少している場合は、アルカリ性洗浄剤（石けん）よりも皮脂量の喪失が少ない弱酸性洗浄剤のほうがよいといえるでしょう。

洗浄は、石けんや洗浄剤を泡立てて、摩擦しないようにグローブを付けて皮膚を擦らないように愛護的に行うのが原則です。泡はクッションの役割を果たすとともに、泡立てることによって洗浄剤の残留は少なくなります（図1）。創周囲の皮膚の汚れを清浄クリームを使って取り除く方法もあります（図2）。清浄クリームは天然オイルで、汚れを浮き上がらせることで汚れとオイルが混じり合います。拭き取ることによって汚れが除去できます（図3）。

2. 創部の洗浄

創周囲皮膚を洗浄する際、創部に入ってしまった洗浄剤は洗い流さなければならないことは前述しました。それでは、**創内部を洗浄**するときはどうでしょう。これまでは**洗浄剤では行わない**ことが原則とされてきました。つまり、創内の洗浄は、**基本的に生理食塩水か水道水で洗浄する**ものとされてきました。洗浄の目的は、創表面に付着した細菌類の数を減らすことです。『褥瘡予防・管理ガイドライン（第4版）』では、「十分な量の生理食塩水または水道水を用いて洗浄する（推奨度C1）」となっています。NPUAP/EPUAPガイドライン（2009年）でも、壊死組織のない褥瘡に対して生理食塩水または水道水の使用を認めています。洗浄液の温度は患者が冷たいと感じない程度の38℃くらいの微温湯が望ましいでしょう（図4）。

ただし、**明らかに感染があると認められている創に対しては、殺菌作用のある洗浄剤を使用する**ことが認められています。

特にバイオフィルムなどが想定される場合は、

表1　洗浄剤・石けんの使い分け（製品は一例）

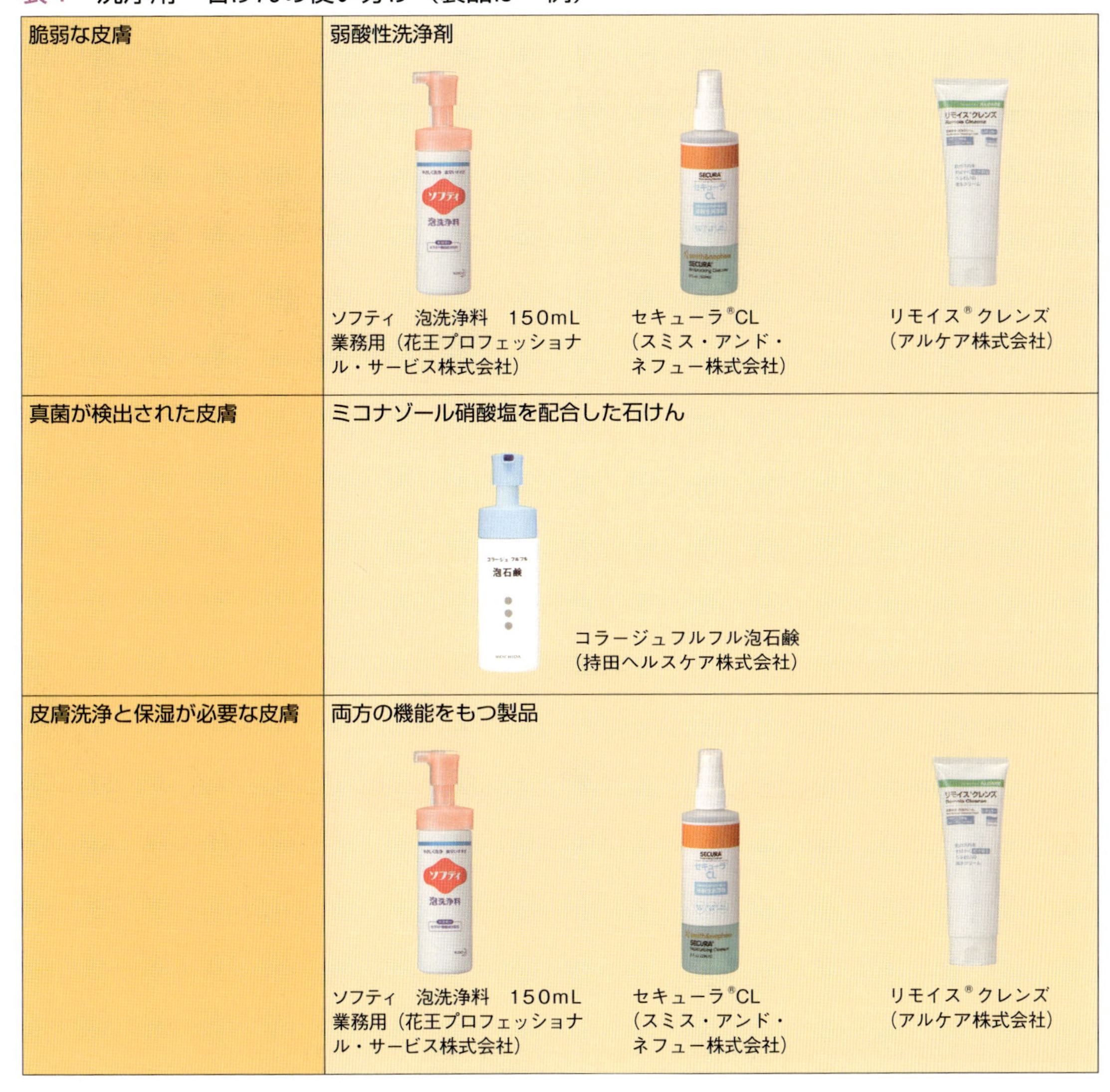

脆弱な皮膚	弱酸性洗浄剤 ソフティ　泡洗浄料　150mL　業務用（花王プロフェッショナル・サービス株式会社） セキューラ®CL（スミス・アンド・ネフュー株式会社） リモイス®クレンズ（アルケア株式会社）
真菌が検出された皮膚	ミコナゾール硝酸塩を配合した石けん コラージュフルフル泡石鹸（持田ヘルスケア株式会社）
皮膚洗浄と保湿が必要な皮膚	両方の機能をもつ製品 ソフティ　泡洗浄料　150mL　業務用（花王プロフェッショナル・サービス株式会社） セキューラ®CL（スミス・アンド・ネフュー株式会社） リモイス®クレンズ（アルケア株式会社）

図1　褥瘡周囲皮膚の洗浄方法（洗浄剤を使って洗う場合）

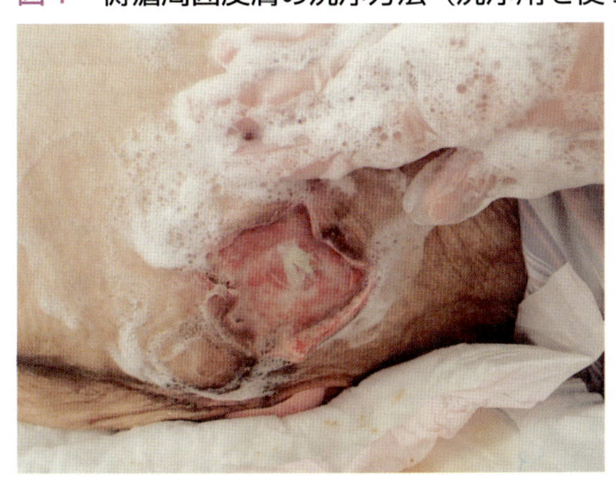

あらかじめ洗浄剤を十分泡立て、創周囲皮膚に泡をのせるように置き、周囲皮膚を愛護的に洗浄する。創内は洗浄剤では洗わない

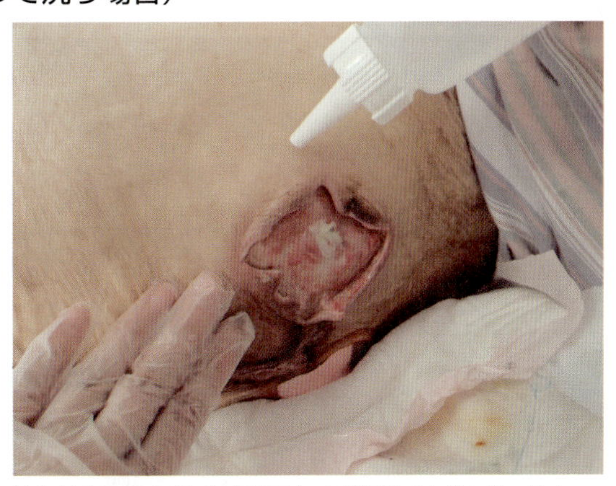

洗浄剤を38℃ほど（人肌程度）の微温湯で十分に洗い流す

図2 褥瘡周囲皮膚の汚れを清浄クリームで取り除く場合

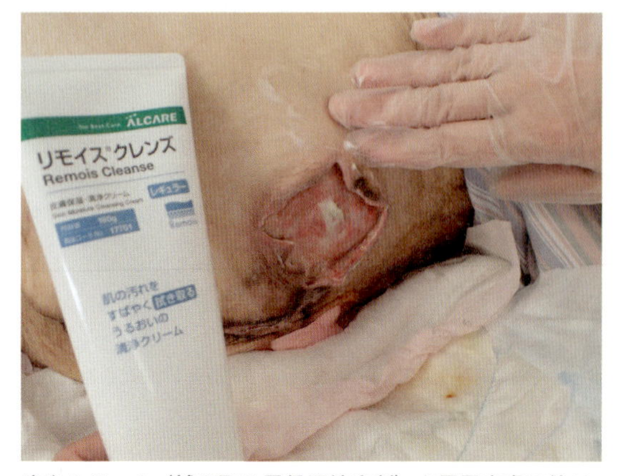
ALCARE
リモイス®クレンズ
Remois Cleanse
レギュラー
肌の汚れを
すばやく拭き取る
うるおいの
清浄クリーム
清浄クリーム（拭き取り用保湿洗浄剤）を周囲皮膚に塗り、創周囲の汚れを浮き上がらせる

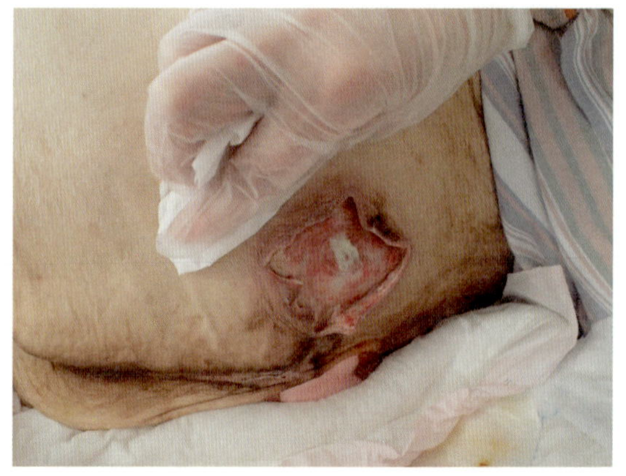
不織布など柔らかい材質のもので清浄クリームを拭き取る

図3 清浄クリームによる洗浄の様子

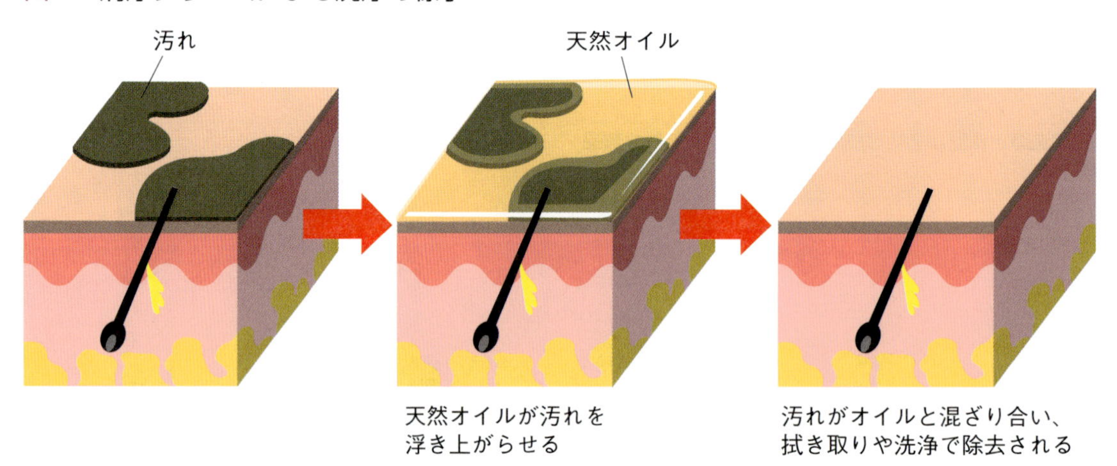
汚れ
天然オイル
天然オイルが汚れを
浮き上がらせる
汚れがオイルと混ざり合い、
拭き取りや洗浄で除去される

中川ひろみ：褥瘡のスキンケア．褥瘡治療・ケアトータルガイド．照林社，東京，2009：171．より引用

図4 創内部洗浄は原則的に微温湯を

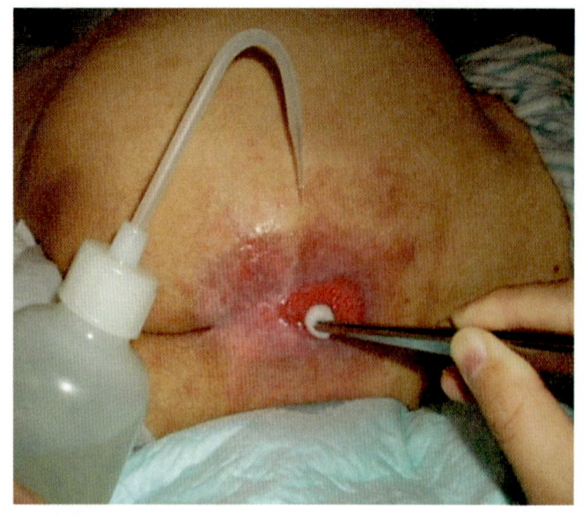
（写真提供：切手俊弘）

Wound hygiene（創傷衛生）の「cleanse：洗浄」の項で、これまで行われていた創の洗浄方法では不十分であることが指摘されています。生理食塩水や微温湯を用いた流水による洗浄では、創面に付着したバイオフィルムや創面をコーティングするように付着しているタンパク質成分の異物を除去することができないからです。そのため、創の中も界面活性剤を含んだ創傷洗浄剤で強く洗うことが推奨されています。

浮腫に対するスキンケアはどう行う？

浮腫とは、細胞外液特に組織間質液が増加している状態です。浮腫のある皮膚は菲薄で、外力による損傷を受けやすく、感染を引き起こしやすい状態にあります。そして、皮脂分泌の低下、皮膚水分保持能の低下によってドライスキンやスキン-テアになりやすいのです。ドライスキンはセラミド（角質細胞間脂質）の低下によって起こります。そのため、**セラミド配合の創傷被覆材は有効**です。また、褥瘡周囲皮膚のドライスキンには、保湿成分のあるスキンケア用品（図1）も効果を発揮します。

浮腫のある皮膚を清拭する際は、強く擦らないで、やさしく押さえ拭きすることが基本です。浮腫のある皮膚を洗浄する際も、熱すぎるお湯は避け、低刺激性の石けんか洗浄剤をよく泡立てて手のひらで泡を包み込むようにして汚れを浮き上がらせます。汚れが取れたら、石けん分を微温湯ですすぎ、押さえ拭きします。

浮腫のある皮膚に対してはとにかく愛護的にケアを行うことが大切です。入浴後は早めに伸びのよい保湿剤を塗布します。また、衣類や寝具などを調整して保温を心がけることも必要です。さらに、栄養状態にも十分に配慮します。

図1　保湿成分のあるスキンケア用品の例

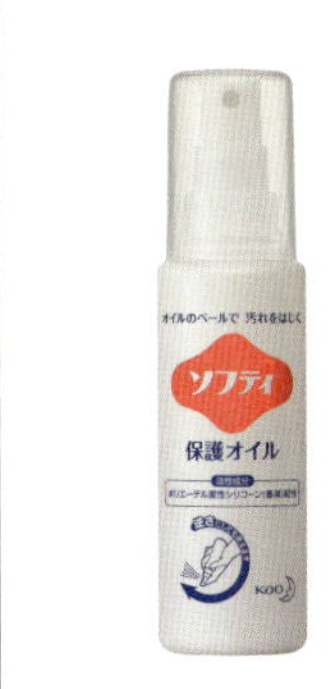

ソフティ　保護オイル 90mL　業務用（花王プロフェッショナル・サービス株式会社）

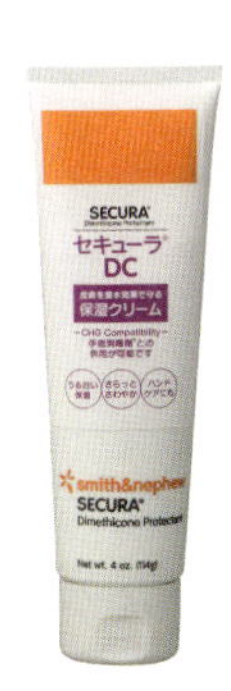

セキューラ®DC（スミス・アンド・ネフュー株式会社）

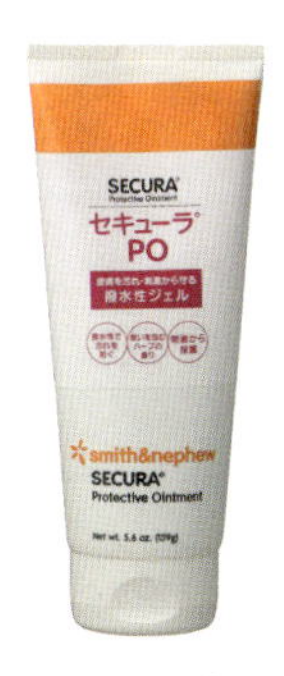

セキューラ®PO（スミス・アンド・ネフュー株式会社）

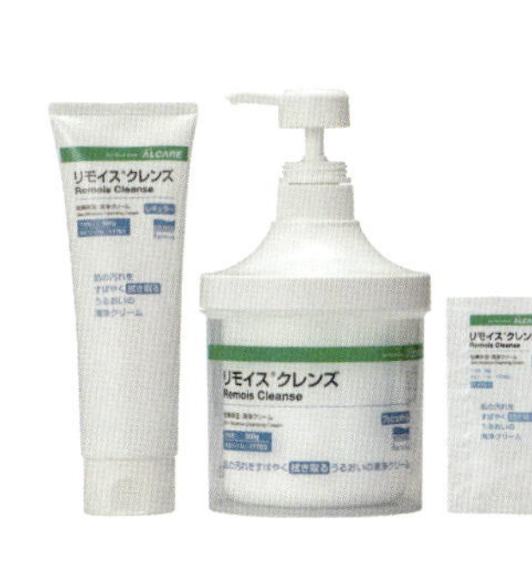

リモイス®クレンズ（アルケア株式会社）

コラージュDメディパワー 薬用保湿ジェル（持田ヘルスケア株式会社）

褥瘡を悪化させる失禁に対してどんなスキンケアを行う？

皮膚の湿潤は「浸軟」を引き起こします。浸軟は、“ふやけ”のことで、皮膚の角質細胞が過度の水分によって膨潤した状態です（図1）。皮膚が浸軟すると摩擦力は5倍にもなるといわれ、浸軟状態が持続すると、少しのずれでも皮膚損傷が起こりやすくなります。そのため、過度な湿潤への対応は重要です。

皮膚湿潤の原因の1つが、尿・便失禁によるおむつ内の高温多湿環境です。排泄物が常に皮膚に接触する場合は、過度に湿潤にしないためのケアが大切です。

尿・便失禁がある場合、『褥瘡予防・管理ガイドライン（第4版）』では、褥瘡発生予防のために「洗浄剤による洗浄後に、肛門・外陰部から周囲皮膚への皮膚保護のためのクリーム等の塗布を行ってもよい（推奨度C1）」とされています。洗浄するときは刺激性の高い石けんは避け、低刺激性・弱酸性の洗浄剤を使います。洗浄剤はよく泡立てて、皮膚を擦らないように愛護的に洗います。さらに、洗浄剤が皮膚に残らないように、十分にすすぎます。

尿・便失禁が持続している患者に、「浅い褥瘡」が発生することをよく経験します。洗浄剤によって排泄物の汚れを取り除き（図2）、その後再び排泄物が皮膚に触れないようにすることが必要です。

また、洗浄後には、皮膚保護のために撥水効果のあるクリームを塗布することも重要です。ディスポーザブルの手袋を用いて多めのクリームを皮膚にのばしていきます。スプレータイプのものを用いてもよいでしょう（図3）。

図1　浸軟とは

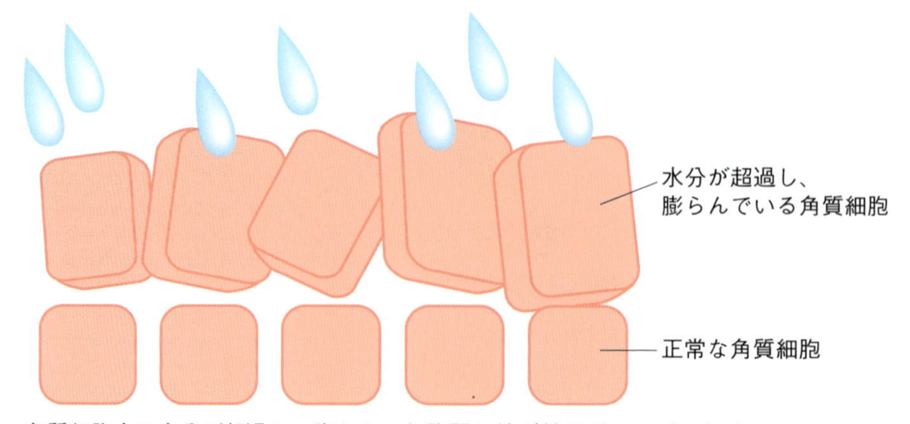

角質細胞内の水分が超過し、膨らみ、細胞間の結び付きがルーズになる

溝上祐子：オストメイトの天敵！　スキントラブル．溝上祐子 監修，入門尿路ストーマケア．メディカ出版，大阪，2004：94．より引用

図2　殿部の洗浄の様子

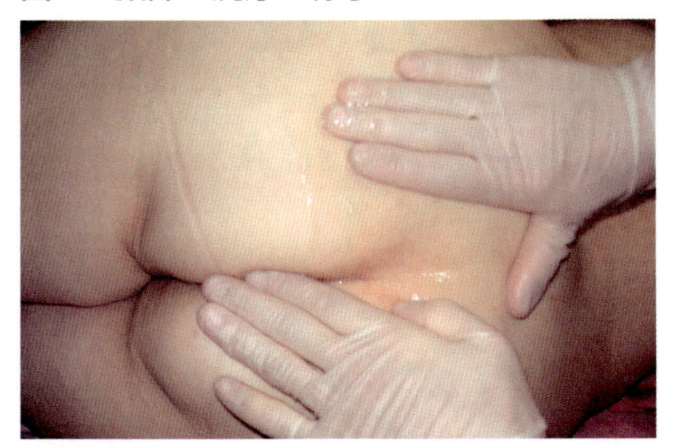

愛護的に洗う

図3　撥水効果のあるスキンケア用品の例

セキューラ®PO（スミス・アンド・ネフュー株式会社）

リモイス®バリア（アルケア株式会社）

ソフティ　保護オイル　90mL業務用（花王プロフェッショナル・サービス株式会社）

褥瘡管理で欠かせない失禁への対応

失禁への対応はスキンケアだけにとどまりません。湿潤予防のためのアルゴリズムに沿って、適切なアプローチを行うことが求められます（図1）。尿失禁は、腹圧性、切迫性、混合性、溢流性、機能性などのタイプに分けられます（表1）。失禁のタイプに応じて適切なケア方法を選択します。

失禁への対応の代表的なものは、適切なおむつ、パッドの使用です。失禁量をアセスメントし、適切な吸水性をもつ排泄ケア用品を選択します。男性の場合は、陰茎固定型収尿器の使用も有効です（図2）。

難しいのは、便失禁への対応です。水様便の付着が頻繁にある場合は、肛門括約筋の弛緩によって便が少量ずつ漏れるときがあり、肛門プラグの適用が考えられます（図3）。

さらに、排便コントロールが困難で、水様あるいは泥状便が持続する場合は、肛門にシリコンチューブを挿入する便失禁管理システムを用いることがあります（図4）。この製品は、直腸内や肛門部に病変や損傷がある場合には使えません。

図1　湿潤予防ケアのアルゴリズム

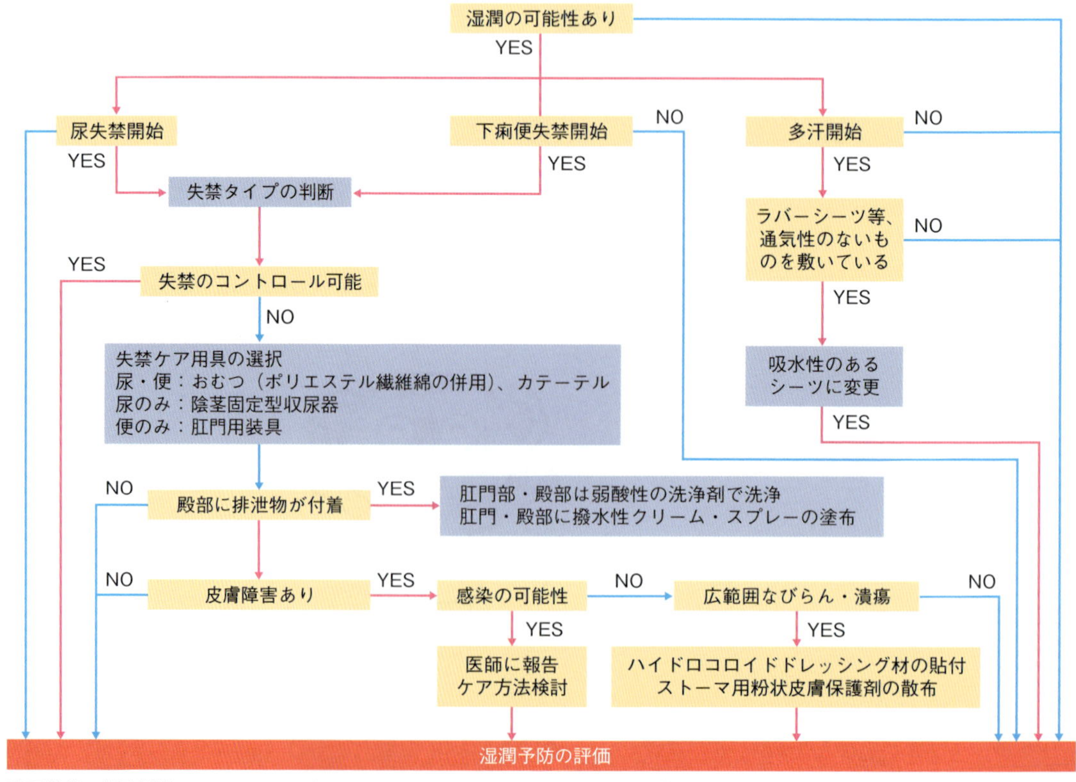

真田弘美：褥瘡対策マニュアル．エキスパートナース 2002；18：61．より引用

表1　尿失禁のタイプ

①腹圧性尿失禁	咳やくしゃみなどの急激な腹圧の上昇に伴い失禁を起こす病態。尿道過可動と内因性括約筋不全の2タイプがある
②切迫性尿失禁	急激な尿意（尿意切迫感）とともに失禁を起こす病態。中枢神経疾患では、膀胱容量の増加刺激に過剰に反応して排尿筋過活動が起き切迫性尿失禁となることがある
③混合性尿失禁	腹圧性尿失禁と切迫性尿失禁が混在したもの。高齢女性では双方の病態をもつものが多い
④溢流性尿失禁（慢性尿閉）	溢流性尿失禁は放置されると腎不全や尿路感染症により死に至る病態。主な原因は、下部尿路閉塞性疾患と神経疾患による排尿筋収縮不全
⑤機能性尿失禁	認知機能、上下肢機能、視力などの障害が失禁の主原因である病態

鈴木康之：排尿機能障害の症状．日本創傷・オストミー・失禁管理学会編，新版 排泄ケアガイドブック．照林社，東京，2021：15-16．を元に作成

図2　陰茎固定型収尿器（男性用）

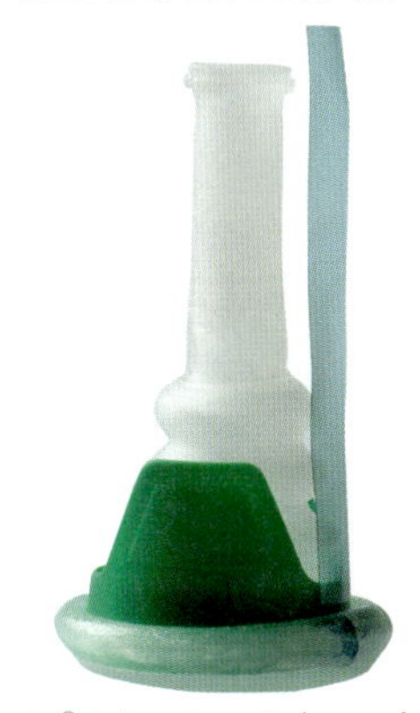

コンビーン®セキュアーE（コロプラスト株式会社）

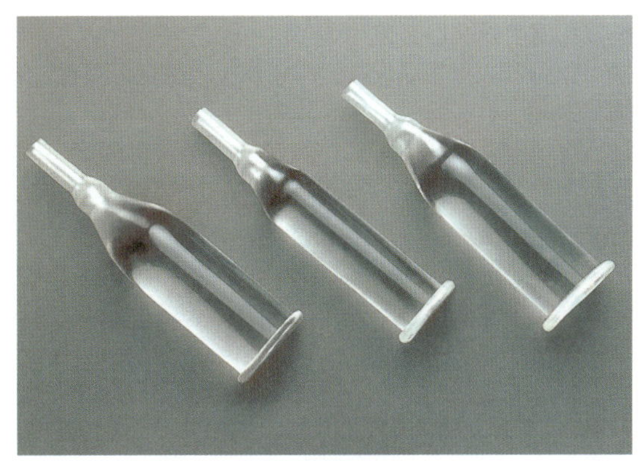

インケア・インビューカテ（株式会社ホリスター）

図3　肛門プラグ

ペリスティーン® アナルプラグ（コロプラスト株式会社）

図4　便失禁管理システム

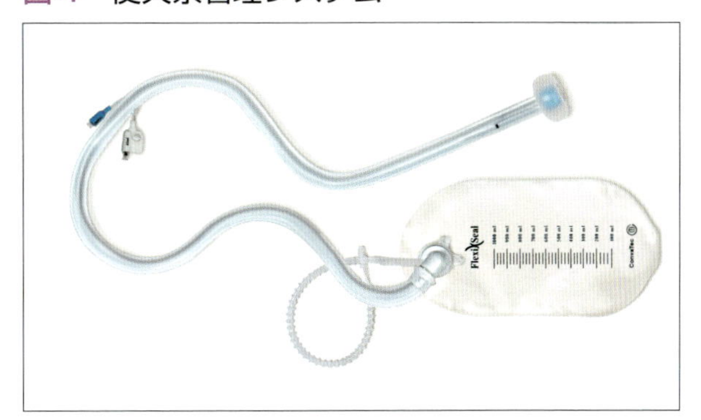

フレキシシール®SIGNAL（コンバテック ジャパン株式会社）

尿失禁のアセスメント

排泄に関して問題があっても、たいていの人は「恥ずかしいもの」「歳だからしょうがない」などと感じていて、なかなか医療従事者に心を開いてくれないものです。しかし、誤った認識にとらわれないで、適切にアセスメントして問題点を抽出し、的確な対応をすることで問題解決に至ることも少なくありません。尿失禁のアセスメントは以下のように進めます。医療従事者も患者・家族も偏見を持たないで正しい知識をもつことが大切です。

1）問診

自覚症状の中から、特徴的な症状、排尿に影響する関連要因について聞き取ります。問診票を活用すると有効です。

2）観察

・女性：外陰部の観察（腹圧をかけて、膀胱・子宮・直腸等の臓器脱の程度や可動性、汚染の程度、知覚の程度を観察します）。
・男性：直腸内に指を挿入して、挿入後の感覚の有無、収縮の程度を確認します。

3）排尿日誌

排尿状態（排尿間隔、1回排尿量、日中・夜間の時間排尿量、失禁時、尿失禁量、尿意切迫感、水分量など）を客観的にみます。患者自身が記入することで、自分の排尿状態が確認でき、生活改善につなげられます。

4）検査

①**ストレス検査**：ペーパーなどを外陰部に当てて患者に腹圧をかけてもらい、どこからどの程度漏れるかを観察します。
②**パッドテスト**：尿失禁の重症度を客観的に評価するために行います。60分パッドテスト、24時間パッドテストがあります。
③**残尿測定**：排尿直後の残尿を見ます。導尿で行う場合と超音波で行う場合があります。
④**尿流動態検査（ウロダイナミクス）**：蓄尿時と排尿時の詳細な膀胱・尿道機能を調べます。
⑤**尿流量検査**：尿の流出速度や量を測定し、蓄尿障害や排尿障害のスクリーニングに用います。
⑥**膀胱内圧測定**：膀胱と直腸にカテーテルを留置し、膀胱に一定の速度で生理食塩水を注入しながら、膀胱内圧と直腸内圧を同時に測定します。

文献
1. 丹波光子：尿失禁のアセスメントとケア．褥瘡・ストーマ・失禁ケアの最新トピックス．エキスパートナース 2010；26（14）：88-92.

Part 9

知っておくと役立つ
手術療法、物理療法、
局所陰圧閉鎖療法

褥瘡の手術療法にはどんなものがある？

褥瘡の治療方法には、創傷被覆材や外用薬などによって肉芽形成・上皮化を促す保存的治療と、植皮術や皮弁形成術などの外科的再建術があります。『褥瘡予防・管理ガイドライン（第5版）』では、外科的再建術に関して以下の記載があります。

CQ3	褥瘡に対して外科的再建術は有用か？
推奨文	褥瘡に対して外科的再建術を提案する。
	推奨の強さ 2D

褥瘡の治療は原則として保存的治療を優先するべきですが、皮下組織より深層に達した褥瘡で、保存的治療が功を奏しない場合は外科的再建術を考慮する必要があります。外科的再建術の適応は、原疾患がコントロールされ、全身療法、保存的治療、外科的デブリードマンなどにより感染が制御され、壊死組織が除去されている場合です。同ガイドラインでは、エビデンスレベルの高い文献はないものの、他のガイドラインや観察研究などでも一貫して外科的治療の臨床的な側面からの効果が認められているとされ、日常診療上重要な治療の選択肢の1つとされました。

外科的再建術は、**植皮術**と**皮弁形成術**に分けられます。

植皮術は、採皮部から一度皮膚を完全に切離した後、創床へ移植する方法です（図1）。植皮された皮は創床から血液が供給されて2〜5日で生着します。この手術は侵襲が少なく、局所麻酔のもとに、病棟や在宅でも行うことが可能です。

図1　植皮術の症例：メッシュ植皮術

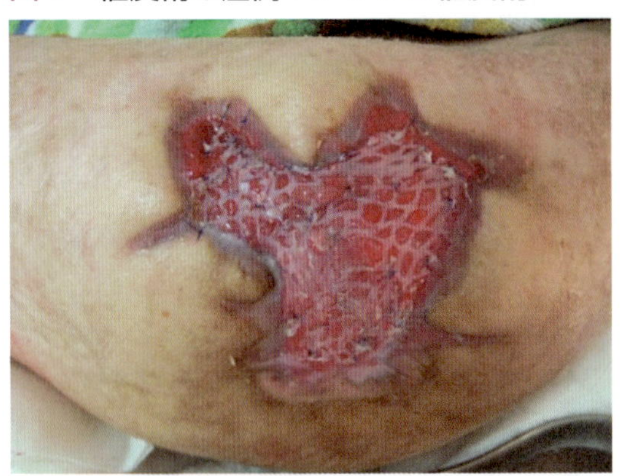

長瀬敬：手術療法の適応と管理．市岡滋，須釜淳子 編，治りにくい創傷の治療とケア．照林社，東京，2011：136．より引用
（写真提供：長瀬敬）

図2　皮弁形成術の症例：後大腿皮弁の挙上

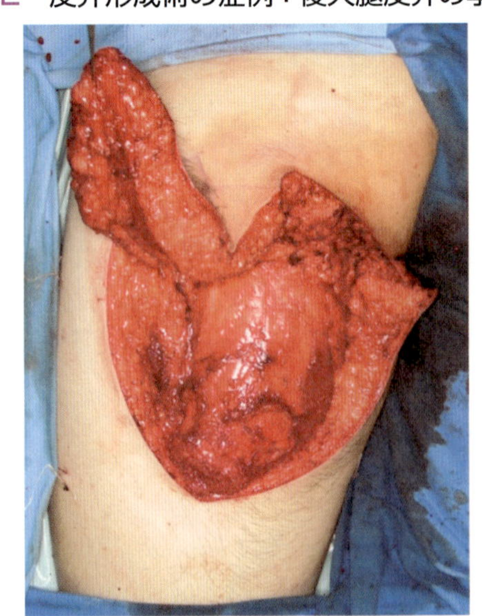

長瀬敬：手術療法の適応と管理．市岡滋，須釜淳子 編，治りにくい創傷の治療とケア．照林社，東京，2011：135．より引用
（写真提供：長瀬敬）

一方、皮弁形成術は侵襲の大きな手術です。近傍の組織（筋皮弁、筋膜皮弁）を充填、あるいは被覆することによって、失われた軟部組織を再建する方法です（図2）。この手術では、正常組織で被覆されるため、再発しても正常な創傷治癒過程が獲得できるメリットがありますが、感染コントロールが重要になります。適切に感染コントロールがなされていないと、感染から創離開を生じることがあります。

外科的再建術を行う際には、術前から褥瘡が発生しやすい要因や環境要因を取り除いておく必要があります。術後の合併症としては、感染、皮弁壊死、創離開などがあります。合併症予防のためにも、便汚染、外力負荷、栄養状態には十分注意することが重要です。

術後の局所管理としては、皮弁採取部は、除圧を3週間継続します。筋皮弁による外科的再建術を行った際には、抜糸は術後2～3週目をめやすに行います。

褥瘡の手術療法の適応・非適応

褥瘡は保存的な療法によって「治す」ことができることが広く知られるようになってきています。それは、日本褥瘡学会が、適切な創のアセスメントを行って、ウンド・ベッド・プリパレーションの考え方のもとに湿潤環境下で的確な外用薬療法や保存的ケアを行うことによって褥瘡の有病率を画期的に下げてきた実績があるからでしょう。さらに、こうした保存的技術革新のうえに、皮弁形成、植皮などの手術療法を加味することによって、短期間で確実な治癒効果が認められます。

手術療法の適応を考えるうえでの要件としては、以下のようなものが挙げられます。

・全身状態が手術・麻酔に耐えられる
・保存的治療では、治癒する見込みがないか、あるいは非常に長期化する
・保存療法を続けるよりは手術したほうが確実に早期治癒が見込まれる
・術後管理が可能で、患者・家族が納得している

いずれにしても手術のほうがメリットが大きい場合に手術の適応となることは間違いないでしょう。

ただ、手術が絶対的適応である場合もあり、長瀬敬先生は「絶対に手術しないと根治しない例」として表1のような場合を列記され、また、手術が適応でない場合を表2のように示されています。

表1　絶対に手術しないと根治しない場合

1. 創縁の瘢痕が陳旧化して保存的治療に反応しない場合	・褥瘡面積が大きく創の収縮も限界まで達し、皮膚自体の面積が不足している ・瘢痕部を切除し、組織を新鮮化するとともに不足した皮膚を手術で補う
2. 骨髄炎を伴う場合	・保存的治療で創が閉鎖しても、腐骨から感染が再燃し、瘻孔を形成する ・手術で腐骨をデブリードマンし、血行のよい皮弁で患部を被覆する
3. 瘢痕がんの場合	・脊髄損傷患者などで上皮化・潰瘍化を繰り返した慢性潰瘍は扁平上皮がんになることがある

表2　手術の適応でない場合

1. 全身状態が悪い場合
2. 認知症の場合
3. 関節拘縮がある場合
4. 再発の可能性が高い場合

文献

1．長瀬敬：手術療法の適応と管理－褥瘡のオプション治療．治りにくい創傷の治療とケア．照林社，東京，2011：133-134.

物理療法の種類とその効果

物理療法は、生体に物理的刺激を与える非侵襲的な治療手段です。褥瘡治癒における効果については、①**感染制御**、②**壊死組織の除去**、③**創の縮小**などが検証されています。

物理療法の種類には、パルス洗浄・吸引療法、水治療法、超音波療法、近赤外線療法、電磁波刺激療法、電気刺激療法、加振装置使用などがあります。『褥瘡予防・管理ガイドライン(第4版)』では、各種物理療法の適応と推奨を表1のように示しています。

さらに、『褥瘡予防・管理ガイドライン（第5版)』では、近年文献が多くレビューされている電気刺激療法に関してCQを設定して、以下のように推奨しています。

表1　各種物理療法の推奨

感染を有する褥瘡に対して	水治療法、パルス洗浄・吸引療法	推奨度C1
壊死組織を有する褥瘡に対して	水治療法、パルス洗浄・吸引療法、加振装置使用	推奨度C1
創の縮小を図る場合	電気刺激療法	推奨度B
	近赤外線療法、超音波療法、電磁波刺激療法、加振装置使用	推奨度C1

CQ5　褥瘡に対して電気刺激療法は有用か？
推奨文　褥瘡の治癒促進に対して、電気刺激療法を行うことを推奨する。
推奨の強さ 1A

各種物理療法の概要を紹介します。

1. 電気刺激療法

電気刺激療法は、経皮的に生体に電流を流すことによって治療効果を得る治療法です。高電圧刺激装置、直流微弱電流刺激装置、経皮的末梢神経電気刺激装置によって電気刺激を与えます。通常、生食ガーゼの上に電極を留置して、身体の別の部位にもう1つの電極を貼って通電します（図1)。

ガイドラインでは、上皮化や肉芽形成が必要な褥瘡に対して施行することが推奨されています。ただし、実施するにあたって、最適な刺激波形、強度、電極については今後検討が必要とされています。

図1　電気刺激療法

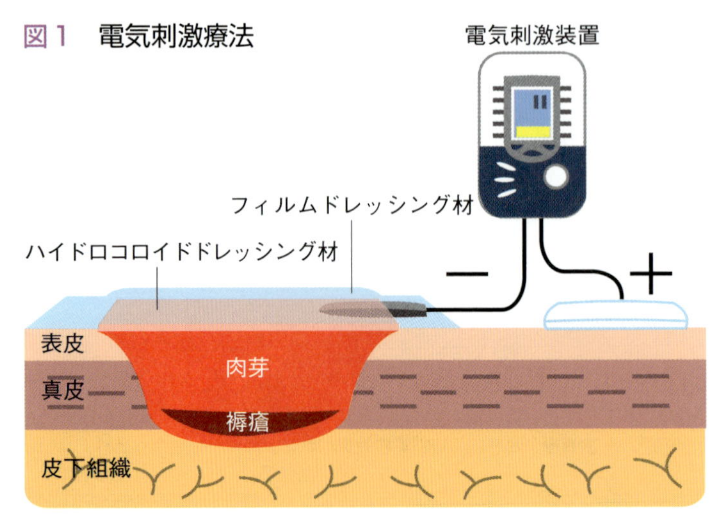

日本褥瘡学会編：褥瘡ガイドブック-第2版. 照林社, 東京, 2015：91. を元に作成

2. パルス洗浄・吸引療法

パルス洗浄・吸引療法は、創部をプラスティックカバーで覆い、流水を当てながら洗浄後の排水を吸引する方式で、壊死組織のある褥瘡に有効とされています（図2）。

3. 水治療法

感染や壊死組織を有する褥瘡に行ってもよいとされている療法です。水温35.5～36.6℃の湯または渦流浴を全身、または褥瘡部に対して行うものです。水の物理的特性（温熱・寒冷、浮力、水圧）による作用、溶解成分による特異的作用、洗浄作用、精神的な作用を活性化する治療法です。ハバード浴などがあります（図3）。

4. 超音波療法

超音波療法は、創面に超音波を当てて、線維芽細胞や血管内皮細胞や白血球を活性化させる療法です。連続波による温熱作用とパルス波による機械的振動作用があり、機械的振動作用には創傷治癒の促進効果があるとされています。

5. 加振装置

臥床時に体圧分散マットレスの下に、横揺れ振動を伝播させる振動器を挿入して行います（図4）。患者が心地よいと感じる程度の強さで、1日3回、15分の加振によって創の縮小効果が認められています。

図2　パルス洗浄・吸引療法

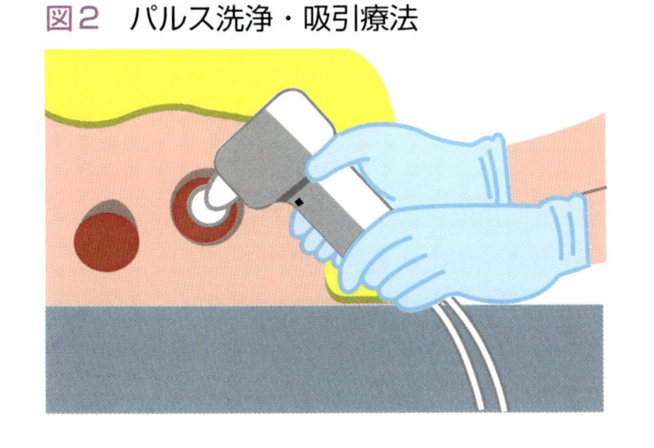

図3　ハバード浴療法

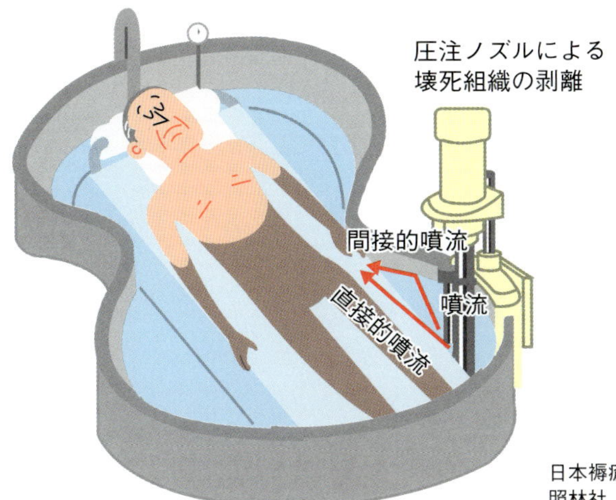

日本褥瘡学会編：褥瘡ガイドブック-第2版. 照林社，東京，2015：90. を元に作成

図4　加振装置の例（リラウエーブ®）

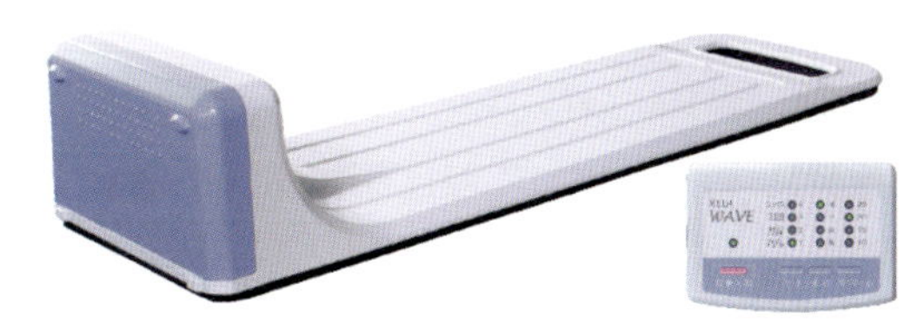

写真提供：グローバルマイクロニクス

局所陰圧閉鎖療法はどんなとき、どのように行う？

物理療法の1つである陰圧閉鎖療法（negative pressure wound therapy：NPWT）は、創面全体を閉鎖性ドレッシング材で覆い、創面に陰圧を付加して閉鎖環境を保つことによって創部を管理する方法です（図1）。機器としては、製品化された陰圧閉鎖療法システムと自作のものが考えられますが、内圧は「−60〜−125mmHg」が基本となっています。

『褥瘡予防・管理ガイドライン（第5版）』では、陰圧閉鎖療法は、以下のように記載されています。

CQ4 褥瘡に対して陰圧閉鎖療法は有用か？
推奨文 褥瘡に対して陰圧閉鎖療法を提案する。 推奨の強さ 2B〜C

図1 陰圧閉鎖療法の例

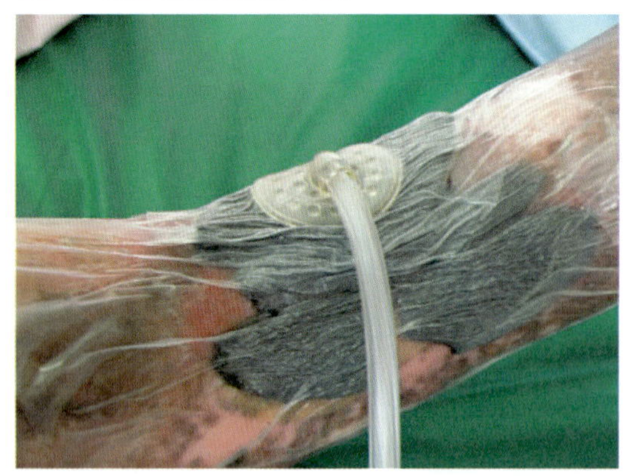

切手俊弘：陰圧閉鎖療法. はじめての褥瘡ケア. 照林社, 東京, 2013：71. より引用
（写真提供：切手俊弘）

陰圧閉鎖療法は、創の長さと幅、および創面積の縮小、滲出液の減少、肉芽形成の増進において効果があるとされています。ただ、同ガイドラインでは、褥瘡の治癒をエンドポイントとする場合には、感染・壊死がコントロールされていれば陰圧閉鎖療法を行ってもよいが、強く推奨するものではないとも書かれています。

褥瘡の治療において、不良肉芽組織を取り除き（デブリードマン）、創傷被覆材で滲出液コントロールを行って創を縮小していくという原則にのっとって効率よく治療を進めていくための1つの手段として陰圧閉鎖療法を行うことが大切です。陰圧閉鎖療法の作用を図2に示しました。

陰圧閉鎖療法に用いる機器は、その目的、滲出液の量、創の状態、使用する環境によってさまざまです。現在わが国で保険適用を受けている機器を表1に示しました。いずれも保険適用によって陰圧閉鎖療法が行える期間は、開始日より3週間を標準として、特に必要とされる場合は4週間を限度として算定できることになっています。2020年度診療報酬改定によって在宅医療での処置も可能になりました。

図2　陰圧閉鎖療法の作用

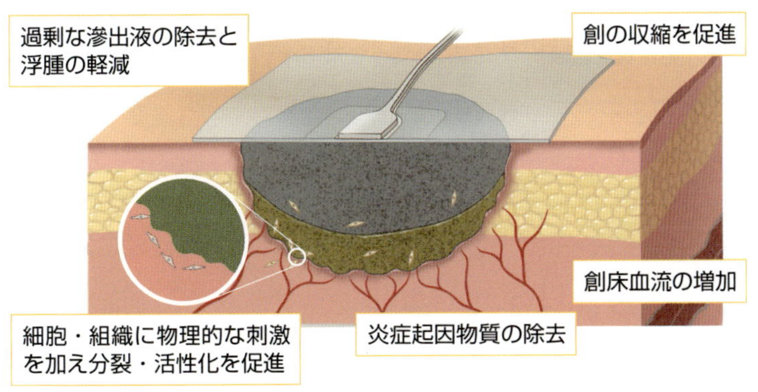

スミス・アンド・ネフュー株式会社：RENASYS® 創傷治療システムカタログより一部改変

表1　陰圧閉鎖療法に用いる専用機器

製品名	販売会社	重さ	設定陰圧（mmHg）	外来での使用
3M™ INFOV.A.C.™ 型陰圧維持管理装置	ケーシーアイ株式会社	2890g	−25〜−200	不可
3M™ ActiV.A.C™ 型陰圧維持管理装置		1080g	−25〜−200	
3M™ V.A.C.® Ulta 型陰圧維持管理装置		3350g	NPWT：−25〜−200 NPWTi-d：−50〜−200	

次頁につづく

製品名	販売会社	重さ	設定陰圧（mmHg）	外来での使用
RENASYS®EZ MAX陰圧維持管理装置*	スミス・アンド・ネフュー株式会社	3750g	－40～－200	不可
RENASYS®GO陰圧維持管理装置*		1100g	－40～－200	
RENASYS®TOUCH陰圧維持管理装置		1100g（300mLキャニスター装着時）	－25～－200 ※間欠モード ・低陰圧：－0～－180 ・高陰圧：－25～－200	
PICO®7創傷治療システム		107.3g（電池含む）	－80	可（在宅でも使用可）
3M™ Snap™ 陰圧閉鎖療法システム	ケーシーアイ株式会社	65.5g（プラスカートリッジは178g）	－75～－125	可

保険適用期間は開始日より3週間を標準として、特に必要と認められる場合は4週間を限度として算定できる。
＊ 2022年8月現在販売終了

陰圧閉鎖療法（NPWT）の適応と合併症対策

陰圧閉鎖療法は、1990年代から米国を中心に普及してきました。わが国では、2010年4月の診療報酬改定において、V.A.C.® ATS治療システムを用いて「局所陰圧閉鎖処置」という名称で保険収載され普及してきました。その治療効果は他の療法では類をみないほどのケースもあり、さまざまな創傷において使用されてきました。ただし、すべての創において適応になるわけではないことには注意が必要です。適応時期を誤ると感染の助長や発熱等の危険もあり、陰圧閉鎖療法そのものが創傷治癒を遅らせる原因となることもあります。陰圧閉鎖療法の禁忌を表1に示します。適応や方法については、医師の指示のもとに慎重に取り組む必要があります。

陰圧閉鎖療法は、急性外傷や術後離開創、術後SSI（手術創感染：surgical site infection）の管理などにも使われ、さらに慢性期の難治性創傷などにも活用されています。滲出液を適度に吸引できること、適切な吸引圧が肉芽の縮小などに効果があるとされますが、さまざまな合併症を考慮して適切に対応することが必要です（表2）。

表1　陰圧閉鎖療法の禁忌

①悪性腫瘍がある創傷
②臓器と交通している瘻孔、および未検査の瘻孔がある創傷
③陰圧を負荷することで瘻孔が難治化する可能性のある創傷
④痂皮を伴う壊死組織を除去していない創傷
⑤血管、神経、臓器が露出している創傷

鈴木由加：その他の保存的治療－陰圧閉鎖療法．褥瘡・創傷のドレッシング材・外用薬の選び方と使い方，照林社，東京，2021：51．より引用

表2　陰圧閉鎖療法の主な合併症と対策

主な合併症	対策
1．感染の増悪	創傷に明らかな感染徴候がある場合は感染が増悪することがある 必要に応じて抗菌薬投与などの全身・局所管理を行う
2．吸引チューブによる圧迫	体位によってチューブが皮膚を圧迫することがある チューブ固定の際に荷重部や骨突出部を避ける
3．創周囲の皮膚炎や皮膚損傷	漏出した滲出液によって皮膚炎・皮膚浸軟を引き起こす フィルム交換の際は周囲皮膚を損傷しないように愛護的に行う
4．疼痛	陰圧負荷による疼痛が発生する場合は、圧力を下げる 交換時創面に固着しているドレッシング材を無理に除去すると疼痛の原因になる

梁由一郎：滲出液を管理する―局所陰圧療法．市岡滋，須釜淳子 編，治りにくい創傷の治療とケア．照林社，東京，2011：54-55．を元に作成

これからのナースは「エコー」を聴診器のように使いこなす

改定されたDESIGN-R®2020では、新たに「深部損傷褥瘡（DTI）疑い」と「臨界的定着疑い」が追加されたことはすでに解説しました。このうち**「深部損傷褥瘡（DTI）疑い」**のアセスメントとしては、視診・触診や血液生化学検査と並んで、画像診断が入っています。画像診断の1つが「超音波画像診断法（エコー）」です。

エコーを行うにあたっては、皮膚、皮下組織、筋を明瞭に観察できる、可能な限り高画質の機器を選択し、8MHz以上の周波数帯域をもつリニアプローブを使用します。プローブは創部から離れた健常部から創部、健常部へと直接的に走査させ、健常部と創部の違いが明確になるように画像を撮影し、深部組織の損傷の程度を評価します。これによって、非侵襲的に“**ポイントオブケア**（point of care）”ができるとされています。“ポイントオブケア”というのは、医師や看護師等が患者の傍らで自ら行う簡便な検査のことです。エコーの場合は、“**POCUS**：point of care ultrasound”＝「超音波を使ったポイントオブケア」という考え方が普及してきました。これは、エコー機器の軽量化・高画質化が急速に進み、ベッドサイドで手軽に利用できようになったことが大きな要因です。超音波検査の優れたところは、低侵襲で検査自体の副作用がほとんどないことです。そして手軽に可視化することによって、その場で同時に複数の医療従事者が病態把握でき、共有が可能であるということです。

エコーを使った看護アセスメントは、褥瘡管理以外でもさまざまな看護場面で活用されています。その1つは排尿機能障害の評価の際の**「残尿測定」**です。診療報酬上の評価がついた「排尿自立支援加算・外来排尿自立指導料」において、下部尿路機能評価のための残尿測定は必須です。残尿測定は以前は導尿によって行っていましたが、導尿は侵襲性が高いことや尿路感染の危険性もあることから、超音波を用いた携帯式残尿測定専用機器や超音波画像診断装置等を使うことが推奨されています。エコーでは、膀胱を画像として2方向で描写し、3つの長さを測定し、それらの数値を用いて計算します。

その他、**「便秘」**の評価にもエコーは有用です。便秘は高齢者では最も多い訴えの1つであり、便秘を正確にアセスメントできないと適切な排便ケアを選択できません。それだけでなく、患者の不快感や不適切な排便ケアによって危険な状態になることもあり得ます。具体的には、上行結腸・下行結腸、横行結腸、S状結腸をエコーで見て便の状態を評価します。超音波は糞便に反射するため高エコー域と後方音響陰影などが描出されます。

エコーはその他にも、**「嚥下状態」**の評価にも活用されますし、リンパ浮腫や胸水・腹水の確認にも利用されます。さらには、末梢静脈カテーテルやPICCの留置の確認、経鼻胃管の挿入部位の確認、シャントの管理等にも活用できます。

Part 10

褥瘡を治すために必要な栄養と痛みの知識

サルコペニア、フレイルについて知っておこう

「サルコペニア」は近年注目されている概念で、「**加齢に伴って生じる骨格筋量と骨格筋力の低下**」のことです。人間は老化により、骨格筋量の進行的な低下、それも体力や機能の低下を導く大幅な低下を経験します。「サルコペニア」とは、ギリシャ語で「筋肉」を意味する「sarx」と、「喪失」を意味する「penia」を組み合わせた言葉です。サルコペニアになると、歩いたり立ち上がったりする日常生活動作に困難が生じ、介護が必要になったり、転倒しやすくなったりします。サルコペニアは、身体的な障害や生活の質の低下、および死などの有害な転帰のリスクを伴います。

65歳以上の高齢者の15%程度がサルコペニアであると考えられるため、わが国では500万人以上の方がサルコペニアになっていると思われます。サルコペニアの割合は、女性よりも男性のほうが高くなるといわれています。

図１　サルコペニアの原因

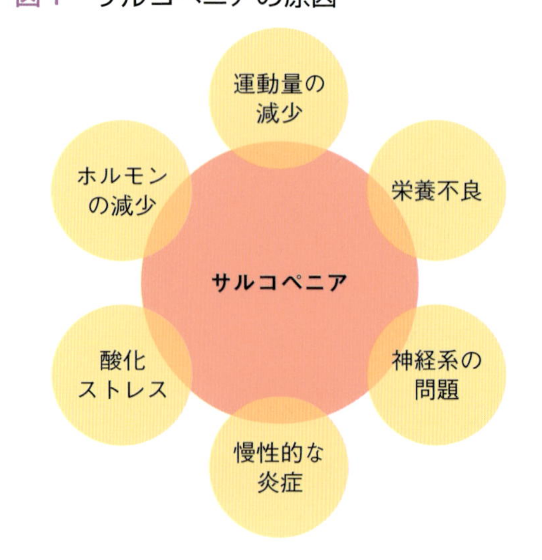

サルコペニアは、加齢に伴う図１のような原因で引き起こされます。

サルコペニアの診断基準を図2に示しました。サルコペニアの発症と進行には、いくつかのメカニズムが存在するといわれています。特に、蛋白質合成、蛋白質分解、神経と筋の統合性および筋内脂肪含有量などが含まれます。これらの複数のメカニズムが、サルコペニアに関連する可能性があり、相対的寄与が時間の経過とともに変化する可能性もあります。

一方、「フレイル」は「**加齢により心身が老い衰えた状態**（高齢者が筋力や活動が低下している状態：虚弱）」のことです。「虚弱」「老衰」「脆弱」などを意味する「Frailty」が語源とされています。高齢者は、意図しない衰弱、筋力の低下、活動性の低下、認知機能の低下、精神活動の低下などの脆弱な状態（中段階的な段階）を経ることが多いことから、この概念が提唱されました。高齢者は加齢に伴って不可逆的に老い衰えた状態になると理解されがちですが、フレイルの概念によれば、適切な介入によって再び健常な状態に戻る可逆性が含まれています。そのため、「要介護状態に陥るのを防ぐ効果がある」として対策を呼びかけられています。

サルコペニアもフレイルも、加齢に伴う機能低下を意味していますが、この2つはどう違うのでしょうか。サルコペニアは、筋肉量減少を主体として、筋力、身体機能の低下を主要因としているのに対して、フレイルは、移動能力、筋力、バランス、運動処理能力、認知機能、栄養状態、持久力、日常生活の活動性、疲労感など、とても広い要素を含んでいます。

フレイルの基準としては、Friedが提唱した

図2　サルコペニアの診断基準2019（AWGS 2019）

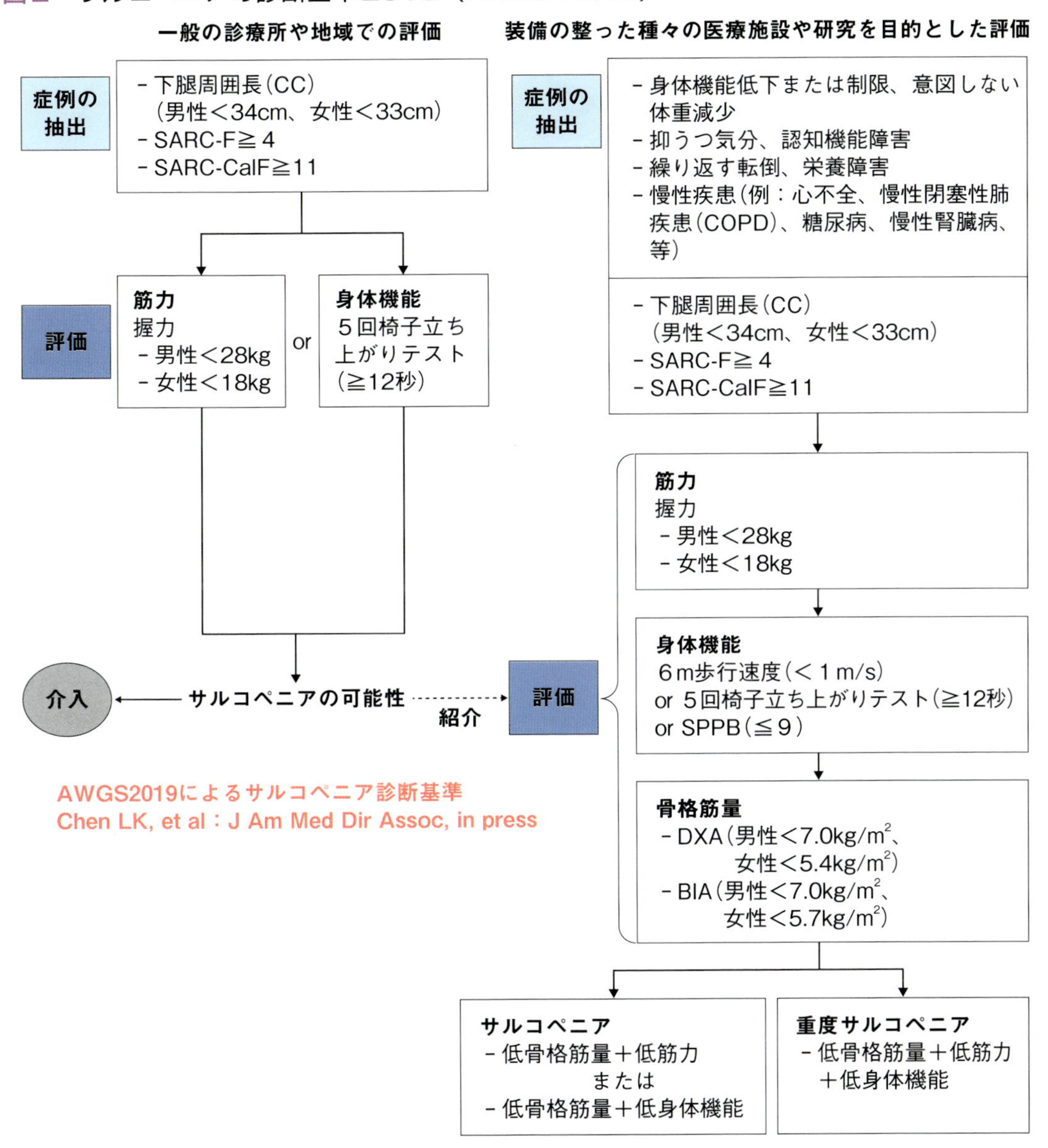

日本サルコペニア・フレイル学会：サルコペニア診断基準の改訂（AWGS2019 発表）．より引用
http://jssf.umin.jp/pdf/revision_20191111.pdf（2022/8/5アクセス）

ものが一般的です（表1）。Friedの基準5項目のうち3項目以上該当すると"フレイル"、1または2項目だけの場合にはフレイルの前段階である"プレフレイル"と判断されます。

高齢者のサルコペニアとフレイルは、栄養状態が関連するさまざまな疾患や合併症の治癒・回復に大きく関係してきます。褥瘡はまさに栄養状態が重要なカギを握る合併症の1つです。

表1　フレイルの基準

①体重減少：意図しない年間4.5kgまたは5%以上の体重減少
②疲れやすい：何をするのも面倒だと週に3〜4日以上感じる
③歩行速度の低下
④握力の低下
⑤身体活動量の低下

栄養状態の悪い患者は褥瘡になりやすく、治りにくい

褥瘡（創傷）治癒の原則に基づいてさまざまな治療・ケアを行っても、なかなか褥瘡が治らないことを経験されている方も多いのではないでしょうか。「治りにくい」褥瘡の原因の1つとして「栄養状態の低下」が考えられます。**低栄養は褥瘡が難治化する要因の1つであるだけでなく、褥瘡発生の危険因子の1つ**でもあります。

適切な栄養管理を行うためには、まず栄養アセスメントが必要になります。アセスメントの流れを図1に示しました。低栄養状態を確認する指標としては表1のようなものが推奨されています。①の血清アルブミン値は通常栄養評価の指標として用いられることが多く、血清アルブミンが低値の場合は褥瘡発生リスクが高く、特に3.5g/dL以下では褥瘡発生リスクが高まるとされています。血清アルブミンの低下は褥瘡発生の重要な危険因子の1つであるといえます。

また、**体重は簡便に活用できる栄養状態の指標**で、体重減少は褥瘡発生のリスクになります。NPUAP/EPUAP/PPPIAガイドラインでも、大幅な体重減少がないかどうかアセスメントすることを推奨しています。具体的には、30日以内に5%の減少、または180日以内に10%の減少としています。ただし、体重は脱水や浮腫によって変化するため、これらがないことを確認したうえで評価に活用します。

栄養状態のスクリーニングのツールとして一般的なのはSGA（主観的包括的栄養評価）です（図2）。SGAは、患者に対する聞き取りに

図1　栄養管理の進め方

①さまざまな指標を使って、低栄養あるいは栄養リスクの有無をスクリーニングする

②現状の補給栄養量の過不足を確認し、必要な栄養量を算出する

③適正な栄養補給方法を具体的に検討して実行する

④摂取量、体重、血清Alb、血中尿素窒素などで定期的にモニタリングする

⑤患者状態の変化に応じて上記が適正かどうかを再評価して補正する

表1　低栄養状態を確認する指標

①炎症や脱水などがなければ血清アルブミン値を用いてもよい
②体重減少率を用いてもよい
③食事摂取率（食事摂取量）を用いてもよい
④高齢者にはMNA®（Mini Nutritional Assessment）およびMNA®-Short Form（SF）を用いてもよい
⑤CONUT（Controlling Nutritional Status）を用いてもよい
⑥主観的包括的栄養評価（SGA）を用いてもよい

図2　SGA（subjective global assessment：主観的包括的栄養評価）

A　病歴

1．体重変化
過去6か月間の体重減少：＿＿＿＿＿kg、減少率＿＿＿＿＿％
過去2週間の体重変化：□増加　□無変化　□減少

2．食物摂取変化（平常時との比較）
□変化なし
□変化あり（期間）＿＿＿＿＿＿＿＿＿（月、週、日）
食事内容：□固形食　□経腸栄養　□経静脈栄養　□その他

3．消化器症状（過去2週間持続している）
□なし　□悪心　□嘔吐　□下痢　□食欲不振

4．機能性
□機能障害なし
□機能障害あり：（期間）＿＿＿＿＿＿＿＿＿（月、週、日）
タイプ：□期限ある労働　□歩行可能　□寝たきり

5．疾患と栄養必要量
診断名：
代謝性ストレス：□なし　□軽度　□中等度　□高度

B　身体（スコア：0＝正常；1＝軽度；2＝中等度；3＝高度）

皮下脂肪の喪失（三頭筋、胸部）：＿＿＿＿＿
筋肉喪失（四頭筋、三角筋）：＿＿＿＿＿　＿＿＿＿＿
くるぶし部浮腫：＿＿＿＿＿仙骨浮腫：＿＿＿＿＿浮腫：＿＿＿＿＿

C　主観的包括評価

A.□栄養状態良好　B.□中等度の栄養不良　C.□高度の栄養不良

よって簡単に栄養状態を評価できます。しかし、これはあくまでも主観的な評価であるため、SGAだけでなく、生化学検査や他の栄養情報と組み合わせて評価するほうがよいでしょう。また、高齢者用のスクリーニングツールであるMNA®やMNA®-Short Form（SF）も有効なツールとされています（図3）。これらにより短期間での栄養スクリーニングが可能とされています。

図3 MNA®（mini nutritional assessment）-SF

簡易栄養状態評価表
Mini Nutritional Assessment-Short Form
MNA®

Nestlé
NutritionInstitute

氏名：

性別：　年齢：　体重：　kg　身長：　cm　調査日：

下の□欄に適切な数値を記入し、それらを加算してスクリーニング値を算出する。

スクリーニング

A 過去3ヶ月間で食欲不振、消化器系の問題、そしゃく・嚥下困難などで食事量が減少しましたか？
0 = 著しい食事量の減少
1 = 中等度の食事量の減少
2 = 食事量の減少なし

B 過去3ヶ月間で体重の減少がありましたか？
0 = 3 kg 以上の減少
1 = わからない
2 = 1～3 kg の減少
3 = 体重減少なし

C 自力で歩けますか？
0 = 寝たきりまたは車椅子を常時使用
1 = ベッドや車椅子を離れられるが、歩いて外出はできない
2 = 自由に歩いて外出できる

D 過去3ヶ月間で精神的ストレスや急性疾患を経験しましたか？
0 = はい　2 = いいえ

E 神経・精神的問題の有無
0 = 強度認知症またはうつ状態
1 = 中程度の認知症
2 = 精神的問題なし

F1 BMI　体重(kg)÷[身長(m)]²
0 = BMI が19 未満
1 = BMI が19 以上、21 未満
2 = BMI が21 以上、23 未満
3 = BMI が 23 以上

BMI が測定できない方は、F1 の代わりに F2 に回答してください。
BMI が測定できる方は、F1 のみに回答し、F2 には記入しないでください。

F2 ふくらはぎの周囲長(cm)：CC
0 = 31cm未満
3 = 31cm以上

スクリーニング値
(最大：14ポイント)

12-14 ポイント：□ 栄養状態良好
8-11 ポイント：□ 低栄養のおそれあり (At risk)
0-7 ポイント：□ 低栄養

保存します
印刷します
リセットします

Ref. Vellas B, Villars H, Abellan G, et al. *Overview of the MNA® - Its History and Challenges.* J Nutr Health Aging 2006;10:456-465.
Rubenstein LZ, Harker JO, Salva A, Guigoz Y, Vellas B. *Screening for Undernutrition in Geriatric Practice: Developing the Short-Form Mini Nutritional Assessment (MNA-SF).* J. Geront 2001;56A: M366-377.
Guigoz Y. *The Mini-Nutritional Assessment (MNA®) Review of the Literature - What does it tell us?* J Nutr Health Aging 2006; 10:466-487.
Kaiser MJ, Bauer JM, Ramsch C, et al. *Validation of the Mini Nutritional Assessment Short-Form (MNA®-SF): A practical tool for identification of nutritional status.* J Nutr Health Aging 2009; 13:782-788.

さらに詳しい情報をお知りになりたい方は、**www.mna-elderly.com** にアクセスしてください。

栄養補給のための
さまざまな方法

褥瘡発生前の低栄養状態（protein energy malnutrition：PEM）の原因としては、前項で紹介したサルコペニア、フレイルの他、ロコモティブシンドロームが挙げられます。**ロコモティブシンドロームとは、筋肉や骨、関節、軟骨、椎間板などの運動器の障害によって運動機能の低下をきたしている状態**です。低栄養状態は、マラスムス、クワシオルコル、マラスムス・クワシオルコル混合型の3型に分類されます。

低栄養状態の改善は褥瘡予防・治療の両面において重要ですが、『褥瘡予防・管理ガイドライン（第5版）』では、褥瘡治療と栄養に関して以下のように記載されています。

> **CQ8**　褥瘡の治療に高エネルギー・高蛋白の栄養補給は有用か？
>
> **推奨文**　褥瘡の治療に高エネルギー・高蛋白の栄養補給を提案する。
>
> 推奨の強さ 2C

褥瘡治療のためのエネルギー投与量のめやすはどのくらいでしょうか。同ガイドラインでは、少なくとも**エネルギー投与量30g/kg/日以上、蛋白質1.0g/kg/日以上**とされています。ちなみに、NPUAP/EPUAP/PPPIAガイドラインでは、「エネルギー量30〜35kcal/kg/日」「蛋白質は疾患を考慮したうえで1.25〜1.5g/kg/日」が推奨量とされ、一般的な必要量を投与した場合は、維持水分量「25〜40mL/kg/日」とされています。

栄養を摂取するための最良の方法は「経口摂取」です。「口から食べる」ことは単に栄養補給だけでなく生活者としてのQOLに大きく影響します。嚥下障害などによって口から食べられない場合は、「経管栄養」か「静脈栄養」によって栄養補給を行います。経管栄養は、鼻から管を入れて胃内に栄養剤を入れる経鼻経管栄養法、胃や腸に直接管をつなげて栄養補給を行う経腸栄養法などのことで、PEG（経皮内視鏡的胃瘻造設術：percutaneous endoscopic gastrostomy）は内視鏡を使って胃瘻を造る方法です。

静脈栄養は、中心静脈栄養と末梢静脈栄養に分けられます。中心静脈ルートからは生命維持に必要な高カロリー輸液を投与します。末梢静脈ルートからは高浸透圧となる高カロリー輸液は投与できません。看護師の特定行為の1つでもあるPICCは「末梢挿入式中心静脈栄養：peripherally inserted central venous catheter」で、挿入部位は末梢ですが、カテーテルの先端は中心静脈に留置される中心静脈栄養です。PICCは、その挿入部位から末梢静脈栄養と混同されがちですが、あくまでも中心静脈栄養であることに注意してください。静脈栄養では長期間にわたって腸管を使用しないためバクテリアルトランスロケーションをきたす恐れがあります。腸管粘膜の萎縮を防ぐためにL-グルタミンなどの栄養基質の投与が必要になります。

栄養投与経路の第一選択は、あくまでも「経腸栄養」です。原則は、「**腸が機能している場合は腸を使う**」ことです。経腸栄養は静脈栄養に比べて生理的であり、消化管本来の機能である消化吸収、あるいは腸管免疫系の機能が維持できるためです（図1）。

褥瘡患者の栄養管理で、もう1つ重要なのが

図1　栄養の投与経路の選択

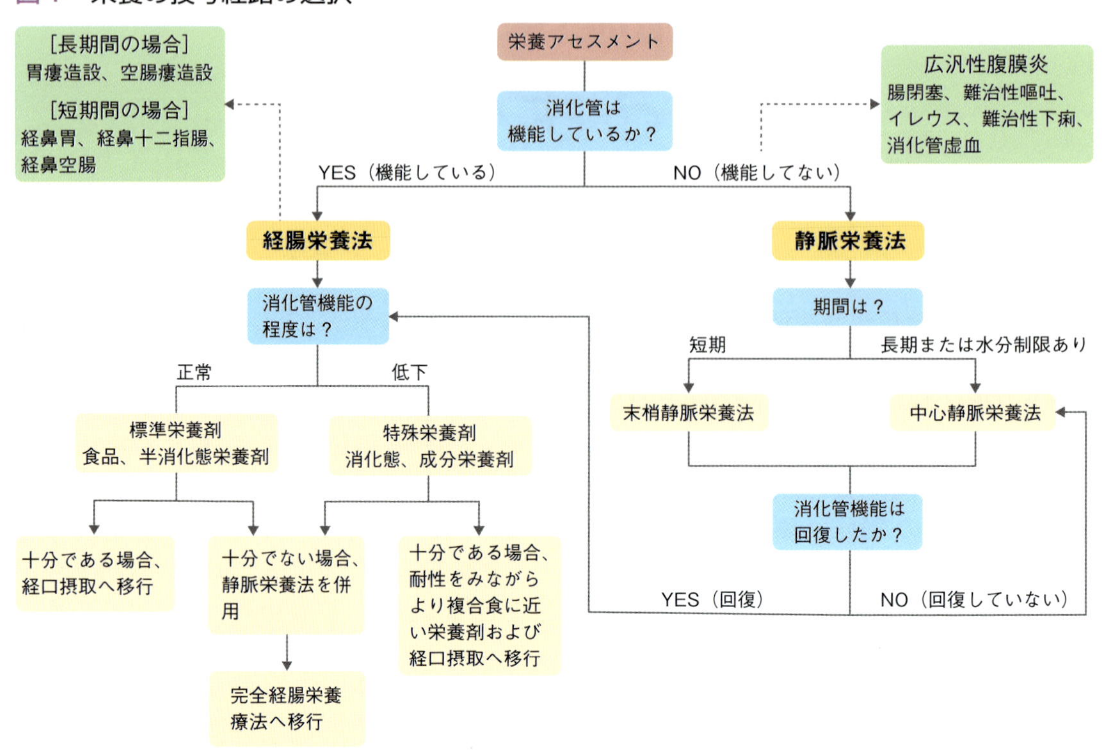

ASPEN Board of Directors and the Clinical Guidelines Task Force：Guidelines for the Use of Parenteral and Enteral Nutrition in Adult and Pediatric Patients. JPEN 2002；26（1）：8SA.

特定の栄養素の補給です。中でも「**亜鉛**」は他の特定の栄養素とともに投与すると創傷治癒に寄与するとされています。NPUAP/EPUAP/PPPIAガイドラインでは、亜鉛欠乏症がみられる場合は40 mg/日を超えないレベルで投与することが勧められています。

また、**アルギニン**は侵襲下での条件付き必須アミノ酸で、蛋白質、コラーゲンの合成促進、血管拡張作用、免疫細胞の賦活化などの効果が期待されています。アルギニンを含んだ栄養補助食品の摂取によって褥瘡治癒が進んだという報告もあります。

その他、**コラーゲン加水分解物**の補給によって褥瘡治癒促進効果が報告されており、現場では各種サプリメントの補給が進んでいます。

褥瘡の「痛み」にどう対応する？

仙骨部の深くて大きな褥瘡を見たとき、「この患者は痛くないのかな？」と思った方は多いでしょう。高齢患者の中には、意識状態が明瞭でなかったり、訴えをはっきりと伝えることができなかったりする人が多いことから、医療従事者は「褥瘡の痛み」についてあまり深刻に考えていないことが多いようです。しかし、痛みは最大の苦痛です。褥瘡患者のQOLを維持・向上させるためには、痛みの有無と程度を知って、**疼痛緩和のためにできる限りの治療やケアを行うことが重要**です。

『褥瘡予防・管理ガイドライン（第5版）』には、急性期病院、長期ケア施設、在宅のステージⅡ、Ⅲ、Ⅳの褥瘡をもっている患者の75%が「緩やかな痛み」を、18%が「耐えがたい痛み」をもっていると報告しています[1]。このことから、浅い褥瘡でも患者は痛みを感じており、深い褥瘡ほど強い痛みがあることがわかります。特に、DTIなど炎症期にある褥瘡は強い痛みを伴います。そこで、すべての褥瘡において痛みのアセスメントが不可欠になります。

『褥瘡予防・管理ガイドライン（第4版）』では、痛みについては「処置時および安静時を含めた処置以外のときに評価してもよい」とされています。痛みの評価は、主観的疼痛評価スケールを用いて評価することとなっています。主観的疼痛評価スケールとしては、VAS（視覚的アナログ尺度：visual analogue scale、図1）、NRS（数値的評価尺度：numerical rating scale、図2）、FRS（フェイススケール、図3）、MPQ（マクギル疼痛質問票：McGill Pain Questionnaire）などがあります。VAS、FRS、MPQなどの主観的疼痛評価スケールは、患者が感じている褥瘡の痛みの程度を反映しており、褥瘡の痛みの評価に適しているとされています。

急性期褥瘡では特に強い痛みを訴える場合があるので、鎮痛薬を有効に使うことも必要にな

図1　視覚的アナログ尺度（VAS：visual analogue scale）

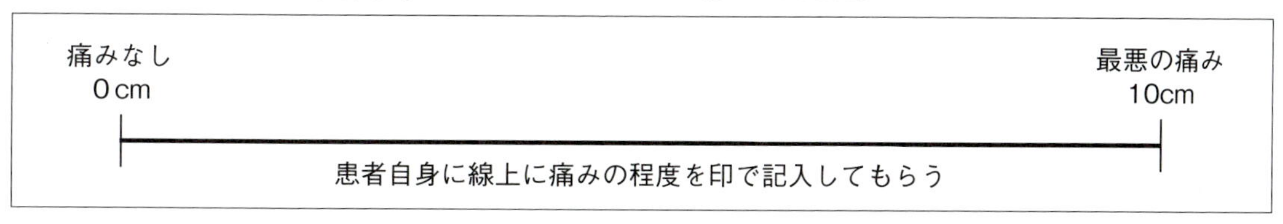

図2　数値的評価尺度（NRS：numerical rating scale）

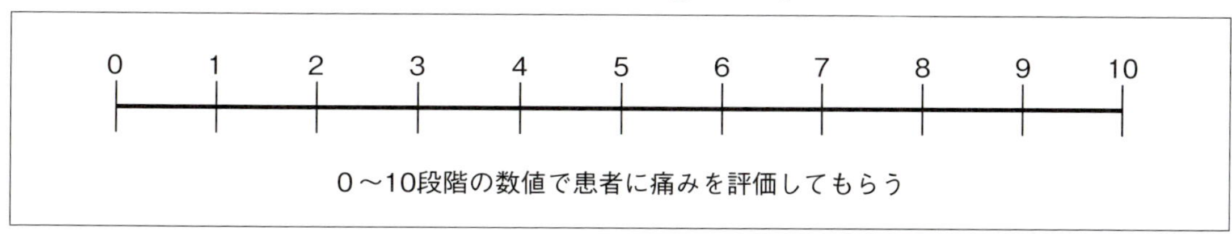

図3 フェイススケール（FRS：Wong-Baker faces pain rating scale）

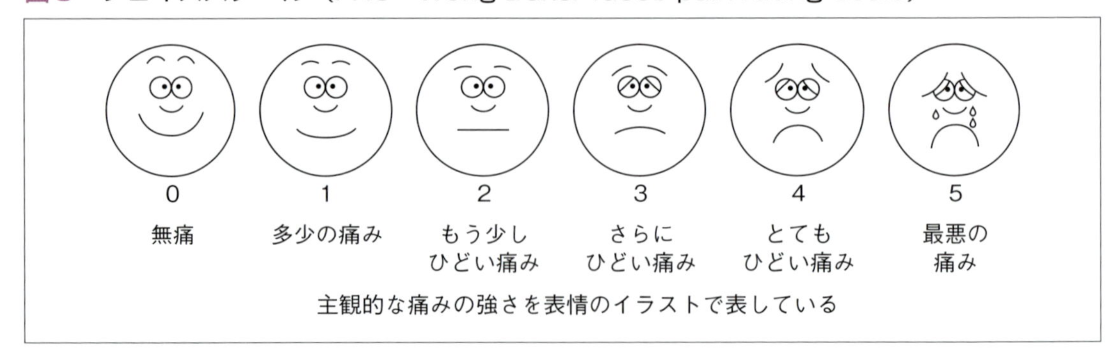

主観的な痛みの強さを表情のイラストで表している

表1 痛みの緩和が期待できる代表的なドレッシング材

製品		特徴
ハイドロジェル（真皮に至る創傷用）		
ビューゲル® （大鵬薬品工業株式会社）	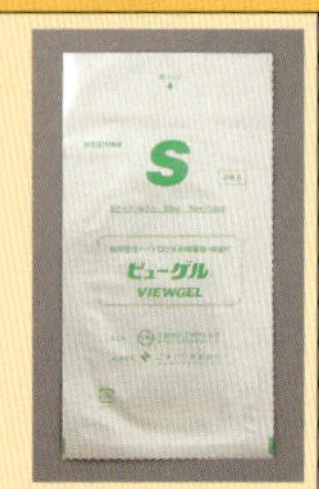	・ハイドロジェルが神経終末の刺激を抑え、痛みを緩和することができる
ポリウレタンフォーム（皮下組織に至る創傷用）		
メピレックス®ボーダー フレックス （メンリッケヘルスケア株式会社）	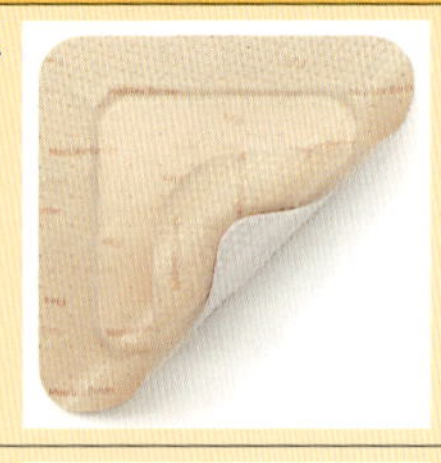	・ドレッシング材剥離時の創床、創縁、創周囲皮膚の損傷のリスクや剥離時の痛みを軽減できるよう、ソフトシリコン粘着剤が使用されている ・他のドレッシング材と比較して、ドレッシング材交換中、交換後も痛みの程度が低いことが報告されている ・内部の層にＹ字のカットを施し柔軟性が向上、貼付の不快感や不意な剥がれを軽減する
ハイドロサイト®ADジェントル （スミス・アンド・ネフュー株式会社）	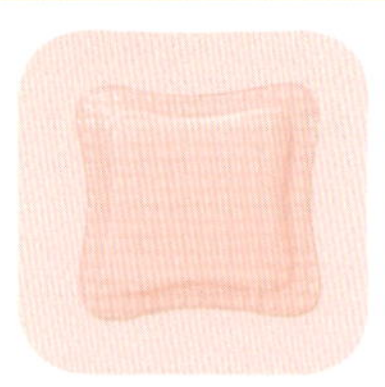	・ドレッシング材剥離時の創床、創縁、創周囲皮膚の損傷のリスクや剥離時の痛みを軽減できるよう伸縮性に優れたシリコーンゲルが使用されている

表2 ドレッシング材交換時の痛みの状況

- 安静時にも見られる創の炎症や感染などによる痛み
- 体動時にも見られる衣類やドレッシング材の摩擦刺激による痛み
- ドレッシング材の除去や創部の洗浄、外科的デブリードマンなど処置を行うときの機械的刺激による痛み
- 粘着性ドレッシング材や粘着テープを剥離したときの創周囲皮膚への機械的刺激による痛み
- 処置を行う際の体位による骨や関節、筋肉の痛み

祖父江正代：ドレッシング材交換時の痛みのマネジメント．エキスパートナース2010；26（14）：48．より引用

ります。

また、ドレッシング材の中には、痛みを緩和するはたらきをもつものもあります（表1）。それらを効果的に使って、患者の痛みを取る治療・ケアを優先させましょう。さらに、**ドレッシング材交換時の痛みを除去することも大切**です。ドレッシング材交換時の身体的痛みは、表2のような状況が考えられます。それぞれの状況に対して、トータルペインの考え方により有効なアプローチを行う必要があります。

引用文献
1. Szor JK, Bourguignon C：Description of pressure ulcer pain at rest and dressing change. J Wound Ostomy Continence Nurs 26（3）：115-120, 1999.
2. 祖父江正代：ドレッシング材交換時の痛みのマネジメント．エキスパートナース 2010；26（14）：48.

褥瘡をもつ患者・療養者のQOL評価

褥瘡の保有者は、さまざまな側面からQOLが阻害されています。痛みはQOL阻害の1要因であり、しかもかなり大きな要因でもあります。『褥瘡予防・管理ガイドライン（第5版）』では、褥瘡保有者のQOLに対する評価方法として次のようなものを挙げています。

①褥瘡を有する患者のQOL評価は、身体的・心理的・社会的側面を評価する。

②褥瘡を有する患者のQOLは尺度を用いて評価する。

「健康関連QOL」（health related Quality of Life：HR-QOL）は、疾患あるいは疾病治療によって影響される側面を含むQOLの概念です。QOLは多面的で、かつ個別的・主観的な概念です。そのため、QOL評価のためにさまざまな評価尺度が開発されています。

褥瘡を有する患者のQOLに影響を及ぼす要因としては、表1のようなものが考えられます。

表1　褥瘡を有する患者のQOLに影響を及ぼす要因

1. 身体面への影響が限界を与えること
2. 褥瘡の症状による影響
3. 患者のニーズと医療や介護的な介入による影響との不一致
4. 健康全般への影響
5. 心理的影響
6. 原因の認知による影響（予防ケアが不十分だったことに対する怒り）
7. 知識への欲求
8. 社会的影響
9. ヘルスケア提供者との関係性
10. 経済的問題
11. その他

Gorecki C, Brown JM, Nelson EA, et al：Impact of pressure ulcers on quality of life in older patients：a systematic review. J Am Geriatr Soc 2009；57（7）：1175-1183.
日本褥瘡学会編：褥瘡予防・管理ガイドライン（第4版）．照林社，東京，2016：212．より引用

また、褥瘡を有する患者のQOLを評価する尺度としては、2017年に改訂されたPU-QOL-P尺度[1]があります。これは、症状として「疼痛」「滲出液」「におい」、身体機能として「睡眠」「移動と可動性」「日々の活動」「倦怠感」、心理的幸福として「感情のwell-being」「自意識と外見」の9項目で構成されています。PU-QOL-P尺度は信頼性が検証されているとされています。

文献
1. Rutherford C, Brown JM, Smith I, et al：A patient-reported pressure ulcer health-related quality of life instrument for use in prevention trials（PU-QOL-P）：psychometric evaluation. Health Qual Life Outcomes 2018；16（1）：227.

車いすアスリートの褥瘡予防・管理への取り組み

2020年に開催された東京オリンピック・パラリンピックに際して、車いすアスリートの褥瘡予防・管理が注目されました。2016年の日本褥瘡学会第18回学術集会では、「2020年東京オリンピック・パラリンピック支援企画」として「障害者スポーツ選手から重度障害者へのシーティング－褥瘡予防・治療に活かせるシーティングを車椅子ユーザーから学ぼう！」というシンポジウムが開催されました。その後毎年の学術集会で関連シンポジウムを開催し、2019年の第21回学術集会では、「パラリンピックシンポジウム：車いすアスリート支援に関する学会の立場表明」が開催されました。そして、車いすアスリートの褥瘡予防と管理を実施する医療者への手引きとして『車いすアスリート褥瘡予防・管理ベストプラクティス』が刊行されています。

本書の中で、車いすアスリートの褥瘡予防・管理について、そもそもの高齢者の褥瘡とは異なると明記されています。車いすアスリートでは、障害が多岐にわたること、アクティブな生活を送っていること、日常生活に競技環境が加わってくることが大きな特徴です。しかも、日常生活で車いすを使う一方で、多くの時間を競技用車いすを使って、相当にハードな練習をしています。ほとんどの競技用車いすでは、車いすと身体を固定し、バランスを整えるために固定用ベルトを使用します。このベルトを固定する部位が褥瘡発生部位になるほか、競技中に特有の褥瘡発生も見逃せません。

高齢者に発生する褥瘡の多くは、仙骨部・尾骨部・大転子部などの骨突出部位に発生します。しかし、車いすアスリートの場合は、臀部周辺では尾骨部や仙骨部はもちろん、両坐骨結節部に発生することが多いといいます。下肢では骨突出部の多い膝関節以遠に発生しやすく、膝関節内側、腓骨頭部、外果部、内果部、中足骨頭部、基節骨部、足底面などに発生します。下肢は、ベルト固定するときに強い圧迫がかかります。

さらに、競技中の臀部への強い圧迫や摩擦・ずれによって臀部にDTI（深部損傷褥瘡）が発生しやすいという特徴があります。そのため、深部組織のダメージを評価するために、超音波（エコー）によるアセスメントが必要になります。通常は、エコーにより皮膚、皮下組織、筋の層構造は明瞭に観察することができますが、車いすアスリートの臀部では、組織・筋の層構造が不明瞭になり、さらに深部の液体貯留がDTIとして観察されることがあるため、注意が必要です。

文献

1. 日本褥瘡学会 車いすアスリート支援委員会編：車いすアスリート褥瘡予防・管理ベストプラクティス．日本褥瘡学会，東京，2019.

Part 11

在宅の褥瘡患者にどうアプローチする?

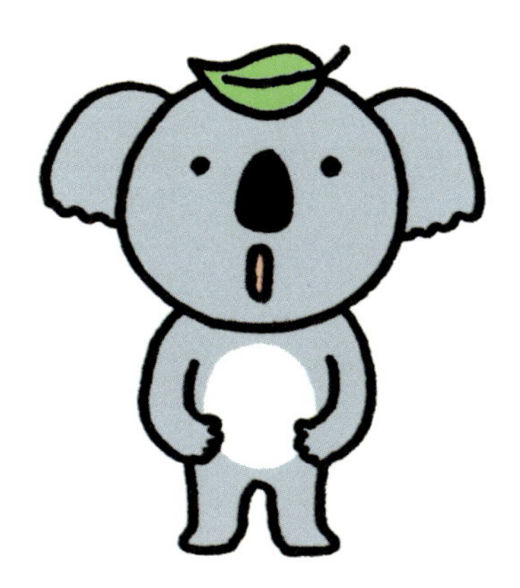

在宅の褥瘡患者は減ってきた？

日本褥瘡学会が行った2016年の調査では在宅（訪問看護ステーション）での褥瘡有病率は1.93％と、2013年調査の2.61％からかなり減ってきています。

年齢別には、75歳以上の後期高齢者が65.3％と多く、特に85〜94歳が42％を占めています。

褥瘡発生部位では、仙骨部（30.0％）、坐骨結節部（10.2％）、踵部（9.2％）、大転子部（8.1％）、尾骨部（7.6％）と続きます。

在宅褥瘡の減少は、日本褥瘡学会が行ってきた在宅褥瘡セミナー、『在宅褥瘡テキストブック』の発行、eラーニングによる教育などが着実に成果を上げているものと思われます。さらに、診療報酬上でも専門性の高い看護師による訪問看護（同行訪問含む）や在宅患者訪問褥瘡管理指導料の新設などによる経済的誘導の効果も大きいと思われます。

「**在宅患者訪問褥瘡管理指導料**」は、医師、看護師、管理栄養士からなる在宅褥瘡対策チームが、「重点的な褥瘡管理が必要な在宅療養者」（表1）に対して、褥瘡の改善などを目的に協働して指導管理を行う場合に算定できます。

在宅褥瘡対策チームの実施体制としては、1つの病院内に医師・看護師・管理栄養士がいる基本的な体制の他、病院の医師・管理栄養士が訪問看護ステーションの看護師等と連携した場合、そして病院の医師・看護師等が栄養ケア・ステーションまたは他の保険医療機関の管理栄養士と連携した場合などが考えられます。栄養ケア・ステーションとは日本栄養士会または都道府県栄養士会が管理・運営する管理栄養士・栄養士のネットワークの1つです。当初、在宅患者訪問褥瘡管理指導料の申請においては管理栄養士が常勤でなければならない点がネックとなっていましたが、平成30年度の診療報酬改定で「非常勤でもよい」ことになり、さらに令和2年度の診療報酬改定で、**栄養ケア・ステーションや当該医療機関以外の管理栄養士でも算定できるように要件が緩和**されました。

表1　重点的な褥瘡管理が必要な在宅療養者

- 重度の末梢循環不全のもの
- 麻薬等の鎮痛・鎮静剤の持続的な使用が必要であるもの
- 強度の下痢が続く状態であるもの
- 極度の皮膚脆弱であるもの
- 皮膚に密着させる医療関連機器の長期かつ持続的な使用が必要であるもの*

＊医療関連機器圧迫創傷（MDRPU）のこと。平成30年度診療報酬改定で新たに追加

在宅で褥瘡患者を みる場合の基本

病院であろうと在宅であろうと褥瘡予防・管理の基本原則は同じです。しかし、在宅では、病院で使えるような医療機器を手軽に使うことはできません。マンパワーも限られていますから、例えば体位変換を頻回に行うことも難しいでしょう。そして、体圧分散マットレスやドレッシング材など、保険がきかないものを使う場合には、患者負担になってしまうことも配慮する必要があります。何より在宅では、患者本人と介護する家族が日常的に褥瘡管理ができるようにサポートすることが最も大切です。それらのことを踏まえたうえで、在宅で褥瘡予防・管理を行うポイントについて考えてみましょう。

1．褥瘡の予防

在宅では、ケアギバーである家族やホームヘルパーがキーパーソンになります。褥瘡の発生を見つけるのもこれらのキーパーソンであることが多いでしょう。そこで、皮膚の観察方法や発赤の見分け方などを教育する必要があります。発赤こそが皮膚の状態チェックのポイントになります。

在宅ケアの良否を決定づけるのは、ケアマネジャーの判断です。そこで、ケアプランに積極的に褥瘡予防の手立てを組み込んでもらうようにします。褥瘡予防のためには、適切な体圧分散用具の選択と使用が不可欠です。在宅で使えるマットレスなどの福祉機器を貸与する制度も利用できます。そのためにも、ケアマネジャーとの綿密な打ち合わせが必要になります。褥瘡予防・管理を円滑に行う方法を表１に、褥瘡予防の手順を図１に示しました。

2．褥瘡の発生後

褥瘡が発生してしまったら、主治医に相談し、訪問看護師、ソーシャルワーカー、理学療法士、薬剤師、栄養士など多職種連携のもとにケア体制を敷きます。

褥瘡ができてしまうと創部にばかり目がいきがちになりますが、本当に必要なのは、圧迫・ずれの除去、皮膚の清潔、栄養などの生活環境を整えることです。在宅では特に療養生活環境

表１　褥瘡予防・管理を円滑に行う方法

①ケアプランに必ず褥瘡予防を入れ込む	ケアマネジャーは家族から皮膚の状態を聞き取る。褥瘡の予防には看護者が主体となって積極的に取り組む
②勘や経験に頼らずケアの根拠をもつ	リスクアセスメントスケールや簡易体圧計などの使用によってエビデンスを示す
③行ってはいけないケアを理解しておく	円座の使用や骨突出部のマッサージなど禁忌となっている方法を理解する
④第一発見者はケアマネジャー、家族、ヘルパー	日常皮膚を観察することが多い家族やケアマネジャー、ヘルパーなどが褥瘡の前兆を発見することが多いため、指導を的確に行う
⑤発赤を見落とさない	“びらん”が生じる前のサイン“発赤”を見落とさないように家族の指導を行う

日本褥瘡学会編：在宅褥瘡テキストブック．照林社，東京，2020：3-4を元に作成

図１　褥瘡予防の手順

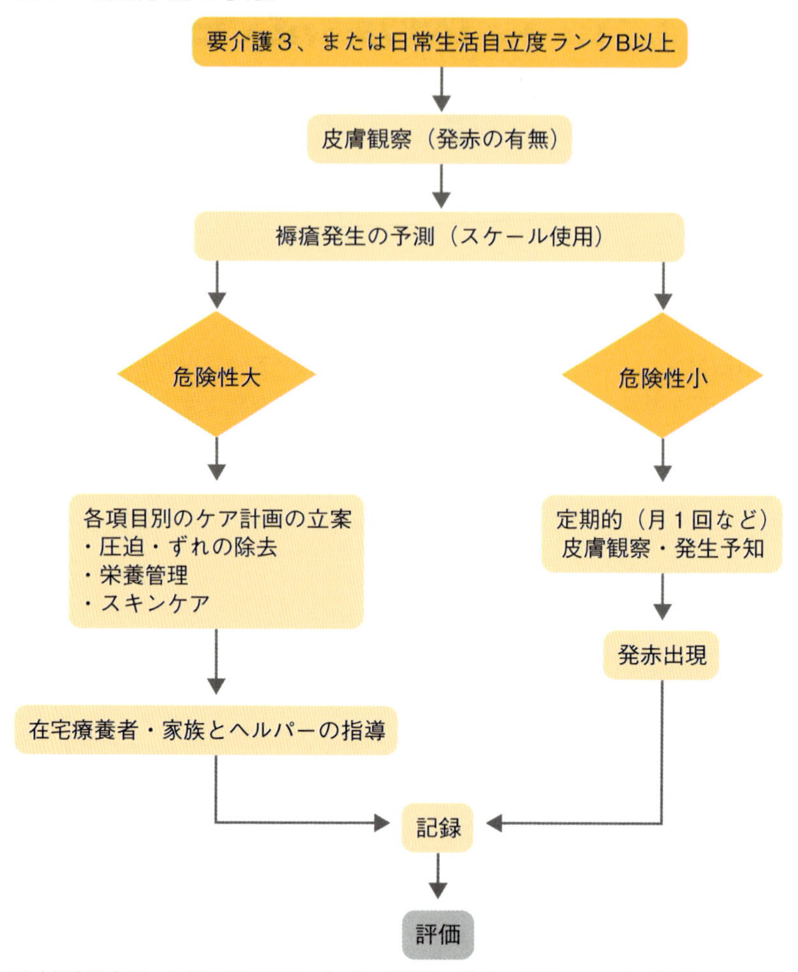

日本褥瘡学会編：在宅褥瘡テキストブック．照林社，東京，2020：3．より引用

の調整を第一に考えましょう。

創の局所治療・ケアの原則は変わりません。創内・創周囲の洗浄を行って清潔にし、創を湿潤状態に保つことが必要です。褥瘡発生後のケア手順を図２に示しました。

在宅では、高価なエアマットレスやドレッシング材などの医療機器は、なかなか使えないことが多いでしょう。在宅で利用できる福祉機器や、社会・人的資源を有効に使えるような調整が必要です。そのためにも、ケアマネジャーやソーシャルワーカーと相談して、療養者や家族が自分たちで行える褥瘡管理の体制をつくることが大切です。

在宅での褥瘡管理を進めるためには、家族・ヘルパーへの教育・指導が重要であることは前述しました。具体的な指導内容を表２にまとめました。

図2　褥瘡発生後のケア手順

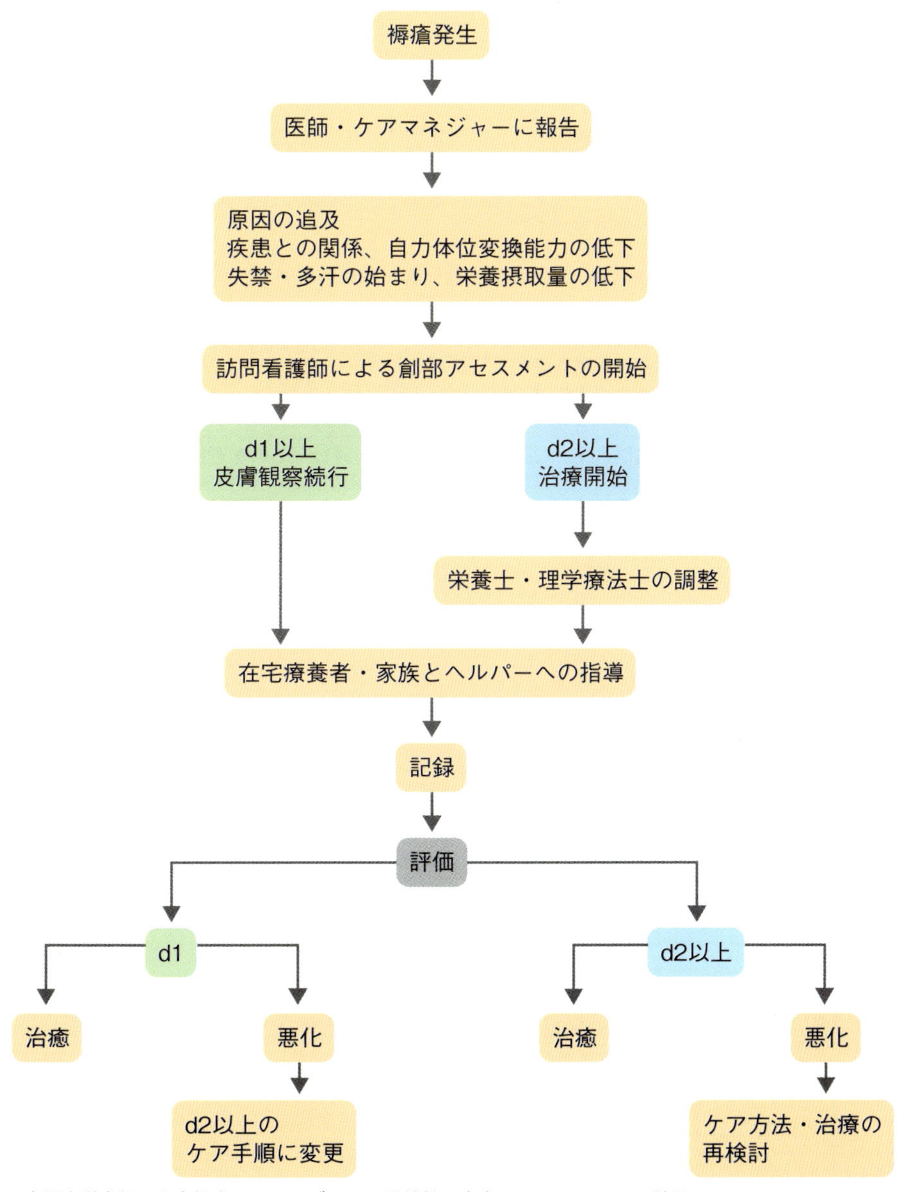

日本褥瘡学会編：在宅褥瘡テキストブック．照林社，東京，2020：5．より引用

表2　在宅での褥瘡管理の指導ポイント

①圧迫の除去	・褥瘡予防・治癒促進・再発予防のすべてにおいて外力の除去が重要 ・状態に適した体圧分散用具を選択し、適切に使用する ・体位変換スケジュールを計画し体位変換を行う ・頭側挙上は30度までとする ・やむをえず45度以上の頭側挙上を行う場合はできるだけ短時間とし、二層式エアマットレスを使用する
②栄養摂取	・日常の栄養摂取状態をアセスメントし、適切な摂取経路で必要栄養量を摂る ・家族・ヘルパーに栄養指導を行う ・必要時は給食サービスを行う ・経管栄養のために頭側挙上時間が延長し仙骨・尾骨部にずれが生じるときは、半固形状流動食に変更する
③スキンケア	・入浴・清拭時は低刺激性石けんを用いて過度に皮膚を擦らない ・入浴・清拭後は保湿外用薬を使用して皮膚の乾燥を防ぐ ・入浴後の水分を除去する際はやわらかいタオルで押さえ拭きする ・皮膚を過度に擦ったりドライヤーで乾燥させたりしない
④排泄ケア	・おむつを用いる場合はADLや排泄物の量・性状に適したものを選択する ・持続する下痢や水様便のときは医師（または専門の看護師）に相談する ・排泄物から皮膚を守るため撥水性皮膚保護剤を使う際は量・回数に留意する ・排泄物で汚染された創を発見した場合は家族と職種間で話し合う

日本褥瘡学会編：在宅褥瘡テキストブック．照林社，東京，2020：8-9．を元に作成

在宅での褥瘡の治癒促進に有効な皮膚・排泄ケア認定看護師の活用

『褥瘡予防・管理ガイドライン（第5版）』では、褥瘡の治癒促進に有効な、在宅（外来）での対策として、「皮膚・排泄ケア認定看護師の褥瘡保有患者の退院支援および訪問への参画」を挙げています。

そのエビデンスとして、「d2以上の褥瘡を保有し、自宅、介護保険施設、療養型病院に退院する者30名を対象にした介入研究」を紹介しています。介入群19名には、皮膚・排泄ケア認定看護師（WOCN）が退院前に退院後療養先の医療・福祉職と合同カンファレンスを実施、退院後は相談・指導、病院専門職との調整による支援を退院後90日まで行ったところ、介入群の褥瘡治癒までの期間は、対照群より有意に短く（$p<0.038$）、DESIGN-R®総点が有意に減少（$p<0.001$）したという報告です[1]。

また、海外では、褥瘡を含む慢性創傷を保有する在宅療養者を対象にし、ET/WOCNが訪問看護を行うことは、正看護師・准看護師のみで訪問看護を行うよりも創閉鎖期間が有意に短く（$p=0.0006$）、費用対効果がある（$p<0.001$）という報告があります[2]。これは褥瘡以外の慢性創傷を含んでいるとはいえ、創傷の専門的知識をもつ看護師による訪問看護は創治癒効果が高いという証でもあるでしょう。

文献

1. 栃折綾香，須釜淳子，大桑麻由美，他：褥瘡保有者の退院前後連携における皮膚・排泄ケア認定看護師参画の効果．褥瘡会誌 2015；16（4）：528-537.
2. Harris C, Shannon R：An innovative enterostomal therapy nurse model of community wound care delivery a retrospective cost-effectiveness analysis. J Wound Ostomy Continence Nurs 2008；35（2）：169-183.

訪問看護と介護保険の基礎知識

在宅ケアでは、社会資源・人的資源を最大限に使って、療養者・家族の労力や経済的負担の軽減を図ることが重要です。医療・看護の提供は、病院・開業医・訪問看護ステーションなどから行われますので、その地域にどのような医療機関があるかを知っておくことが必要です。そして何より介護保険制度についてある程度の知識も知っておくことが大切です。また、長期の療養生活を支えるために、デイケア、デイサービス、ショートステイなどの地域の福祉資源の活用も大切です。そのための情報を、病院退院時に退院調整看護師やソーシャルワーカー、ケアマネジャーと共有しておきましょう。ケースワーカーに相談すれば福祉用具の貸与等の相談にものってくれます。

1. 訪問看護

訪問看護は、看護師などが療養者の居宅にうかがって、療養上の世話や診療の補助を行うことをいいます。その際、在宅主治医の指示が必要なことは言うまでもありませんが、**医師は常にそばにいるわけではないため、訪問看護師の判断はきわめて重要**です。

介護保険制度の発足に伴い、在宅の要介護者に対しては介護保険から訪問看護の介護給付費が支給されるようになりました。利用者は、年齢や疾病、状態によって医療保険または介護保険の適応になります。要介護認定を受けている場合は原則として、医療保険より介護保険のほうが優先されます。自己負担は、医療保険の場合は保険証に応じた一定割合の負担となり、介護保険の場合は介護費用の1～3割が自己負担となります。

2. 介護保険制度

介護保険制度は、療養者が住んでいる市区町村が運営している制度です。介護保険の対象となるのは、65歳以上の人、あるいは40～64歳の人で介護保険の対象となる特定疾病にかかっている人です（表1）。これらの人は、要介護認定を受けて認定されると、さまざまな介護サービスが受けられます。

要介護認定は市区町村に設置された介護認定審査会で行われます。認定調査員による心身の状況調査に基づくコンピュータ判定と主治医意見書などに基づいて審査され、判定されます。認定は、要支援1・2から、要介護1～5までの7段階になります。要介護1～5は「介護給付」、要支援1～2は「予防給付」が受けられます。

要介護認定が終わると、ケアマネジャー、ヘルパー、訪問看護師、在宅主治医と利用者・家族とで、ケアプランを作成します。その流れを図1に、受けられる介護サービスを表2、3に示しました。詳しいことは市区町村の福祉課の窓口で相談することが必要です。

居宅サービスを利用する場合は、利用できるサービスの量（支給限度額）が要介護度別に定められています。限度額の範囲内でサービスを利用した場合は、1割（一定以上所得者の場合は2割）の自己負担です。限度額を超えてサービスを利用した場合は、超えた分が全額自己負担となるため注意が必要です。

表1　介護保険制度の被保険者

	第1号被保険者	第2号被保険者
対象者	65歳以上	40歳以上65歳未満の医療保険加入者
受給要件	●要介護状態 （認知症、寝たきり等により、常時介護が必要な状態） ●要支援状態 （日常生活上の動作について支援が必要な状態）	要介護状態、要支援状態が、末期がんや脳血管疾患などの特定疾病（※）による場合に限定
保険料の徴収方法	●市町村と特別区が徴収 ●原則年金からの天引き ●65歳になった月から徴収開始	●医療保険料と一括徴収 ●40歳になった月から徴収開始

※特定疾病

1. がん（末期）
2. 関節リウマチ
3. 筋萎縮性側索硬化症
4. 後縦靱帯骨化症
5. 骨折を伴う骨粗鬆症
6. 初老期における認知症
7. 進行性核上性麻痺、大脳皮質基底核変性症およびパーキンソン病（パーキンソン病関連疾患）
8. 脊髄小脳変性症
9. 脊柱管狭窄症
10. 早老症
11. 多系統萎縮症
12. 糖尿病性神経障害、糖尿病性腎症および糖尿病性網膜症
13. 脳血管疾患
14. 閉塞性動脈硬化症
15. 慢性閉塞性肺疾患
16. 両側の膝関節または股関節に著しい変形を伴う変形性関節症

図1　介護サービス利用の流れ

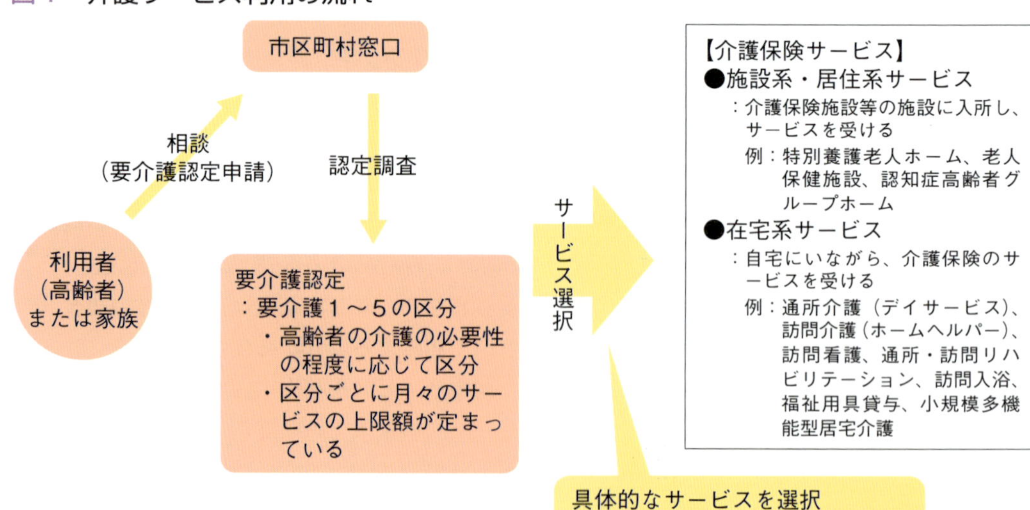

厚生労働省老健局：介護保険制度の概要（令和3年5月）．より引用
https://www.mhlw.go.jp/content/000801559.pdf（2022/8/5アクセス）

表2　介護サービスの種類

	都道府県・政令市・中核市が指定・監督を行うサービス	市町村が指定・監督を行うサービス
介護給付を行うサービス	●居宅介護サービス 【訪問サービス】 ・訪問介護（ホームヘルプサービス） ・訪問入浴介護 ・訪問看護 ・訪問リハビリテーション ・居宅療養管理指導 【通所サービス】 ・通所介護（デイサービス） ・通所リハビリテーション 【短期入所サービス】 ・短期入所生活介護（ショートステイ） ・短期入所療養介護 ・特定施設入居者生活介護 ・福祉用具貸与 ・特定福祉用具販売 ●施設サービス ・介護老人福祉施設 ・介護老人保健施設 ・介護療養型医療施設 ・介護医療院	●地域密着型サービス ・定期巡回・随時対応型訪問介護看護 ・夜間対応型訪問介護 ・地域密着型通所介護 ・認知症対応型通所介護 ・小規模多機能型居宅介護 ・認知症対応型共同生活介護（グループホーム） ・地域密着型特定施設入居者生活介護 ・地域密着型介護老人福祉施設入所者生活介護 ・複合型サービス（看護小規模多機能型居宅介護） ●居宅介護支援
予防給付を行うサービス	●介護予防サービス 【訪問サービス】 ・介護予防訪問入浴介護 ・介護予防訪問看護 ・介護予防訪問リハビリテーション ・介護予防居宅療養管理指導 【通所サービス】 ・介護予防通所リハビリテーション 【短期入所サービス】 ・介護予防短期入所生活介護（ショートステイ） ・介護予防短期入所療養介護 ・介護予防特定施設入居者生活介護 ・介護予防福祉用具貸与 ・特定介護予防福祉用具販売	●地域密着型介護予防サービス ・介護予防認知症対応型通所介護 ・介護予防小規模多機能型居宅介護 ・介護予防認知症対応型共同生活介護（グループホーム） ●介護予防支援

この他、居宅介護（介護予防）住宅改修、介護予防・日常生活支援総合事業がある
厚生労働省老健局：介護保険制度の概要（令和3年5月）．より引用
https://www.mhlw.go.jp/content/000801559.pdf（2022/8/5アクセス）

表3　利用できる主な介護サービスの内容

自宅で利用するサービス	訪問介護	訪問介護員（ホームヘルパー）が、入浴、排泄、食事などの介護や調理、洗濯、掃除等の家事を行うサービス
	訪問看護	自宅で療養生活が送れるよう、看護師が医師の指示のもとで健康チェック、療養上の世話などを行うサービス
	福祉用具貸与	日常生活や介護に役立つ福祉用具（車いす、ベッドなど）のレンタルができるサービス
日帰りで施設等を利用するサービス	通所介護（デイサービス）	食事や入浴などの支援や、心身の機能を維持・向上するための機能訓練、口腔機能向上サービスなどを日帰りで提供する
	通所リハビリテーション（デイケア）	施設や病院などにおいて、日常生活の自立を助けるために理学療法士、作業療法士などがリハビリテーションを行い、利用者の心身機能の維持・回復を図るサービス
宿泊するサービス	短期入所生活介護（ショートステイ）	施設などに短期間宿泊して、食事や入浴などの支援や、心身の機能を維持・向上するための機能訓練の支援などを行うサービス。家族の介護負担軽減を図ることができる
居住系サービス	特定施設入居者生活介護	有料老人ホームなどに入居している高齢者が、日常生活上の支援や介護サービスを利用できる
施設系サービス	特別養護老人ホーム	常に介護が必要で、自宅では介護が困難な方が入所する。食事、入浴、排泄などの介護を一体的に提供する（原則要介護3以上の方が対象）
小規模多機能型居宅介護		利用者の選択に応じて、施設への「通い」を中心に、短期間の「宿泊」や利用者の自宅への「訪問」を組み合わせて日常生活上の支援や機能訓練を行うサービス
定期巡回・随時対応型訪問介護看護		定期的な巡回や随時通報への対応など、利用者の心身の状況に応じて、24時間365日必要なサービスを必要なタイミングで柔軟に提供するサービス。訪問介護員だけでなく看護師なども連携しているため、介護と看護の一体的なサービス提供を受けることもできる

厚生労働省：介護保険制度について．より引用
https://www.mhlw.go.jp/file/06-Seisakujouhou-12300000-Roukenkyoku/2gou_leaflet.pdf（2022/8/5アクセス）

在宅で利用できる福祉用具と衛生材料を知っておこう

1．福祉用具の活用

介護保険で福祉用具を利用するためには、要支援・要介護認定を受けておく必要があります。介護保険サービスは、介護認定を受けて、ケアマネジャー等が策定するケアプランによって利用可能になります。

介護保険による福祉用具には2通りあります。貸与（レンタル）できるものと、購入費が支給されるものです（表1）。

貸与されるものは、車椅子、特殊寝台、床ずれ防止用具、体位変換器、手すり、スロープなど13種目あります。これらは原則として、利用者の身体状況や要介護度の変化、福祉用具の機能の向上に応じて適時・適切に提供できるものです。

一方、販売される種目は、使用により形態や品質に変化の出るものや再利用できないものな

表1　介護保険による福祉用具（対象項目）

福祉用具貸与（原則）	・車椅子 ・車椅子付属品 ・特殊寝台 ・特殊寝台付属品 ・床ずれ防止用具 ・体位変換器 ・手すり ・スロープ ・歩行器 ・歩行補助つえ ・認知症老人徘徊感知機器 ・移動用リフト（吊具の部分を除く） ・自動排泄処理装置
福祉用具販売（例外）	・腰掛便座 ・自動排泄処理装置の交換可能部 ・入浴補助用具（入浴用椅子、浴槽用手すり、浴槽内椅子、入浴台、浴室内すのこ、浴槽内すのこ、入浴用介助ベルト） ・簡易浴槽 ・移動用リフトの吊り具の部分

【給付制度の概要】
①貸与の原則
利用者の身体状況や要介護度の変化、福祉用具の機能の向上に応じて、適時・適切な福祉用具を利用者に提供できるよう、貸与を原則としている。
②販売種目（原則年間10万円を限度）
貸与になじまない性質のもの（他人が使用したものを再利用することに心理的抵抗感が伴うもの、使用によってもとの形態・品質が変化し、再利用できないもの）は、福祉用具の購入費を保険給付の対象としている。
③現に要した費用
福祉用具の貸与及び購入は、市場の価格競争を通じて適切な価格による給付が行われるよう、保険給付における公定価格を定めず、現に要した費用の額により保険給付する仕組みとしている。

厚生労働省：介護における福祉用具貸与．を元に作成
https://www.mhlw.go.jp/content/12300000/000314951.pdf（2022/8/5アクセス）

ど、貸与になじまないものです。腰掛便座や簡易浴槽、入浴補助具などが該当します。購入費は原則年間10万円を限度としています。介護保険を利用することによって1割負担になります。

これらの福祉用具は、ケアマネジャーか福祉用具専門相談員らと相談のうえ選定し、貸与・購入する際は、自治体が指定する専門事業者を通じて行います。

2. 衛生材料の活用

褥瘡ケアにおいてはさまざまな衛生材料が必要になります（表2）。衛生材料には、「在宅療養指導管理料を算定している場合に医療機関が提供できるもの」としてガーゼ、ドレッシング材、サージカルテープ、消毒薬などがあります。これらは医療機関が在宅療養者に必要で十分な量を供給します。また、処置用シーツや滅菌手袋などは在宅療養者が購入するものになります。看護師や在宅主治医は訪問する際に、使用する滅菌手袋やメジャーを持っていきます。

また、訪問看護事業所で購入・保管できる衛生材料もあります（表3）。これは「薬事法の一部を改正する法律の施行等について」（2009年）によって、**訪問看護ステーションで緊急時に必要となる衛生材料を購入できるようになった**ためです。訪問看護で使用した衛生材料は医療機関に請求します。さらに現在は、在宅療養管理指導を行っている保険医療機関の医師の処方箋に基づき、保険薬局で皮膚欠損用創傷被覆材と非固着性シリコンガーゼを支給できるようになっています。

在宅においては、さまざまな衛生材料、医薬品を療養者宅で管理する必要があるため、種類や量、使用期限などをこまめにチェックして管理し、必要なときに不足しないような適切な管理が重要です。そのため、療養者・家族を中心にして、かかわる職種が情報を共有していくことが大切です。

表2　在宅での衛生材料の種類

在宅療養指導管理料を算定している場合に医療機関が在宅療養者に提供する物品	・ガーゼやドレッシング材 ・サージカルテープ ・消毒薬 ・洗浄のための物品
在宅療養者が購入する物品	・処置用シーツ ・滅菌手袋 ・石けん ・スキンケアに必要な物品 ・洗浄用のボトル
看護師、在宅主治医が持参するもの	・滅菌手袋 ・メジャー

表3　訪問看護事業所で購入・保管できる衛生材料（例）

・ガーゼ	・滅菌手袋	・リント布	・医療用粘着包帯
・脱脂綿	・絆創膏	・包帯	・ドレッシング材
・綿棒	・油紙	・テープ類	・使い捨て手袋
・綿球			

日本看護協会：衛生材料等の整理．を元に作成
http://jvnf.or.jp/newinfo/20111019-2.pdf（2022/8/5アクセス）

褥瘡を理解するために参考になる文献

1. 日本褥瘡学会編：褥瘡予防・管理ガイドライン 第5版．照林社，東京，2022.
2. 日本褥瘡学会編：改定DESIGN-R®2020コンセンサス・ドキュメント．照林社，東京，2020.
3. 日本褥瘡学会編：在宅褥瘡テキストブック，照林社，東京，2020.
4. 日本褥瘡学会編：ベストプラクティス医療関連機器圧迫創傷の予防と管理，照林社，東京，2016.
5. 日本褥瘡学会編：褥瘡ガイドブック-第2版．照林社，東京，2015.
6. 日本褥瘡学会編：在宅褥瘡予防・治療ガイドブック-第3版．照林社，東京，2015.
7. 日本褥瘡学会編：科学的根拠に基づく 褥瘡局所治療ガイドライン．照林社，東京，2005.
8. 日本褥瘡学会編：褥瘡予防・管理ガイドライン．照林社，東京，2009.
9. 日本褥瘡学会編：平成26年度（2014年度）診療報酬改定 褥瘡関連項目に関する指針．照林社，東京，2014.
10. 日本褥瘡学会編：平成30年度(2018年度)診療報酬・介護報酬改定 褥瘡関連項目に関する指針．照林社，東京，2018.
11. 日本創傷・オストミー・失禁管理学会：ベストプラクティス スキン-テア（皮膚裂傷）の予防と管理．照林社，東京，2015.
12. 日本創傷・オストミー・失禁管理学会：スキンケアガイドブック．照林社，東京，2017.
13. 日本創傷・オストミー・失禁管理学会：IAD-setに基づくIADの予防と管理 IADベストプラクティス．照林社，東京，2019.
14. 日本創傷・オストミー・失禁管理学会：新版 排泄ケアガイドブック．照林社，東京，2021.
15. 真田弘美，須釜淳子編：改訂版 実践に基づく 最新 褥瘡看護技術．照林社，東京，2009.
16. 真田弘美，大浦紀彦，溝上祐子，市岡滋編：ナースのためのアドバンスド創傷ケア．照林社，東京，2012.
17. 宮地良樹，溝上祐子編：エキスパートナース・ガイド 褥瘡治療・ケアトータルガイド．照林社，東京，2009.
18. 市岡滋，須釜淳子編：治りにくい創傷の治療とケア．照林社，東京，2011.
19. 田中マキ子編著：深化したTIMEによる褥瘡ケーススタディ．照林社，東京，2013.
20. 宮地良樹，真田弘美編著：よくわかって役に立つ 新・褥瘡のすべて．永井書店，大阪，2006.
21. 市岡滋：創傷治癒の臨床―治りにくいキズのマネージメント．金芳堂，京都，2009.
22. 古田勝経：早くきれいに 褥瘡を治す「外用剤」の使い方．照林社，東京，2013.
23. 切手俊弘：はじめての褥瘡ケア―見る看るわかるポイント50．照林社，東京，2013.
24. 切手俊弘：そこが知りたい！　褥瘡ケアの「秘訣」30　ガイドラインの活かし方と褥瘡マネジメント．照林社，東京，2014.
25. 溝上祐子編著：褥瘡・創傷のドレッシング材・外用薬の選び方・使い方 第2版．照林社，東京，2021.
26. 舘正弘監修，渡邊千登世，渡辺光子，丹波光子，竹ノ内美樹編：褥瘡治療・ケアの「こんなときどうする？」．照林社，東京，2015.
27. 松村一，溝上祐子編著：創傷の見かた 全身状態の診かた．照林社，東京，2021.

参考にしたい学会・ホームページ一覧（すべて2022/8/5アクセス）

- ●日本褥瘡学会　http://www.jspu.org/
- ●日本創傷・オストミー・失禁管理学会　http://www.jwocm.org/
- ●日本褥瘡学会・在宅ケア推進協会　http://www.tokozurecare.com/
- ●日本ストーマ・排泄リハビリテーション学会　http://www.jsscr.jp/
- ●日本学術会議　http://www.scj.go.jp/
- ●日本皮膚科学会　https://www.dermatol.or.jp/
- ●日本熱傷学会　http://www.jsbi-burn.org/
- ●日本形成外科学会　http://www.jsprs.or.jp/
- ●日本形成外科手術手技学会　http://jsitps.umin.jp/
- ●日本創傷外科学会　https://www.jsswc.or.jp/
- ●日本創傷治癒学会　http://www.jswh.com/
- ●日本フットケア・足病医学会　https://jfcpm.org/
- ●日本老年医学会　http://www.jpn-geriat-soc.or.jp/index.html
- ●日本老年泌尿器科学会　http://square.umin.ac.jp/sgu/
- ●日本看護協会　http://www.nurse.or.jp/
- ●訪問看護支援協会　http://www.kango.or.jp/
- ●NPIAP（米国褥瘡諮問委員会）　https://npiap.com/
- ●EPUAP（欧州褥瘡諮問委員会）　http://www.epuap.org/
- ●WOCN（創傷・オストミー・失禁看護師協会）　http://www.wocn.org/
- ●NPO法人創傷治癒センター　http://www.woundhealing-center.jp/

索引

和文索引

つ・て

と

に

ね・の

は

ひ

ふ

へ

ほ

ま

め

ゆ

よ

ら・り

ろ

数字

欧文

C

D

E

F・G

I・K

M

N

O

P

R

S

T

V・W

新 まるわかり褥瘡ケア
最新ガイドライン、DESIGN-R®2020に基づく

2016年7月25日　第1版第1刷発行
2022年11月2日　第2版第1刷発行
著　者　田中　マキ子
発行者　有賀　洋文
発行所　株式会社　照林社
〒112-0002
東京都文京区小石川2丁目3-23
電話　03-3815-4921（編集）
03-5689-7377（営業）
http://www.shorinsha.co.jp/
印刷所　共同印刷株式会社

ISBN978-4-7965-2569-5